Tendances
méthode de français
B2

Jacky Girardet - Jacques Pécheur
Colette Gibbe - Marie-Louise Parizet

CLE
INTERNATIONAL

Crédits photographiques :

p. 11 : luckybusiness/Adobe Stock – **p. 12 :** Sangoiri/Adobe Stock – **p. 13 g :** sveta/Adobe Stock – **p. 13 bas g :** Éditions First Interactive – **p. 13 bas d :** Le Livre De Poche – **p. 13 bas m :** Les Éditions Technip & Ophrys – **p. 14 ht g :** ADAGP Paris, 2013, photo Eva Vautier/ADAGP-banque d'images – **p. 14 ht d :** ADAGP Paris 1964 photo Eva Vautier/ADAGP-banque d'images – **p. 14 ht m :** ADAGP 1997 photo Eva Vautier/ADAGP-Banque d'images – **p. 14 bas :** ArtemSam/Adobe Stock – **p. 15 :** Bebert Bruno/SIPA – **p. 16 ht dr :** John Foley/Opale/Leemage – **p. 16 bas :** amazingmikael/Adobe Stock – **p. 16 :** Actes Sud – **p. 17 :** lily/Adobe Stock – **p. 19 :** Maygutyak/Adobe Stock – **p. 20 ht d :** Thomas Goisque/Figaro Photo – **p. 20 ht g :** Thomas Goisque/Collections Blanche Éditions Gallimard – **p. 20 m g :** Éditions Paulsen – **p. 20 bas :** Kaszlikowski David – **p. 21 :** oka/Adobe Stock – **p. 22 :** aquaphoto/Adobe Stock – **p. 23 ht :** photocrew/Adobe Stock – **p. 23 bas :** Nejron Photo/Adobe Stock – **p. 24 ht g :** Avatar_023/Adobe Stock – **p. 24 bas :** kontur-vid/Adobe Stock – **p. 24 ht d :** Marc Chaumeil/Divergence – **p. 25 de g à dr :** Michael Ochs Archives/Getty Images ; Everett Collection/shutterstock ; JStone/shutterstock – **p. 26 ht :** BAZ – **p. 26 bas :** franciscojose/Adobe Stock – **p. 27 ht :** PHILETDOM/Adobe Stock – **p. 27 bas :** Francois G. Durand/Getty Images – **p. 28 :** dsm_sergiy/Adobe Stock – **p. 29 ht d :** Robert Nickelsberg/Getty Images France – **p. 29 m :** Robert Nickelsberg/Getty Images France – **p. 29 bas d :** Wikimedia – **p. 32 :** collection ChristopheL – **p. 33 :** Eric Audras/Onoky/Photononstop – **p. 34 :** collection ChristopheL – **p. 35 de ht en bas :** ssstocker/Adobe Stock; alekseyvanin/Adobe Stock ; eMIL'/Adobe Stock – **p. 36 ht :** sylv1rob1/Adobe Stock – **p. 36 bas :** Studio Grand Ouest/Adobe Stock – **p. 37 bas g :** Pascal Victor/Artcompress – **p. 38 ht :** jccuvelier/Adobe Stock – **p. 38 m :** radoma/Adobe Stock – **p. 39 de ht en bas :** Studios/Blend Images/Photononstop ; Kaos03/Sime/Photonstop ; The Asahi Shimbun/Getty Images – **p. 40 ht :** BAZ – **p. 40 m :** John van Hasselt/Corbis/Getty Images – **p. 40 bas :** Brian Jackson/Adobe Stock – **p. 41 :** Fabrizio Maltese/Christophe L collection – **p. 42 ht :** Julien Cauvin/TF1 Collection/SIPA Press – **p. 42 bas :** Petr Vaclavek/Adobe Stock – **p. 43 :** Luis Louro/Adobe Stock – **p. 46 :** Monkey Business/Adobe Stock – **p. 47 :** Lionel Lourdel/Photononstop – **p. 49 g :** BIS/Ph © John Phillips/The John and Anna Maria Phillips Foundation/Archives larbor – **p. 49 bas :** ARTENS/Adobe Stock – **p. 50 g :** Eric Megret/SIPA – **p. 50 dr :** Beaubourg audiovisuel/RTBF/Christophe L collection – **p. 50 bas :** Romolo

Tavani/Adobe Stock – **p. 51 :** Christophe L collection – **p. 52 d :** Picasso Administration, Artothek/La Collection – **p. 52 d :** Vladimir Terebenin/La Desserte, harmonie rouge, 1908, The State Hermitage Museum – **p. 52 m :** Bertrand Rindoff Petroff/Getty Images – **p. 53 :** Stéphane Frances/Only France – **p. 54 :** BAZ – **p. 55 g :** SIPA – **p. 55 dr :** Edmond Sadaka/SIPA – **p. 57 ht g :** goldnetz/Adobe Stock – **p. 57 dr :** psdesign1/Adobe Stock – **p. 60 :** David Niviere/SIPA – **p. 61 :** Paul Bradbury/Ojo Images/Photononstop – **p. 62 :** Collection ChristopheL – **p. 63 ht :** © BIS/Ph. Jean-Loup Charmet © Archives Larbor – **p. 63 bas :** Jürgen Fälchle/Adobe Stock – **p. 64 ht :** AlienCat – **p. 64 bas :** Christophe Lartige/SIPA – **p. 65 ht :** kentoh/Adobe Stock – **p. 65 m :** Dan and Lori Ffroymson Fund/Bridgeman Images – **p. 66 :** okalinichenko/Adobe Stock – **p. 67 ht :** Christos Georghiou/Adobe Stock – **p. 67 bas :** Catherine Leblanc/Photononstop – **p. 68 ht :** BAZ – **p. 68 bas :** Par WavebreakmediaMicro/Adobe Stock – **p. 69 ht :** viperagp/Adobe Stock – **p. 69 bas :** Rick Friedman/Getty Images – **p. 70 ht g :** lassedesignen/Adobe Stock – **p. 70 ht dr :** BrunoWeltmann/Adobe Stock – **p. 70 bas g :** Brad Pict/Adobe Stock – **p. 70 bas dr :** Tomasz Zajda/Adobe Stock – **p. 71 ht :** Patricia W./Adobe Stock – **p. 71 bas :** Patrick J./Adobe Stock – **p. 74 :** KarSol/Adobe Stock – **p. 76 ht dr :** Bernard Bisson/JDD/SIPA – **p. 76 m de g à dr :** alexlmx/Adobe Stock; picsfive/Adobe Stock; Richard Villalon/Adobe Stock; Ongala/Adobe Stock – **p. 76 bas :** Sébastien Salom-Gomis/SIPA – **p. 77 :** koya979/Adobe Stock – **p. 78 ht :** Conrado Giusti – **p. 78 m :** mat/Adobe Stock – **p. 78 bas :** Zlatan Durakovic/Adobe Stock – **p. 79 ht :** Cazenove, Richez & Widenlocher/Bamboo Éditions – **p. 79 bas :** iMAGINE/Adobe Stock – **p. 80 ht :** Studio Grand Ouest/Adobe Stock – **p. 80 bas :** psdesign1/Adobe Stock – **p. 81 ht :** Paolese/Adobe Stock – **p. 81 bas :** Bloomberg/Getty Images – **p. 82 ht :** BAZ – **p. 82 m g :** Eléonore H/Adobe Stock – **p. 82 bas g :** NoraDoa/Adobe Stock – **p. 82 bas dr :** eVolo/Cover Images/SIPA – **p. 83 ht :** Photographee.eu/Adobe Stock – **p. 83 bas :** luanateutzi/Adobe Stock – **p. 84 m g :** Ruslan Semichev/Adobe Stock – **p. 84 bas :** kaycco/Adobe Stock – **p. 85 :** PFG/SIPA – **p. 88 :** Daniel Thierry/Photononstop – **p. 89 :** Florence Durand/SIPA – **p. 90 ht :** M. Coupard/Adobe Stock – **p. 90 m :** Valery Bareta/Adobe Stock – **p. 90 bas :** darren whittingham/Adobe Stock – **p. 91 :** snyGGG/Adobe Stock – **p. 92 :** DR – **p. 93 g :** Nicolas Messyasz/SIPA – **p. 93 dr :** WITT/SIPA – **p. 94 ht d :** Matthieu Rondel/La Agence Hans Lucas – **p. 94 ht g :** Jeromine Derigny/Argos/Picturetank – **p. 95

g :** Steven Wassenaar/Agence Hans Lucas – **p. 95 dr :** Westend61/Photononstop – **p. 96 :** Matthias Enter/Adobe Stock – **p. 97 :** BAZ – **p. 98 ht :** auremar/Adobe Stock – **p. 98 m dr :** A.J.Cassaigne/Photononstop – **p. 98 m g :** peacebuts/Adobe Stock – **p. 98 bas :** Werner Forman/Getty Images – **p. 99 :** VALINCO/SIPA – **p. 102 :** Riccardo Niels Mayer/Adobe Stock – **p. 103 :** Alain Le Bot/Photononstop – **p. 104 ht :** Laurent Gillieron/AP/SIPA – **p. 104 bas :** lil_22/Adobe Stock – **p. 105 g :** paleka/Adobe Stock – **p. 105 dr :** POUZET/SIPA – **p. 106 g :** © BIS/Ph. © Archives Nathan – **p. 106 dr :** Collection ChristopheL – **p. 107 :** johoo/Adobe Stock – **p. 108 :** AGPhotography/Adobe Stock – **p. 109 :** photo4luck/Adobe Stock – **p. 110 ht :** BAZ – **p. 110 bas :** Laurent Benhamou/SIPA – **p. 111 de g. à dr :** NOSSANT/SIPA ; pressmaster/Adobe Stock; Syda Productions/Adobe Stock – **p. 112 ht :** Patryssia/Adobe Stock – **p. 112 bas :** imagika/Adobe Stock – **p. 113 :** alphaspirit/Adobe Stock – **p. 116 :** pst/Adobe Stock – **p. 117 :** Jacky Jeannet – **p. 118 :** VISUAL DRONE sauf m g : WIKIMEDIA – **p. 119 :** Mary Evans/SIPA – **p. 120 de g à dr :** PIXATERRA/Adobe Stock; Christophe Lehenaff/Photononstop ; Mick Rock/Cephas/Photononstop ; Jean-Daniel Sudres/Hemis ; Claude Prigent/Epicureans/Voyage gourmand ; Dupuy/Andia – **p. 121 :** Spila Riccardo/Sime/Photononstop – **p. 122 :** Graphithèque/Adobe Stock – **p. 123 ht :** Graphithèque/Adobe Stock – **p. 123 bas :** Marc LOBJOY/Adobe Stock – **p. 124 ht :** BAZ – **p. 124 dr :** Danielle Bonardelle/Adobe Stock – **p. 125 bas :** yvon52/Adobe Stock – **p. 125 m :** LianeM/Adobe Stock – **p. 125 bas :** taniavolobueva/Shutterstock – **p. 126 :** Hervé Gyssels/Photononstop – **p. 127 ht :** Jean-Philippe Trottier/jptrottier@me.com – **p. 127 bas :** laguna35/Adobe Stock – **p. 130 :** Bernard GIRARDIN/Adobe Stock – **p. 131 :** Production Perig/Adobe Stock – **p. 132 :** Elnur/Adobe Stock – **p. 133 g :** Éditions Diateino – **p. 133 dr :** flairimages/Adobe Stock – **p. 134 :** Gile Michel/SIPA – **p. 135 ht :** M.studio/Adobe Stock – **p. 135 bas :** FACELLY/SIPA – **p. 136 g :** WITT/SIPA – **p. 136 dr :** THE TIMES/SIPA – **p. 137 :** pathdoc/Adobe Stock – **p. 138 ht :** BAZ – **p. 138 bas :** beeboys/Adobe Stock – **p. 139 ht :** kritchanut/Adobe Stock – **p. 139 bas :** The Asahi Shimbun/Getty Images – **p. 140 :** Pio Si/Adobe Stock – **p. 141 :** baranq/Adobe Stock – **p. 144 g :** pict rider/Adobe Stock – **p. 144 dr :** Paolo Bona/Shutterstock

Cartes : Fernando San Martin et Oscar Fernandez avec Conrado Giusti (illustrations)

Direction éditoriale : Béatrice Rego
Édition : Sylvie Hano
Couverture : Miz'enpage – Dagmar Stahringer
Conception maquette : Miz'enpage

Mise en page : Isabelle Vacher
Recherche iconographique : Lorena Martini
Enregistrements : Vincent Bund
Vidéos : BAZ

© CLE International, 2017
ISBN : 978-209-038534-2

Tendances B2 : pour une compétence d'utilisateur indépendant de la langue

Tendances est une méthode pour l'apprentissage du français langue étrangère qui s'adresse à des étudiants adultes ou grands adolescents et qui couvre les différents niveaux du CECR (Cadre européen commun de référence). Le présent ouvrage est destiné à des étudiants ayant atteint le niveau B1. Il les prépare au niveau B2, celui **d'utilisateur indépendant** de la langue. On travaille donc conjointement : **la capacité à faire face aux diverses situations de la vie quotidienne, la compréhension des écrits et des oraux non spécialisés et la capacité à interagir sur des sujets courants en exposant des arguments**.

Des objectifs pratiques qui préparent l'étudiant à être pleinement acteur dans une société francophone

Chacune des 9 unités est organisée selon une situation globale de la vie quotidienne ou **scénario actionnel** : *Vivre une aventure, Vivre en famille, S'intéresser aux loisirs culturels, etc.*

Ces scénarios présentent des suites d'actions concrètes ou verbales que l'étudiant va apprendre à réaliser. Par exemple, dans l'unité 1, « *Vivre une aventure* » : rompre avec la routine, prendre une décision, prendre des risques, gérer ses succès et ses échecs, vivre pour sa passion, refaire le monde.

À la fin de chaque unité, **un projet personnel ou collectif donne à l'étudiant l'occasion de mobiliser ses acquis dans une tâche concrète** qui lui permettra de mesurer son degré d'autonomie en français : *faire des propositions pour améliorer le système éducatif, défendre un projet local, rédiger un article ou une pétition pour sauvegarder un élément du patrimoine, faire un discours original pour un évènement amical ou professionnel, etc.*

Une approche réaliste de la grammaire et du vocabulaire fondée sur la réflexion et la nécessaire mémorisation

Ce niveau B2 s'attache à **reprendre et à enrichir les points de grammaire** introduits aux niveaux précédents. Par exemple, pour exprimer une relation de cause, on introduit des expressions comme « d'autant que » et on revoit l'emploi de « puisque » qui pose souvent des problèmes. Pour la compréhension des récits au passé, on introduit le passé simple. Il en est de même pour le lexique, **des thèmes nouveaux sont abordés** en fonction des documents proposés mais les thèmes des niveaux élémentaires comme « la famille » ou « le logement » sont également revus et enrichis dans des contextes qui suscitent les débats.

Comme à tous les niveaux de la méthode *Tendances*, l'introduction des points de grammaire ou de lexique est toujours **subordonnée aux tâches à réaliser**. Ainsi, le discours rapporté est introduit dans le cadre d'un compte rendu de débat. L'organisation en scénarios actionnels facilite le retour régulier des thèmes et des points grammaticaux.

L'acquisition des moyens linguistiques fait l'objet d'une démarche qui passe par **la réflexion, la conceptualisation et l'automatisation**. Des encadrés « Réfléchissons » et des exercices écrits et oraux aident l'enseignant dans cette démarche.

Un reflet de la francophonie actuelle et des tendances de la société

Tendances fournit à l'étudiant un environnement linguistique et culturel riche et actuel : **documents audio** (reportages, micro-trottoirs, entretiens, émissions de radio), **reportages vidéo, articles de presse, extraits de films ou de pièces de théâtre**.

Les documents supports, toujours en lien avec les scénarios actionnels, sont choisis à la fois parce qu'ils reflètent les comportements, les intérêts actuels des sociétés francophones et pour leur capacité à susciter remarques, commentaires, discussions et comparaisons. Des « Points infos » apportent des éclairages et des informations culturelles.

L'étudiant, acteur dans son apprentissage

Tendances s'appuie aussi largement sur **des interactions dans le groupe classe**, qu'il s'agisse des tâches de compréhension, des petites discussions par deux ou en petits groupes, des jeux de rôles ou des projets collectifs.

Par ailleurs, la méthode invite l'étudiant à trouver lui-même les solutions aux problèmes qu'il se pose. En même temps, elle se veut **rassurante** car elle s'appuie sur **une progression réaliste**, adopte **des démarches graduées**, fournit de nombreux exercices de renforcement et de vérification des compétences dans le livre de l'élève et dans le cahier d'activités

Tendances B2 bénéficie d'un environnement numérique complet.

La version numérique individuelle de *Tendances* permet à l'étudiant de travailler en autonomie avec l'ensemble des documents. **Avec la version numérique pour la classe** (disponibles sur clé USB et en version ebook), le professeur pourra utiliser les ressources du TBI et de la vidéoprojection. L'institution disposera par ailleurs d'un outil intégrable à son propre dispositif d'enseignement permettant notamment le soutien ou le rattrapage à distance.

Tableau des contenus

Unités	Objectifs actionnels	Grammaire
0 **Être autonome**	• Connaître son profil d'apprentissage • Enrichir son vocabulaire • Améliorer son niveau de langue	• Identifier ses erreurs de grammaire • Les pronoms personnels avant le verbe • Les pronoms relatifs
1 **Vivre une aventure**	• Faire un choix de vie • Prendre des risques • Gérer ses succès et ses échecs • Vivre pour sa passion • **Projet : Refaire le monde**	• L'expression de la volonté, du souhait et du regret • L'expression de la cause • L'expression de la durée • Les constructions négatives
2 **Vivre en famille**	• Vivre une relation amoureuse • Élever ses enfants • Célébrer les étapes de la vie • **Projet : Débattre sur l'éducation des enfants**	• L'expression de la concession, de la condition et de la restriction • L'expression de l'obligation et de la nécessité • Le pronom complément direct antéposé
3 **S'intéresser aux loisirs culturels**	• Lire un récit littéraire • Raconter une fiction • Aller voir une exposition • Écouter ou faire de la musique • **Projet : Écrire un texte original pour un événement**	• Le passé simple et le passé antérieur • La concordance des temps dans le récit • L'expression de l'antériorité, de la postériorité et de la simultanéité • Le pronom complément indirect antéposé
4 **Rechercher des informations**	• Faire une interview • Juger de la valeur d'une information • Prendre des notes et synthétiser des informations • Trouver des sources d'information • Donner son avis sur un problème d'écologie • **Projet : Faire une recherche documentaire pour défendre une cause**	• L'interrogation • L'hypothèse et la déduction • L'expression du doute et de la certitude

Thèmes et actes de communication	Civilisation
• L'apprentissage • Le dictionnaire	• Des écrivains apprenant une langue étrangère (Chico Buarque, Cavanna, Nancy Huston) • L'artiste Ben
• Raconter une aventure • Exprimer la peur, encourager • Raconter un succès ou un échec • Féliciter ou consoler • Parler de ses passions	• Quelques aventuriers ou passionnés : Sylvain Tesson, Stéphanie Bodet, Thierry Marx, les bâtisseurs du château de Guédelon • Le retour des utopies : l'écovillage d'Ithaca, la démocratie directe en Suisse • Les Français face au risque
• Le couple • L'enfance et l'adolescence • Les étapes de la vie • Gérer les problèmes causés par son enfant • Donner des conseils à un couple en difficulté	• La rencontre amoureuse au cinéma • Théâtre : Le dieu du carnage de Yasmina Reza • Les rites de passage en France et dans le monde • L'évolution de la famille en France • Le couple et l'argent : film L'économie du couple L'éducation autoritaire ou libertaire
• Donner son avis sur un récit littéraire • Raconter un épisode d'une série ou d'un film • S'informer sur une manifestation artistique • Commenter une œuvre d'art • Présenter une chanson	• Une nouvelle de Marie Desplechin • Quelques séries télévisées policières françaises • La nuit des musées • L'exposition Matisse-Picasso • Quelques chanteurs francophones actuels : Gatha, Vincent Delerm, Soprano, Rose
• La vérité, l'erreur et le mensonge • La connaissance et l'ignorance • Donner son avis à propos d'une rumeur	• L'énigme du masque de fer • Le transhumanisme • La Bibliothèque nationale de France • Les risques de l'Internet • L'énergie nucléaire en France

Tableau des contenus

Thèmes et actes de communication	Civilisation
• Les innovations • La santé • L'habitat • Exprimer la surprise ou l'indifférence • Exprimer sa satisfaction	• Le concours Lépine et les innovations • L'humour du quotidien • La protection des consommateurs • Le « made in France » • Santé et nouveaux comportements
• Les valeurs • L'action sociale ou humanitaire • L'immigration • L'économie • Argumenter la défense ou la critique d'un projet	• La parité homme femme • Les communautés en France • Les politiques migratoires dans les pays francophones • L'économie collaborative • Sujets de débat (droit de vote à 16 ans, légalisation du cannabis, etc.)
• L'éducation • L'apprentissage • Présenter ses compétences intellectuelles et professionnelles Évaluer une méthode éducative • Faire et présenter une carte mentale	• Un lieu de formation : l'école Louis Lumière • Le programme Erasmus • Les écoles alternatives • Le système éducatif en France • Évaluation et rythmes scolaires
• L'histoire et les légendes • Comprendre un guide touristique • Choisir un restaurant • Raconter un épisode de l'histoire ou une légende • Faire un état des lieux	• Le château de Villers-Cotterêts et son histoire • La légende de Guillaume Tell • Quelques restaurants de La Rochelle • L'organisation administrative et politique de la France • La Bretagne • Éléments du patrimoine à sauvegarder dans les pays francophones
• Les sentiments et les émotions • L'emploi • Présenter un emploi du temps et un déroulement d'activité • Gérer un problème d'horaire ou d'échéance • Remplir un CV européen, faire une lettre de motivation, préparer un entretien d'embauche	• L'organisation du travail en France (temps de travail, rémunération • Le chômage (comparaisons européennes et ses solutions) • L'entreprise Forem • Le CV européen

Les unités

Une unité 0 et 9 unités bâties chacune sur un scénario actionnel. Le scénario actionnel représente une suite d'actions orientées vers un but concret et pratique : *Vivre une aventure, Défendre des valeurs, S'intégrer dans une région, etc.*

Chaque unité comporte :

• **une page de présentation des objectifs.**

• **5 leçons**, chacune sur une double page, **développant un moment possible du scénario actionnel**. Par exemple, dans l'unité 4 « Rechercher des informations » : *faire une interview, juger la valeur d'une information, synthétiser des informations, trouver des sources d'information.*

Chaque objectif est atteint au terme d'un **parcours d'apprentissage** qui voit se succéder différentes **tâches**. Par exemple, la leçon « *Synthétiser des informations* » (unité 4, leçon 3) implique comme tâches : « Prendre des notes » (donc savoir utiliser les formes nominales et quelques abréviations) et « Regrouper des informations ».

La 5e leçon, qui est, elle aussi, un moment du scénario actionnel donne lieu **à la réalisation d'un projet**.

• **une double page « Outils ».**

• **une page « Bilan grammatical ».** Elle reprend des points de grammaire vus dans l'unité. On y travaille également des automatismes (constructions négatives, constructions des pronoms antéposés, etc.).

Les leçons

• **Les leçons 1 à 4**

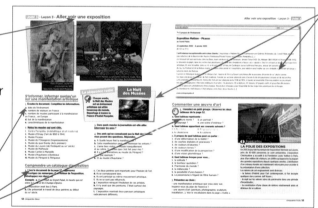

L'objectif actionnel
Il correspond à une action ou à un ensemble d'actions que l'étudiant devra savoir accomplir pour atteindre un but dans sa vie de locuteur francophone.

Les tâches
L'objectif de la leçon est atteint au terme d'un parcours d'apprentissage qui voit se succéder différentes tâches. Ces tâches peuvent être à dominante communicative ou porter sur un savoir-faire linguistique.

Les documents supports
Toutes les leçons proposent un **document écrit** (extrait de presse, courriel ou lettre, extrait de guide touristique, d'œuvre littéraire ou théâtrale, etc.). La plupart du temps, elles s'appuient également sur **un document oral** (séquence radio, reportage vidéo, micro-trottoir, etc.).

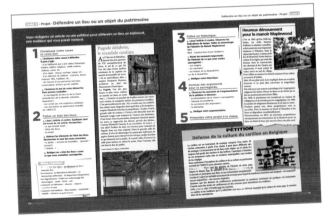

• **La leçon « Projet »**
La cinquième leçon de l'unité est construite selon les étapes de la réalisation d'un projet que l'étudiant devra mener à bien. Cette réalisation permet de remettre en œuvre les savoir-faire acquis dans les quatre leçons précédentes.

Les outils pour un apprentissage efficace

• Les activités de compréhension
Un appareil pédagogique
important aide les étudiants
dans leur travail de
compréhension des documents
oraux ou écrits : QCM,
questionnaire de recherche,
vrai ou faux, phrases à
compléter, tableaux à remplir.

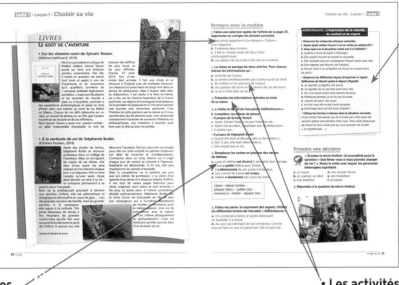

• Les encadrés « Réfléchissons... »
Ces encadrés
proposent des
moments de réflexion
sur la langue.
Les étudiants
y induisent les
structures et les règles
grammaticales
ou lexicales grâce
à de petits exercices
guidés par le
professeur.

• Les exercices
Ils ont pour but la vérification
de la compréhension des systèmes
de la langue et contribuent à leur
automatisation.

• Les activités en groupe
Selon l'objectif de l'activité, l'étudiant
est invité à travailler seul, par deux
ou en petit groupe.

• Les activités de production
La leçon comporte
systématiquement une
activité de production
écrite ou orale. Elle
est le prolongement
direct des activités
de compréhension. Les
moyens linguistiques
qui permettent de
réaliser cette tâche
sont donnés par les
documents et complétés
par des encadrés
ou par une rubrique
des pages « Outils ».

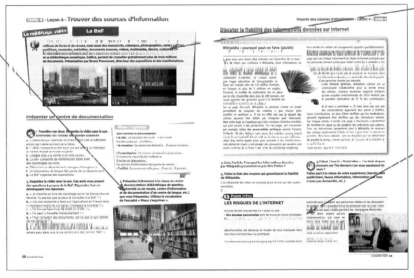

• La vidéo et son exploitation
Comme la plupart des autres
documents, la vidéo fait l'objet
d'une exploitation détaillée
qui commence par un travail
sur les images après visionnage
sans le son.

• Les « Points infos »
Ils font le point sur des aspects
ponctuels de civilisation en
liaison avec le contenu de
la leçon. Ils sont souvent
le support d'activités de
comparaisons interculturelles,
de recherches et d'échanges.

La double-page « Outils »

Elle récapitule les
principaux points
de grammaire et de
vocabulaire de l'unité.
Pour l'étudiant, c'est
un aide-mémoire
et un instrument
de référence.

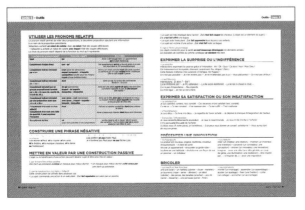

La page « Bilan grammatical »

Elle propose des exercices
complémentaires sur les
points de grammaire vus
dans l'unité et sur des
points de grammaire
abordés dans les niveaux
précédents et mis en
œuvre dans certaines
activités de l'unité.
Elle inclut également
un entraînement à
l'automatisation à l'oral de structures complexes.

Le cahier d'activités

Il reprend les contenus de chaque leçon pour les prolonger et les approfondir.
Dans le cahier d'activités, l'étudiant trouvera pour chaque leçon :
– une liste des mots nouveaux ;
– des activités de vérification de la compréhension des textes du livre ;
  des exercices de réemploi du vocabulaire et des expressions introduits dans la leçon ;
– des exercices pour l'automatisation des formes de grammaire et de conjugaison ;
– des exercices d'écoute ;
– un travail en autonomie sur des documents écrits et oraux complémentaires ;
– une préparation systématique au DELF.

Le livre du professeur

Le professeur y trouvera :
– le contenu et l'objectif de chaque leçon ;
– des propositions de parcours et de mises en œuvre diverses ;
– les explications nécessaires pour les points de grammaire et de lexique ;
– des notes culturelles relatives au contenu des leçons ;
– les corrigés ou propositions de corrigés des exercices.

Un environnement numérique complet et innovant

Tendances B2 bénéficie d'un environnement numérique complet.
– Pour l'étudiant : les versions numériques individuelles enrichies avec tous les médias en ebook.
– Pour le professeur : les versions numériques pour la classe (TBI, vidéo projection) disponibles sur clé USB et en ebook.
– Pour l'institution : « ViaScola » une plate-forme d'e-learning pour des offres d'enseignement hybride, soutien ou rattrapage à distance.

Reportage vidéo

Piste audio

Travail en binôme

Travail en groupe

UNITÉ 0

ÊTRE AUTONOME

1 CONNAÎTRE SON PROFIL D'APPRENTISSAGE
- Trouver son style d'apprentissage
- Échanger des expériences

2 ENRICHIR SON VOCABULAIRE
- Utiliser les dictionnaires
- Regrouper les mots pour les apprendre
- Associer les mots à des idées, des intentions et des situations

3 AMÉLIORER SON NIVEAU DE LANGUE
- Tirer parti de ses erreurs
- Identifier ses erreurs de grammaire
- Concrétiser certaines difficultés
- Travailler les automatismes

Trouver son style d'apprentissage

Test

Quel type d'étudiant êtes-vous ?

Tout le monde n'apprend pas de la même manière. Pour comprendre un point de grammaire, certains ont besoin d'observer des exemples ou des tableaux, d'autres préfèrent faire des comparaisons avec leur langue maternelle, d'autres apprennent en utilisant tout de suite ce qu'ils viennent de découvrir. La connaissance de votre style d'apprentissage vous orientera vers les activités et les exercices qui vous aideront le mieux.

Dans chaque partie du tableau (a, b, c, d), choisissez ce qui vous correspond le mieux.

Vous êtes…

a. **auditif**
Vous vous rappelez facilement ce que vous entendez. Quand vous découvrez un mot nouveau, vous avez envie de le prononcer.

ou **visuel**
Pour apprendre un mot nouveau, vous avez besoin de le voir écrit. Les exemples écrits, les tableaux de grammaire et de conjugaison vous sont très utiles.

b. **spontané**
Vous prenez facilement la parole sans préparation. Vous n'avez pas peur de faire des fautes. Vous aimez progresser vite et aborder plusieurs points même si vous ne les maîtrisez pas parfaitement.

ou **réfléchi**
Avant de prendre la parole, vous avez besoin d'une préparation. Vous avez toujours peur de faire des fautes. Vous avancez progressivement. Vous avez besoin d'avoir assimilé un point avant de passer au suivant.

c. **entreprenant**
Vous apprenez en réalisant des projets. Vous préférez trouver vous-même les règles de grammaire plutôt qu'avec les explications du professeur.

ou **exécutant**
Rechercher par vous-même une règle de grammaire est pour vous une perte de temps. Vous préférez la lire dans un livre de grammaire ou la comprendre grâce à l'explication du professeur. Faire beaucoup d'exercices de grammaire et de vocabulaire vous paraît utile.

d. **collectif**
Vous aimez travailler en équipe. Vous avez besoin des autres pour vous motiver. Les échanges, le dialogue vous permettent d'apprendre.

ou **individuel**
Vous aimez travailler seul(e). Dans les travaux de groupe, vous participez peu. Vous avez l'impression que vous perdez votre temps. Vous ne pouvez pas progresser sans un travail personnel chez vous.

1. Lisez le document ci-dessus. À quel type d'étudiant conviennent les activités suivantes ?

a. les exercices écrits de grammaire → *visuel, exécutant*
b. les exercices oraux de grammaire
c. les jeux de rôles
d. les débats
e. l'écoute d'un document oral
f. la lecture d'un article de presse
g. les projets réalisés en petit groupe
h. les rédactions
i. les exposés
j. les exercices écrits

2. Faites le test et commentez le résultat.

Dans chaque partie a, b, c, ou d du tableau, choisissez le caractère qui vous correspond le mieux.
Ajoutez vos remarques personnelles.
Je suis plutôt un auditif parce que… mais j'ai aussi besoin de noter les mots…

 3. a. Présentez à la classe :

– votre style d'apprentissage ;
– les difficultés que vous rencontrez.

b. Échangez des conseils pour mieux apprendre.

Échanger des expériences

 4. Travaillez en petit groupe.

a. Choisissez un des deux textes ci-dessous. Préparez une présentation du texte en utilisant le canevas suivant :
– Le texte est extrait de… . C'est un livre de…
– La scène se passe pendant… à…
– Le personnage principal est…
– Il a un problème… . Mais il se rend compte que…

b. Donnez un titre au texte.

c. Présentez votre texte à un groupe qui ne l'a pas lu.

d. Quelles réflexions sur l'apprentissage vous inspire cette scène ?

 5. Écoutez. Des Français racontent des mésaventures qu'ils ont vécues à l'étranger.
N° 1

a. Dites :
– le lieu ;
– les circonstances de la mésaventure ;
– le problème vécu par chacun ;
– comment ils ont réagi.

b. Quelles réflexions tirez-vous de chaque témoignage ?

 6. Racontez à votre partenaire ou à la classe un moment agréable ou désagréable de votre apprentissage du français.

L'auteur, qui fait le trajet Istanbul-Rio de Janeiro, est obligé de faire une escale à Budapest. En attendant son vol, il entre dans une librairie.

[…] j'ai porté mon attention sur le livre le plus modeste, mais avec un titre fiable : *Hungarian in 100 Lessons*. Le feuilletant rapidement, j'ai entrevu quelques exercices de conversation : ce train va en Bulgarie ? ; ma femme est végétarienne ; […] Alors, j'ai senti la présence d'une grande bringue[1] avec un sac à dos qui regardait le livre dans ma main et hochait[2] la tête. Je me suis dit que c'était une surveillante du magasin et qu'il était interdit aux clients de tripoter la marchandise. Aussitôt je lui ai tendu le livre, elle l'a agrippé et jeté n'importe comment au fond d'un rayonnage. […] Et quand elle a affirmé que la langue magyare ne s'apprend pas dans les livres, je suis resté bouche bée, car cette sentence, ai-je noté, m'était parfaitement intelligible. Je me suis encore demandé si elle s'était exprimée en portugais, ou en anglais, ou même en roumain, mais c'était bien en hongrois puisque je n'avais pas distingué un seul mot. Et pourtant, aucun doute ne subsistait, elle avait affirmé que la langue magyare ne s'apprend pas dans les livres.

Chico Buarque, *Budapest*, traduit du portugais par Jacques Thiériot, Éditions Gallimard, 2005

----
1. de grande taille et mal proportionnée.
2. secouer la tête pour exprimer son approbation, sa désapprobation, son doute, etc.

Hospitalisé en Allemagne et ne connaissant que quelques mots d'allemand, l'écrivain François Cavanna essaie de comprendre ce que les médecins disent à son sujet.

J'ai quand même retenu un mot, qui est revenu un peu trop souvent dans leur conversation si animée : « Blutvergiftung ». Voyons voir. « Blut », c'est le sang. De ça au moins, je suis sûr. Je retourne dans tous les sens le bric-à-brac qui suit. Je finis par repérer « Gift ». Je connais ça. Ça ressemble à un mot anglais, et justement faut pas confondre. *Majung*… « Gift », en anglais, c'est « cadeau ». En allemand, c'est… Ça y est ! « Poison » ! Gift : poison. […] Attends, « Vergiften », c'est donc faire quelque chose avec du poison. Qu'est-ce qu'on peut bien faire avec du poison ? Eh, empoisonner, pardi ! Vergiften : empoisonner. Vergiftung : empoisonnement. Blutvergiftung : empoisonnement du sang. […] Voilà. Je me tape une septicémie.

Cavanna, *Les Russkoffs*, © Belfond 1979, Albin Michel, 1996.

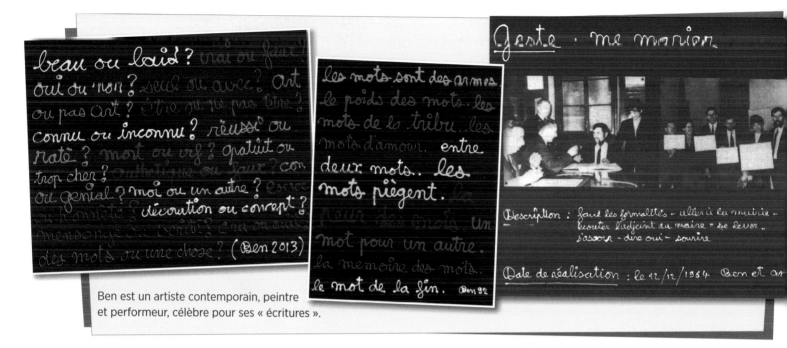

Ben est un artiste contemporain, peintre et performeur, célèbre pour ses « écritures ».

Utiliser les dictionnaires

1. Lisez l'article du dictionnaire. Recherchez :

– la prononciation ;
– l'origine du mot (l'étymologie) ;
– le sens principal et quelques emplois du mot dans ce sens ;
– les noms qui expriment des particularités du sens principal ;
– les autres sens du mot ;
– des emplois dans des expressions imagées et le sens de ces expressions ;
– des emplois archaïques ;
– les citations littéraires.

2. Recherchez dans votre langue une traduction :

– des différents sens du mot « poire » ;
– de ses emplois imagés.

3. a. Sans utiliser le dictionnaire, trouvez les sens du mot « prune » dans les phrases suivantes :

1. Nous avons déjeuné chez notre tante Marie-Laure. Elle avait fait une excellente tarte aux prunes.
2. Les skieurs sont rentrés gelés. Pour se réchauffer, ils ont bu une petite prune.
3. J'étais garé sur un stationnement interdit. Je me suis pris une prune.
4. Le patron m'a fait travailler sur un projet qu'il a ensuite abandonné. J'ai travaillé pour des prunes.

b. Vérifiez avec un dictionnaire.

 4. En petit groupe, recherchez les avantages et les inconvénients :

a. du dictionnaire bilingue.
b. du dictionnaire unilingue.
c. des logiciels de traduction de textes.

POIRE [pwar] **n.f.** – XIIᵉ ; **lat.** pop. *pira*, n.f., pl. du **class.** *pirum* **1♦** Fruit du poirier, charnu, à pépins, de forme oblongue. *Poire à couteau. Poires cuites. Poires à cidre* (⇒ **poiré**)*. Poire fondante, pierreuse. Poire mûre, blette* ; *poire tapée. Variétés de poires.* ⇒ 2. **beurré, comice, conférence, doyenné, duchesse**, 2. **guyot, louise-bonne, passe-crassane**. *Poires Williams. En forme de poire.* ⇒ **piriforme**. *Tartes aux poires. Poires au vin. Poire Belle-Hélène* : coupe glacée composée d'une poire au sirop, de glace à la vanille, nappées de chocolat chaud.
◊ LOC. *Entre la poire et le fromage**. *Garder* une poire pour la soif. Couper la poire en deux* : transiger, partager les profits et les risques ; faire des concessions égales. – VIEILLI *La poire est mûre* : l'occasion est bonne. « *le moment n'est pas encore venu : la poire n'est pas mûre* » (Madelin). ◊ Alcool de poire. *Un verre de poire.* **2.** Objet de forme analogue. EN POIRE. *Figure en poire. Perle en poire.* – (1993) POIRE D'ANGOISSE : bâillon perfectionné, instrument de torture. ◊ *Poire en caoutchouc, à injections, à lavement.* ◊ *Poire électrique* : commutateur de forme oblongue et renflée, munie d'un bouton (⇒ **olive**) ◊ Morceau de viande de bœuf très tendre […]. *Un bifteck dans la poire.* **3♦** (1872) FAM. face, figure. « *Il a pris un obus en pleine poire* » (Céline) […] **4♦** (1896) FAM. Personne qui se laisse tromper facilement, se laisse faire. ⇒ **naïf**. *Quelle poire, ce type !* ⇒ **imbécile, sot**. – Adj. « *Tiens, tu me ressembles, tu es aussi poire que moi* » (Sartre).

Le Nouveau Petit Robert, 1995.

Regrouper les mots pour les apprendre

5. Observez les œuvres de Ben, page 14. Dans chaque tableau, dites comment sont organisés les mots.

6. Lisez la première partie de l'encadré « Mieux mémoriser le vocabulaire ». En petit groupe, créez des ensembles de huit mots selon les indications suivantes :

a. deux scénarios qui comportent le mot « voler ».
b. deux ensembles descriptifs qui comportent le mot « tableau ».
c. un ensemble de synonymes et de contraires à partir de l'adjectif « libre ».

Associer les mots à des idées, des intentions ou des situations

7. Lisez la deuxième partie de l'encadré « Mieux mémoriser le vocabulaire ». Travaillez en petit groupe.

a. Trouvez à quelles idées ou images sont associées chacune des expressions du tableau « Les mots sont des armes ».
Exemple : « *les mots sont des armes* » → *des calomnies, de fausses informations diffusées dans la presse ou sur Facebook peuvent blesser des personnes. Par des discours, on peut conduire un peuple à la guerre, etc.*

b. Composez un tableau à la manière de Ben à partir d'un des mots suivants. Utilisez un dictionnaire unilingue pour trouver des expressions construites avec ce mot.
la vie – le temps – la langue – une femme/un homme

8. Classez les mots suivants dans le tableau. Pour chaque mot, complétez les deux autres cases.

s'ennuyer – le boulot – le vacarme   les fringues – se dissimuler – dérober – un pote

Employé dans une situation courante	Employé dans un style recherché ou une situation administrative	Employé dans une situation familière ou avec une intention dévalorisante
– s'ennuyer	– se lasser	– s'emmerder
– ...	– ...	– le boulot

9. Trouvez dans l'encadré les images culturelles associées aux mots suivants.

a. le mois de mai
b. le dîner
c. la Toussaint
d. la retraite
e. une manifestation
f. une autoroute

1. 130km/h – **2.** des chrysanthèmes – **3.** des discussions – **4.** la famille – **5.** la fête du travail – **6.** la police – **7.** le péage – **8.** le pot de départ – **9.** les activités – **10.** les ponts – **11.** les syndicats – **12.** un cimetière

Mieux mémoriser le vocabulaire

De nombreuses études ont montré qu'associer un mot à sa traduction ne suffit pas pour le mémoriser de manière efficace. En effet, chaque mot peut avoir plusieurs sens selon la phrase dans laquelle il est employé et selon la situation.

1. Dans notre mémoire, les mots sont organisés en réseaux construits par notre expérience.
• Ils peuvent faire partie de **scénarios de vie**. Par exemple, le mot « carte » peut faire partie du scénario « aller au restaurant ». Il sera alors associé à « table », « menu », « plat », « serveur », » addition », etc. Mais il pourra aussi faire partie des scénarios « faire un voyage » ou « faire un achat ».
• Un mot peut faire partie d'un **ensemble descriptif**. Par exemple, le mot « douche » fait partie de l'ensemble « salle de bain ».
• Les mots peuvent aussi être associés parce que leur **sens est proche ou opposé**. Dans ce cas, ils sont organisés selon une logique de gradation. Le mot « colère » fait partie d'un ensemble qui inclut « mécontentement, irritation, exaspération, emportement, agressivité, etc. » On mémorisera plus efficacement les mots nouveaux si on les intègre dans des ensembles organisés.

2. Les mots sont liés à des idées, des intentions et à des images culturelles.
Pour parler d'une voiture, on utilisera le mot « véhicule » dans un contexte administratif (assurance, police). On utilisera « caisse » dans une situation familière entre jeunes. Les plus âgés préféreront « bagnole » et emploieront « caisse » pour une très vieille voiture. Les mots sont aussi associés à des images culturelles qui peuvent être partagées par une partie de la société. Un « procès » qui se déroule en France n'évoque pas les mêmes images que le même événement aux États-Unis (rôles et vêtements des participants, déroulement, comportement des avocats, etc.)
Plus un mot sera associé à des images fortes ou à des idées, mieux il sera mémorisé.

Une exposition de Ben à Nice.

Une anglophone en France

Nancy Huston est une écrivaine d'origine canadienne anglophone. À vingt ans, elle s'installe en France pour faire des études de lettres. Dans Nord perdu, *elle raconte les difficultés qu'elle a rencontrées dans l'apprentissage du français.*

L'étranger, donc, imite. Il s'applique, s'améliore, apprend à maîtriser de mieux en mieux la langue d'adoption... Subsiste quand même, presque toujours, en dépit de ses efforts acharnés, un rien. Une petite trace d'accent. Un soupçon, c'est le cas de le dire. Ou alors... une mélodie, un phrasé atypiques... une erreur de genre, une imperceptible maladresse dans l'accord des verbes... Et cela suffit. Les Français guettent... ils sont tatillons, chatouilleux, terriblement sensibles à l'endroit de leur langue... C'est comme si le masque glissait... et vous voilà dénoncé ! [...] : Non, mais... vous avez dit « une peignoire » ? (sic) « un baignoire » ? « la diapason » ? « le guérison » ? J'ai bien entendu, vous vous êtes trompé ? Ah, c'est que vous êtes un ALIEN !

Vous venez d'un autre pays et vous cherchez à nous le cacher, à vous travestir en Français, en francophone... Mais on est malins, on vous a deviné, vous n'êtes pas d'ici... « Vous êtes d'origine allemande ? anglaise ? suédoise ? »

Nancy Huston, *Nord perdu*, Actes Sud, 1999.

Tirer parti de ses erreurs

1. Lisez l'extrait de *Nord perdu* de Nancy Huston. Choisissez les bonnes réponses.

a. Nancy Huston...
1. est débutante en français.
2. parle très bien le français.

b. Quand elle parle à des Français, elle est...
1. à l'aise.
2. un peu stressée.

c. Elle est préoccupée par...
1. sa prononciation.
2. son manque de vocabulaire.
3. les fautes de conjugaison.
4. les fautes sur le masculin ou le féminin des noms.

d. Elle a peur de parler parce que...
1. elle voudrait être intégrée.
2. elle pense que ses interlocuteurs la jugent mal.
3. elle a un sentiment d'infériorité.
4. elle n'aime pas qu'on voit qu'elle est étrangère.
5. elle pense que ses interlocuteurs sont hostiles.

2. Lisez l'article « J'ai fait une erreur... Tant mieux ».

 a. Discutez en petit groupe. Pensez-vous que faire des erreurs peut être utile dans les situations suivantes :
– quand on apprend une poésie ou une chanson ;
– quand on veut se faire un(e) ami(e) ;
– pour réussir sa vie.

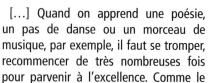
J'ai fait une erreur... Tant mieux

[...] Quand on apprend une poésie, un pas de danse ou un morceau de musique, par exemple, il faut se tromper, recommencer de très nombreuses fois pour parvenir à l'excellence. Comme le résume un personnage du film *Little Miss Sunshine* (2006), « *un raté n'est pas quelqu'un qui a échoué. C'est une personne qui a tellement peur de ne pas réussir qu'elle n'essaie même pas.* » Les scientifiques appliquent ce conseil à la lettre, considérant que l'erreur est indispensable aux progrès de la connaissance. Selon le philosophe Gaston Bachelard, on ne sait jamais d'emblée si on est dans le vrai ou dans le faux, ce qui nous oblige à réaliser des expériences pour trancher [...] Les erreurs nous permettent ainsi d'avancer tout au long de notre vie, vers davantage de certitude et de précision.

Fabien Trécourt, *Version Femina*, 23/06/2016.

b. Utilisez les idées du texte pour donner des conseils :
– à Nancy Huston ;
– à un(e) étudiant(e) débutant(e) en français.

Identifier ses erreurs de grammaire

3. Lisez l'encadré « Les types d'erreurs de grammaire ». Chacune des phrases ci-dessous comporte une erreur. Corrigez-la et expliquez-la.

Entendu lors d'un pique-nique

a. * Pour le pique-nique, j'ai acheté pain et fromage.
b. * Paul n'est venu pas parce qu'il est malade.
c. * Je suis heureuse que Léa est venue.
d. * Nous avons parti à 10 h.
e. * Je me suis baignée dans une rivière. L'eau a été froide.
f. * J'ai rencontré Louis. Il est un ingénieur.
g. * Il est 20 ans.

Concrétiser certaines difficultés

4. Précisez la différence entre le passé composé et l'imparfait. Lisez et comparez ce que vous voyez ou ce que vous entendez.

a. Nous nous promenions dans la campagne. Une cloche *a sonné*.
Nous nous promenions dans la campagne. Une cloche *sonnait*.
→ Le son de la cloche est-il bref/répété, net/diffus ?

b. Les phares d'une voiture *brillaient* dans le lointain.
Les phares d'une voiture *ont brillé* dans le lointain.
→ La lueur des phares est-elle brève/prolongée, forte/faible ?

c. Un homme *a traversé* la route.
Un homme *traversait* la route.
→ L'homme marche lentement/rapidement ?

Travailler les automatismes

5. Pour automatiser une construction, il faut la répéter. Mais la répétition n'est pas forcément un exercice fastidieux (voir ci-contre). Voici quelques idées.

a. Les pronoms personnels avant le verbe. Continuez le dialogue.
Chloé a disparu. Vous interrogez son ami.
• Tu as vu Chloé ?
– Non, je ne l'ai pas vue ?
• Tu l'as appelée ?
– …

b. Les pronoms relatifs. Continuez le poème.

Souvenirs de vacances
La maison que nous louions
Le lac où...

c. La supposition. Imaginez des suppositions originales comme dans le dernier extrait de poème.

Grammaire : reconnaître ses types d'erreurs

1. On généralise de manière abusive une règle de la grammaire du français.
Par exemple, on peut entendre « *Je travaille pour ne échouer pas. » au lieu de « Je travaille pour ne pas échouer. » en généralisant la construction « Je ne parle pas français. ».

2. On copie la construction de sa langue maternelle.
Pour dire « Je ne parle pas français. » on dit « *Je ne parle français. » si on est espagnol ou anglais.
Les types d'erreur 1 et 2 portent uniquement sur la construction de la phrase. Pour les éviter, il faut automatiser les constructions.

3. Dans certains cas, le français ne donne pas la même vision de la réalité que la langue maternelle.
Dans la plupart des cas, le français ne fait pas la différence entre l'action présente générale et l'action en train de se dérouler. Pour dire « Je marche dans la campagne. Le paysage est magnifique. », l'anglais utilisera deux formes verbales différentes (*I am walking... Countryside is beautiful*).
C'est cette différence de vision qui pose des problèmes pour l'utilisation des articles ou de l'imparfait en relation avec le passé composé.
Pour les éviter, il faut essayer de concrétiser cette différence de vision (voir exercice 4).

La répétition est un procédé courant au théâtre mais aussi en poésie

Femme avec laquelle j'ai vécu
Femme avec laquelle je vis
Femme avec laquelle je vivrai
Toujours la même

Paul Éluard, « Par une nuit nouvelle », in *La Vie immédiate* dans *Œuvres complètes*, 1932, Gallimard, 1967.

J'ai regardé devant moi
Dans la foule je t'ai vue
Parmi les blés je t'ai vue
Sous un arbre je t'ai vue

Paul Éluard, « Air vif », in *Le Phénix*, extrait de *Derniers poèmes d'amour*, Seghers, 1951.

Si la sardine avait des ailes
Si Gaston s'appelait Gisèle
Si l'on pleurait lorsque l'on rit [...]
Je marcherais les pieds en l'air

Jean-Luc Moreau, *L'arbre perché*, Éditions Ouvrières, 1980.

Associez les mots et expressions francophones au sens des mots et expressions de la liste.
J'ai beaucoup à faire. – Elle mange un sandwich. – On y va en voiture. – Quel désordre ! – C'est en panne. – Il fait très froid. – Un gant de toilette – Il m'a fait honte. – C'est difficile. – Il démarre au quart de tour. – À tout à l'heure ! – Le dîner – J'en ai marre.

UNITÉ 1

VIVRE
UNE AVENTURE

1 CHOISIR SA VIE
- Rompre avec la routine
- Prendre une décision

3 GÉRER SES SUCCÈS ET SES ÉCHECS
- Assumer un échec
- Vivre un succès
- Féliciter ou consoler

2 PRENDRE DES RISQUES
- Expliquer un phénomène de société
- Faire face à la peur

4 VIVRE POUR SA PASSION
- Décrire un projet personnel
- Donner des précisions de temps
- Exprimer son intérêt pour une activité

PROJET

REFAIRE LE MONDE

LIVRES
LE GOÛT DE L'AVENTURE

• *Sur les chemins noirs* de Sylvain Tesson
(Éditions Gallimard, 2016)

Fils d'un journaliste et critique de théâtre célèbre, Sylvain Tesson aurait pu faire une brillante carrière universitaire. Très tôt, il remet en question cet avenir tout tracé et aspire à une vie d'aventures et de rencontres qu'il qualifiera lui-même de « carnaval endiablé légèrement suicidaire ». Il parcourt les déserts et les sommets du monde à pied ou à bicyclette, participe à des expéditions archéologiques et passe six mois d'hiver dans une cabane au bord du lac Baïkal en Sibérie. Chacun de ces défis débouche sur un récit, un recueil de photos ou un film que l'auteur nourrit de ses lectures et de ses réflexions.

Mais Sylvain Tesson a aussi une passion cachée : un désir irrépressible d'escalader la nuit les toitures des édifices les plus hauts et les plus difficiles d'accès. En août 2014, lors d'une soirée bien arrosée, il fait une chute et se retrouve à l'hôpital avec de multiples fractures. Les médecins lui prescrivent de longs mois dans un service de rééducation. Mais il écarte cette idée. Sa rééducation, il est résolu à la faire lui-même, sac à dos, sur les chemins hasardeux de la France profonde, ces régions de montagnes et de plateaux où le portable ne passe pas et où l'on peut marcher une journée sans rencontrer personne. C'est l'histoire de cette guérison par la nature qu'il nous raconte dans *Sur les chemins noirs* : une randonnée constamment traversée de souvenirs littéraires ou philosophiques, une invitation à marcher aussi bien avec la tête qu'avec les jambes.

• *À la verticale de soi* de Stéphanie Bodet
(Éditions Paulsen, 2016)

Après des études de lettres, Stéphanie Bodet se retrouve professeur dans un collège de Chambéry. Mais, en corrigeant les copies de ses élèves, elle rêve d'une autre vie plus intense où l'on cherche chaque jour à se dépasser. Elle se rend compte qu'une seule chose peut donner un sens à sa vie : se consacrer pleinement à sa passion pour l'escalade.

Rien ne la prédisposait pourtant à devenir une sportive. Enfant, elle est asthmatique et allergique et elle souffre en cours de gym… Lors des grandes réunions de famille, chez ses grands-parents, à la campagne, elle aspire à la solitude. Elle passe beaucoup de temps à lire. Pourtant, les grandes randonnées qu'elle fait avec ses parents lui donnent le goût de l'effort. À quinze ans, elle découvre l'escalade. Dès lors, plus rien ne compte pour elle car cette activité lui permet d'assouvir son désir de revanche et d'indépendance. Commence alors un long chemin où il s'agit chaque jour de mettre sa volonté à l'épreuve. Stéphanie est déterminée. À 23 ans, elle sera championne du monde d'escalade.

Mais la compétition ne la satisfait pas plus que son métier de professeur. « La vision d'un agenda trop dense m'a toujours emplie d'effroi. Il me faut de vastes pages blanches pour rêver, organiser mon chaos et mes errances » De plus, sa jeune sœur à l'avenir prometteur décède prématurément. Stéphanie Bodet fait le choix d'une vie d'escalade en liberté avec son compagnon qui a lui-même abandonné ses études universitaires pour la même passion. Une vie de communion avec la nature où l'on s'élève physiquement et spirituellement. C'est cet itinéraire qu'elle raconte dans *À la verticale de soi*.

Extraits de dossiers de presse.

Rompre avec la routine

1. Faites une lecture rapide de l'article de la page 20. Approuvez ou corrigez les phrases suivantes.

a. Cet article appartient à la rubrique « Culture » d'un magazine.

b. Il présente deux romans.

c. Il fait le compte rendu de deux livres autobiographiques.

d. Les auteurs de ces livres n'ont rien en commun.

2. La classe se partage les deux articles. Pour chacun, relevez les informations sur :

a. la famille de l'auteur.

b. la carrière professionnelle que l'auteur aurait pu avoir.

c. les intérêts et les passions de l'auteur.

d. ses grandes décisions et les raisons de ces décisions.

e. ce qu'il a fait dans sa vie.

3. Présentez les informations relevées au reste de la classe.

4. a. Faites le travail de l'encadré « Réfléchissons ».

b. Complétez ces débuts de phrase.

• *À propos de Sylvain Tesson*

1. Jeune, Sylvain Tesson n'a pas l'intention de …

2. Après son accident, il souhaite que sa rééducation…

3. Il espère que…

• *À propos de Stéphanie Bodet*

1. Quand elle était professeur, elle se demandait si

2. Dès 15 ans, elle était déterminée à…

3. Elle voulait que sa vie…

5. Remplacez les verbes en gras par des verbes du tableau.

a. Louis et Hélène **ont divorcé** 5 ans après leur mariage.

b. Louis **a quitté** Hélène pour Élodie.

c. Il **a démissionné** de son poste à la banque.

d. Son contrat de travail **est rompu**.

e. Hélène **a abandonné** ses cours de chant.

> casser – laisser tomber
> plaquer (fam.) – quitter (se) –
> renoncer à – résilier – séparer (se)

6. Faites-les parler. Ils expriment des regrets. Utilisez les différentes formes de l'encadré « Réfléchissons ».

a. On a proposé à Alexis un poste intéressant en Australie. Il a refusé.

b. Au cours du séminaire de son entreprise, Corinne pouvait faire un saut en parachute. Elle n'a pas osé.

Réfléchissons... L'expression de la volonté, du souhait et du regret

• **Observez les verbes des phrases suivantes.**

1. Après quels verbes trouve-t-on un verbe au subjonctif ?

2. Dans quel cas le deuxième verbe est-il à l'infinitif ?

a. Agathe a envie de partir à l'étranger.

b. Elle espère trouver du travail en Australie.

c. Elle souhaite que son compagnon Mounir parte avec elle.

d. Elle regrette que Mounir soit hésitant.

e. Mounir tient à ce qu'Agathe ait trouvé du travail avant de partir.

• **Observez les différentes façons d'exprimer le regret.**

Réflexions de Mounir après le départ d'Agathe

a. Je regrette qu'Agathe soit partie.

b. Je regrette de ne pas être parti avec elle.

c. Ah, si je l'avais suivie nous serions heureux.

d. Malheureusement, je ne l'ai pas écoutée.

e. J'aurais dû partir moi aussi.

f. Je m'en veux de ne pas l'avoir écoutée.

g. Dommage que j'aie été aussi stupide !

• **Utilisez les formes ci-dessus dans la situation suivante.**

Un(e) ami(e) français(e) qui ne connaît pas votre pays est venu(e) passer une semaine chez vous. Vous aviez beaucoup de travail et vous n'avez pas pu vous occuper de lui/elle.

« Je regrette que…. »

Prendre une décision

7. Écoutez le micro-trottoir. Un journaliste pose la question « Que feriez-vous si vous pouviez changer de vie ? ». Notez le verbe avec lequel les personnes interrogées expriment :

a. un regret

b. un souhait, un désir

c. une intention

d. une volonté ferme

e. une hésitation

f. un espoir

8. Répondez à la question du micro-trottoir.

Pourquoi a-t-on le goût du risque ?

Les fumeurs savent que la cigarette est nocive, et pourtant, ça ne les empêche pas de continuer. Les automobilistes roulent trop vite mais se croient meilleurs que les autres... Quels bénéfices tirons-nous de ces comportements ?

Sans aller jusqu'à jouer les équilibristes sur les toits de la ville, pourquoi décide-t-on de griller un feu rouge, d'appuyer sur l'accélérateur [...] et, potentiellement, de mettre sa vie en jeu ? « *C'est une question de survie* », répond Étienne Koechlin, directeur de recherche en neurosciences cognitives à l'Inserm-ENS[1]. « *Nous avons été conçus pour faire face à l'incertitude. Au Paléolithique, les chasseurs-cueilleurs prenaient des risques importants, quotidiennement. L'exploration de leur environnement est une fonction primaire chez la plupart des mammifères. Car si on reste au même endroit, on épuise son milieu.* »

Aujourd'hui, nous prenons volontairement des risques pour « puiser du sens, rehausser le goût de la vie », analyse l'anthropologue et sociologue David Le Breton, auteur de *Sociologie du risque* (éd. Puf). On ne va plus affronter le mammouth, mais on pimente notre quotidien en goûtant un plat exotique, en dévalant une piste de ski à toute vitesse ou en abordant un inconnu dans la rue.

Car prendre un risque et sortir vainqueur de la situation, c'est se garantir un shoot de dopamine. Ce neurotransmetteur, libéré par le cerveau, active le circuit de la récompense et du plaisir. « *Et plus l'issue d'une situation est perçue comme incertaine, plus la quantité de dopamine libérée est importante, donc plus on éprouve du plaisir en cas de succès* », détaille Étienne Koechlin. [...]

Le sociologue Patrick Peretti-Watel, chargé de recherches à l'Inserm, parle d'un mécanisme de déni. La moindre action comportant par définition un risque, nous mettons en place un système de défense naturelle pour « oublier » que nous en prenons un. « *Le déni peut prendre différentes formes : le sentiment de maîtrise par exemple. Dans le cas des fumeurs, ils imaginent que leur corps est plus résistant aux effets du tabac. Nous avons aussi tendance à relativiser un risque en le comparant à un autre ou à désigner une catégorie "à risques" dont on s'exclut.* »

Julia Zimmerlich, *Ça m'interresse*, 9 décembre 2016.

1. Institut national de la santé et de la recherche médicale – École normale supérieure.

Expliquer un phénomène de société

 1. Travaillez en petit groupe. D'après son titre, quelles informations vous attendez-vous à trouver dans cet article ?

2. a. Relevez les comportements dangereux cités dans l'article concernant :

1. la nourriture
2. la conduite automobile
3. les drogues
4. les sports extrêmes
5. le tabac
6. aborder quelqu'un

b. Recherchez d'autres conduites à risques dans notre société.

3. Complétez les phrases avec des informations tirées du texte.

• **Paragraphe 2**
Notre attirance pour le risque vient d(e)...
Dans la Préhistoire, les hommes prenaient des risques car ils devaient...

• **Paragraphes 3 et 4**
Aujourd'hui, le goût du risque s'explique par...
Nous éprouvons d'autant plus de plaisir que
Le plaisir que nous éprouvons à prendre des risques est dû à...

• **Paragraphe 5**
Pour le sociologue Patrick Peretti-Watel l'acceptation du risque découle de...

4. Faites le travail de l'encadré « Réfléchissons », page 23.

 5. Travaillez par deux. Interrogez votre partenaire sur les causes de son attirance ou de son aversion pour le risque. Aidez-vous des mots de l'encadré.

Pour s'exprimer

Pour demander des explications
• Pourquoi.... ?
• À cause de quoi... ?
• Cela s'explique comment ?
• Comment se fait-il que tu n'aies pas peur ?
• Pour quelle raison... ?
• D'où vient ton goût pour... ?

6. Lisez le « Point infos ».

a. Caractérisez la position de la France face au risque en choisissant parmi les adjectifs suivants :

1. directive
2. exigeante
3. laxiste
4. libérale
5. protectrice
6. répressive
7. sécuritaire
8. tolérante

b. Rédigez un bref commentaire sur la politique de la France face au risque. Expliquez votre point de vue.

Faire face à la peur

7. Qu'éprouvent-ils dans les situations suivantes ? Utilisez les mots du tableau et les formes présentées dans la rubrique « Exprimer la peur » de la page « Outils ».

Exemple : a. Il éprouve de la terreur. – Il est terrorisé. – La police terrorise les habitants.

a. sous un régime politique tyrannique
b. un artiste avant d'entrer en scène
c. quand la terre tremble
d. en attendant les résultats d'un examen médical important
e. en entendant votre porte claquer la nuit
f. en faisant un affreux cauchemar
g. face à un chef autoritaire

> l'affolement – l'angoisse – l'anxiété – la crainte – l'épouvante – la frayeur – l'horreur – la panique – la terreur – le trac

---

Réfléchissons... Les nuances dans l'expression de la cause

• Associez chaque mot en gras à un emploi du tableau

a. Fanny est claustrophobe. Elle ne prend pas l'ascenseur **d'autant qu'**il est étroit et bruyant.
b. Comme elle n'aime pas les espaces fermés, elle ne va pas au cinéma.
c. Faute de courage, longtemps, elle n'a pas osé parler de son problème.
d. Un jour, son ami lui a dit : « **Puisque** ce problème t'handicape, va voir un psy ! »
e. Grâce à un psychologue, elle est en train de surmonter sa peur.
f. À force de séances, elle en a trouvé la cause dans un événement de son enfance.

1. La cause a un effet positif.
2. La cause s'ajoute à une autre cause.
3. La cause est répétée et continue.
4. La cause exprime un manque.
5. La cause est présentée comme un argument évident.
6. La cause est connue de l'interlocuteur.

 Point infos

LES FRANÇAIS FACE AU RISQUE

Les sociétés ne réagissent pas de la même façon face au risque. Aux États-Unis, nombreux sont les États qui autorisent le port d'une arme à feu. L'Allemagne ne limite pas la vitesse sur les autoroutes. Les adolescents espagnols sont plus libres de sortir et de rentrer tard le soir que les jeunes d'autres pays.

La France, pays de *l'État providence*, multiplie les règlementations pour éviter les accidents et les problèmes : limitation de vitesse qui baisse de plus en plus, mesures draconiennes pour les sorties scolaires, sécurité renforcée dans le monde du travail...

Certains estiment que cette augmentation des règlements est excessive. Ils s'élèvent aussi contre *le principe de précaution* selon lequel il n'est pas nécessaire d'avoir la preuve scientifique qu'un produit est dangereux pour l'interdire. C'est le cas, par exemple, des OGM (organismes génétiquement modifiés) qui sont interdits en France.

L'accroissement des réglementations est lié à une extension de la responsabilité. Si des skieurs imprudents se perdent dans la montagne, on cherchera tout de suite à accuser la station de mal baliser les pistes et les secours d'être insuffisants.

---

8. Écoutez cette scène et complétez le tableau.

N° 3

Il est 3 heures du matin. Armelle et Jordan rentrent chez eux après une soirée.

Sentiments éprouvés par Jordan	...
Causes de ses sentiments	...
Manifestations physiques	...
Réactions d'Armelle	...

 9. Jeux de rôles à faire par deux. Choisissez une scène. Préparez-la et jouez-la.

• Vous avez décidé d'abandonner vos études ou votre métier pour vous consacrer à votre passion. Vous avez peur de le dire à vos parents ou à votre compagnon (votre compagne). Un(e) ami(e) vous encourage.

• Vous faites une randonnée en montagne. Vous arrivez devant un passage difficile. Vous hésitez. Un(e) ami(e) vous encourage.

Assumer un échec

La séquence radio — **Rebondir après un échec**

N° 4

La journaliste Emmanuelle Bastide interroge Stéphanie Rivoal qui a donné une nouvelle direction à sa vie après un échec professionnel.

1. Écoutez la séquence radio. Approuvez ou corrigez les phrases suivantes.

a. Stéphanie Rivoal a fait d'excellentes études dans de grandes écoles.
b. Puis, elle a travaillé dans le monde des affaires.
c. Son premier poste était à Paris.
d. Elle a travaillé dix ans dans ce poste.
e. Elle a pris la décision de changer de métier sur un coup de tête.
f. Elle pensait que sa vie n'avait pas de sens.
g. Aujourd'hui, elle travaille dans l'humanitaire.

2. Relevez les informations sur les sujets suivants.

a. Les études de Stéphanie Rivoal.
Types d'écoles... Rôle de la famille...
b. Son licenciement à Londres.
Déroulement du licenciement... Conséquences...
c. Sa décision professionnelle. Causes de cette décision...
d. Sa nouvelle activité.
Type d'activité... Motivations pour cette activité...

3. Complétez ces citations de Stéphanie Rivoal à propos de :

a. sa décision : « *C'est une petite graine ... »*
b. ses études : « *J'ai été programmée ... »*

Vivre un succès

6. Complétez avec les verbes de l'encadré « Mieux s'exprimer » au temps qui convient.

La déception d'Aurélie

a. Il y a deux ans, Aurélie ... de passer le concours de première année de médecine.
b. Malheureusement, elle ...
c. L'année dernière, elle ... une deuxième fois.
Elle ... de travailler davantage.
d. Elle ne ... pas un seul cours et ... de travailler jusqu'à minuit.
e. Par malchance, elle n'... pas ...
f. Elle était désespérée car elle ... de peu. Elle était arrivée 301e et on avait pris 300 candidats.
g. Heureusement, elle ... à avoir le diplôme de kinésithérapeute.

c. son travail après son licenciement : « *C'était quand même pas gagné parce que j'étais »*
d. de sa nouvelle activité : « *Je suis rentrée dans l'humanitaire avec une vision... »*

4. Réutilisez les mots de Stéphanie Rivoal. Complétez les phrases avec les verbes du tableau.

a. En avril, le jardinier a semé des graines de tomates qui vont bientôt ... .
Les plants de tomates vont ... au printemps. Puis, les tomates vont ... .

b. Dans l'entreprise, le nouveau chef de service était incompétent et tyrannique. Il ... ses collaborateurs avec des propos blessants.
Il ... leur travail par des critiques injustifiées.
Heureusement, il a été ... .
Son départ a permis de ... l'organisation du service.

> germer – humilier – licencier – mûrir – pousser – remettre à plat - stigmatiser

 5. Dialoguez avec votre partenaire. Vous avez connu une situation d'échec. Comment avez-vous vous réagi ?

> **Mieux s'exprimer**
>
> **Pour parler d'un échec**
> • essayer (un essai) – tenter (une tentative) – tâcher de – s'efforcer de
> • réussir (à) (une réussite) – arriver (à) – parvenir (à)
> • échouer (un échec) – rater (un ratage) – manquer

Ces stars qui n'ont pas supporté la célébrité

Le début de l'article relate la vie d'une comédienne célèbre qui n'a pas su gérer sa chute dans l'anonymat et s'est retrouvée SDF.

La comédienne n'est pas la seule à ne pas avoir supporté la pression du showbiz. Comme elle, d'autres ont mal géré la baisse d'intérêt à leur égard, et ont trompé leur frustration avec la drogue et l'alcool […] Tous n'ont pas le même problème. La notoriété rime souvent avec un train de vie qui permet toutes les folies. La

fête, d'abord ponctuelle devient permanente, jusqu'à n'être plus du tout synonyme d'amusement. Whitney Houston fait partie de ces stars qui, au sommet de leur gloire, ont pris goût à la drogue et ont vu leur carrière, voire leur vie dissoule dans la chimie de leurs mélanges.

Et puis, il y a ceux qui malgré un équilibre apparent, n'ont plus eu la force d'endurer les revers de la célébrité. Vies traquées, relations intéressées, perturbées, intimité violée, ils s'appelaient Dalida, Marilyn Monroe, Robin Williams ou encore Heath Ledger, et la célébrité a exacerbé leur sensibilité, la rendant insupportable, douloureuse, ne leur offrant plus qu'une porte de sortie, tragique.

Marianne Lesdos,
www.gala.fr,
16 décembre 2015.

---

 7. a. Travaillez en petit groupe. Lisez l'article ci-dessus. Recherchez :

1. les conséquences d'une trop grande célébrité.
2. les conséquences possibles d'un échec.

b. Complétez avec vos propres remarques.

 8. Discutez. Aimeriez-vous être célèbre ? Supporteriez-vous les conséquences :

– d'une grande célébrité ?
– d'un retour à l'anonymat ?

Féliciter ou consoler

9. Lisez les deux courriels. Pour chacun, répondez.

a. Quel événement motive le courriel ?
b. Quelle est l'intention de la personne qui écrit ?
c. Quels arguments utilise-t-elle ?

10. Complétez le tableau avec des mots et des expressions trouvées dans les courriels ci-contre et les expressions suivantes.

Bravo – Ce n'est pas la fin du monde. – Courage – Toutes mes félicitations. – Ce n'est pas si grave.

Pour féliciter	Pour consoler
…	…

11. Rédigez un bref courriel à un(e) ami(e) pour l'une des situations suivantes.

• Votre ami(e) a réalisé une excellente performance au marathon de Paris.
• Votre ami(e) a eu une promotion.
• Votre ami(e) musicien(ne) a donné son premier concert en public. Il n'y avait que dix spectateurs dans la salle.
• Votre ami(e) espérait avoir un poste dans une filiale de son entreprise située à l'étranger. Il/Elle ne l'a pas obtenu.

Salut Julien,
Samuel vient de m'apprendre ton échec au concours d'avocat. Je suis vraiment triste pour toi mais il ne faut pas te décourager. Un premier échec, ce n'est pas si grave ! Tu as les connaissances et tu écris bien. Et puis, tu as droit à un nouvel essai. Alors, ne te laisse pas abattre. Prends un mois de vacances et repars d'un bon pied en août.
Ne t'en fais pas, la prochaine fois sera la bonne !
Bises,
Malika

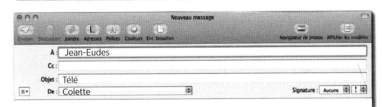

Cher Jean-Eudes,
Je t'ai vu à la télé hier soir, dans l'émission sur la mode. Je voulais te féliciter car je t'ai trouvé excellent : calme, clair, naturel, sachant communiquer ton enthousiasme. Un vrai pro !
Avertis-moi si tu passes dans une autre émission.
Encore tous mes compliments.
Bises de ta tante Colette

Le reportage vidéo

Les bâtisseurs du château de Guédelon

N° 1 Dans la campagne de Bourgogne, des ouvriers construisent un château du Moyen Âge selon les techniques du XIIIᵉ siècle. Baptiste Fabre, l'un des ouvriers, présente cette aventure originale.

Décrire un projet personnel

1. Regardez la vidéo sans le son. Notez ce que vous avez vu.

a. le château
1. une chapelle
2. des créneaux
3. des murs
4. des pierres
5. un rempart
6. une salle voûtée

b. les outils
1. un ciseau à pierre
2. un échafaudage
3. une échelle
4. une hache
5. des pinces
6. une scie

c. les gens
1. un charpentier
2. un forgeron
3. un maçon
4. un peintre
5. un tailleur de pierre
6. des visiteurs

d. les activités
1. assembler
2. forger
3. marteler
4. scier
5. tailler

2. Regardez la vidéo avec le son. Complétez cette fiche de présentation du château de Guédelon.

- Début de la construction : 1998
- Lieu : ...
- Date d'ouverture au public : ...
- Type de construction : ...
- Technique utilisée : ...
- Personnel : ...
- Financement : ...
- Nombre annuel de visiteurs : ...
- But de l'entreprise : ...

3. Qu'apprenez-vous sur Baptiste Fabre ?
a. ses études
b. son parcours professionnel
c. ses intérêts

Réfléchissons... L'expression de la durée à partir d'un moment du passé

- **Observez les étapes de la carrière musicale de Jeanne.**
2000 : début des études de flûte (à l'âge de dix ans)
2003 : préparation du concours du conservatoire
2005 : entrée au conservatoire de Paris
2010 : premier grand concert avec orchestre
2016 : prix aux Victoires de la musique
2017 : tournée internationale

- **Approuvez ou corrigez les phrases suivantes. Observez les constructions qui expriment la durée.**
a. Quand Jeanne a donné son premier grand concert, **il y avait** dix ans **qu'**elle étudiait la flûte.
b. Quand Jeanne est entrée au Conservatoire de Paris, **cela faisait** cinq ans **qu'**elle préparait le concours.
c. Elle a commencé à jouer de la flûte **à partir de** l'âge de dix ans.
d. Elle a donné son premier concert trois ans **après** être entrée au Conservatoire.
e. Sa tournée internationale a commencé un an **après qu'**elle a eu un prix aux Victoires de la musique.
f. Elle a préparé le concours du conservatoire **en** deux ans.

- **Posez la question correspondant à chacune des phrases ci-dessus. Utilisez :**
– Depuis combien de temps ... ?
– Il y avait (cela faisait) combien de temps ... ?
– À partir de quand (quel âge)... ?
– En combien de temps... ?
– Combien de temps après... ?

Donner des précisions de temps

4. Faites le travail de l'encadré « Réfléchissons » page 26.

5. Répondez en utilisant les informations de l'encadré ci-contre.

a. Quand le chantier a ouvert au public, il y avait combien de temps que les travaux avaient commencé ?
b. À partir du premier projet, combien de temps a-t-il fallu pour démarrer la construction ?
c. Combien de temps a pris la construction de la première tour ?
d. En combien de temps le rez-de-chaussée a-t-il été construit ?
e. Quand on a fait les premières peintures murales, cela faisait combien de temps que le chantier avait commencé ?

> **Étapes de la construction du château de Guédelon**
>
> 1995 : premier projet
> 1996 : préparation de la construction
> 1997 : début du chantier
> 1998 : ouverture au public
> 2002 : construction des murs et d'une tour
> 2006 : fin de la construction du rez-de-chaussée
> 2012 : première peinture murale

Cette passion qui les a sauvés

Thierry Marx, 54 ans, chef du *Mandarin Oriental*

J'avais 11 ans, je venais de déménager dans une cité de Champigny-sur-Marne. L'école m'est devenue étrangère. Les maths modernes, le français… tout me passait par-dessus la tête. La spirale négative s'est mise en route : ennui profond, mauvaise estime de moi, absentéisme. […] On m'a relégué dans un collège adapté, puis en brevet professionnel. Quand j'ai demandé l'école hôtelière, on me l'a refusée. Vous imaginez la frustration ! Mû par une forme d'intuition, j'ai passé un CAP de boulangerie, puis, après m'être engagé 5 ans dans l'armée chez les parachutistes (toujours en quête de rigueur et de cadre), j'ai fini par m'envoler pour l'Australie. C'est là-bas que la passion pour la cuisine m'a rattrapé. Embauché dans un resto, j'expérimentais de nouveaux goûts… et le plus étonnant, c'est que je parvenais à émouvoir les clients, à leur faire plaisir. Ce partage social m'a aidé à décoller. De retour en France, j'ai rencontré mes maîtres (Claude Deligne chez Taillevent, Monsieur Robuchon…). Mon projet était lancé. Dans les cuisines, il y a des vagues d'adrénaline qui circulent, ça vous fait grandir ! Je me suis lancé des défis. Il y a eu la première étoile au Michelin (obtenue en 1988 pour mon restaurant *Le Roc en Val*), le titre de Cuisinier de l'année en 2006 par Gault et Millau. Le plus magnifique ? J'ai trouvé le domaine où je m'éclate tout en régalant les autres. C'est cela le vrai miracle. Que serais-je devenu sans la cuisine ? Je préfère ne pas y penser.

Version Femina, 10/10/2016.

Exprimer son intérêt pour une activité

6. Lisez l'article ci-dessus. Faites la chronologie des différentes étapes de la vie de Thierry Marx.

À onze ans, déménagement…

7. Complétez ces informations sur la passion de Thierry Marx.

a. Type de passion
b. Origine de la passion
c. Expériences pratiques
d. Rencontres favorables
e. Créations
f. Sensations et impressions
g. Récompenses

8. Classez les phrases suivantes selon le degré d'intérêt par ordre décroissant.

a. Elle s'intéresse à l'histoire.
b. Elle est passionnée par le cinéma.
c. Elle éprouve du plaisir à chanter.
d. Elle est touchée par la peinture.
e. Elle apprécie la techno.
f. Elle aime la science-fiction.
g. Elle pratique la guitare.
h. Elle adore courir.

9. Présentez votre passion ou celle d'une personne que vous connaissez. Inspirez-vous du canevas de présentation de l'activité 7. Utilisez le vocabulaire de l'expression de l'intérêt (« Outils », page 31).

Au cours des discussions entre amis, on aime refaire le monde... En petit groupe, vous imaginerez une société idéale : son environnement, son habitat, son organisation politique, économique et sociale.

1

Découvrez des sociétés différentes.

1. a. Lisez le « Point infos ». Relevez :
1 les causes du retour des utopies
2 les aspirations et les utopies d'aujourd'hui.

b. Complétez avec vos propres aspirations.

 2. Travaillez par groupe de quatre ou cinq. Partagez-vous la lecture des articles de la page 29.
Recherchez des informations correspondant à des rubriques du tableau ci-contre.

 3. Écoutez ces témoignages de voyageurs qui décrivent des sociétés différentes. N° 5 **Complétez le tableau.**

Lieu	les îles Comores (océan Indien)	...
Sujet abordé	propriété et héritage	
Originalité de l'organisation	seules les femmes possèdent les maisons et en héritent	
Intérêts et avantages de cette organisation	...	

2

Imaginez votre société idéale.

4. Décrivez votre société idéale en suivant le canevas.
Pour chaque sujet, rédigez une ou deux phrases.
Vous pouvez aussi trouver des idées en consultant sur Internet les pages des utopies citées dans le tableau.

3

Présentez votre projet à la classe.

Projet pour une société idéale

1. Le lieu
• l'environnement géographique
• l'aspect de l'urbanisme
• le mode d'habitation
• les transports

2. L'organisation politique et administrative
• le mode de gouvernement
• les élections
• la police

3. Les relations économiques et sociales
• la production et la consommation
• la propriété et l'héritage
• la monnaie
• la fiscalité

4. Quelques exemples de sociétés utopiques
Auroville (Inde) – Christiania (Danemark) – Ithaca (États-Unis) – Liberland (entre la Croatie et la Bosnie)

ⓘ Point infos

LE RETOUR DES UTOPIES

Les hommes ont toujours rêvé d'un monde idéal. Au XVIᵉ siècle, Rabelais imaginait une société de culture et de plaisirs pour les jeunes gens dans son abbaye de Thélème. Au XIXᵉ, c'est l'industriel Godin qui faisait construire un lieu de vie parfaitement adapté aux ouvriers de ses usines.

Après avoir été comme beaucoup d'autres pays déçue par les modèles idéaux du XXᵉ siècle (la société communiste, la vie en communauté des soixante-huitards), la France semblait, à partir des années 1980, être entrée dans une époque de réalisme prospère. Les cours de la bourse grimpaient, l'Europe se construisait et l'État providence était là pour résoudre tous les problèmes.

La crise économique qui a débuté en 2008 a mis fin à ce bel optimisme. Du coup, on assiste aujourd'hui à un retour des utopies. L'élection présidentielle de 2017 en a été la preuve. Certains candidats y envisageaient une société où tout le monde disposerait d'un revenu universel indépendant du travail. D'autres rêvaient d'un retour au passé. D'autres, enfin, d'une économie sans croissance où les neuf milliards d'humains qui peuplent notre planète se mettraient d'accord pour la protéger.

L'écovillage d'Ithaca en Amérique

Dans le vaste salon de la maison commune, les cinq bénévoles de l'équipe de cuisine s'affairent. Bienvenue à Frog, quartier « historique » de l'écovillage d'Ithaca. Les cuisiniers amateurs pèsent, lavent et tranchent les kilos de légumes charnus, récoltés dans la ferme biologique d'à côté.

« *Être là, ensemble autour des fourneaux et partager cette nourriture merveilleuse qui provient de notre terre : il n'y a pas meilleure façon d'apprendre à connaître ses voisins* », assure Melissa, professeure de littérature qui a choisi de vivre ici il y a cinq ans. Une cinquantaine de convives sont attendus pour le traditionnel dîner du lundi. Les tables sont dressées, prêtes à les recevoir. Dehors, pas un souffle de vent ne vient rider la surface de l'étang que l'on distingue en contrebas. Autour, des collines, des forêts, à perte de vue. Avec ses maisons en bois patiné par le temps, le village se donne des airs de pionnier du Grand Ouest américain.

Nous sommes plein Est et à seulement trois kilomètres du premier centre urbain : Ithaca, une ville universitaire de 30 000 habitants qui abrite la prestigieuse université de Cornell. C'est là, à quatre heures de New York, qu'est née en 1991 l'idée folle de créer un modèle de vie alternatif qui puisse séduire la classe moyenne américaine tout en préservant les écosystèmes naturels.

Aujourd'hui, l'écovillage d'Ithaca, c'est 90 maisons et 15 appartements économes en énergie, une vie sociale et solidaire, une gouvernance fondée sur la coopération et le consensus, 22 hectares d'espaces verts protégés, deux fermes biologiques qui permettent à la communauté de manger local… Chaque quartier possède sa maison commune. On y trouve cuisine, laverie, bibliothèque, chambre d'amis, salle de jeux, bureaux pour permettre le télétravail… Ainsi, les habitations peuvent rester de taille modeste et laisser la part belle aux espaces extérieurs. Les trois quartiers ont été construits selon le modèle de l'habitat participatif : les habitants se sont tous mis d'accord pour la conception, la réalisation et l'aménagement de l'écovillage.

Michèle Foin, *We Demain*, n° 14, printemps 2016.

La démocratie directe

Dans le canton de Glaris, en Suisse, c'est l'assemblée de tous les habitants qui propose et vote les lois à main levée lors de grandes réunions (les Landsgemeinde).

Cette gouvernance unique au monde produit les résultats auxquels on aurait pu s'attendre : les citoyens sont plus regardants sur les dépenses publiques (mais plus compréhensifs vis-à-vis de l'impôt qui en découle logiquement), plus défiants envers les grands projets d'infrastructures (la fameuse route de contournement est systématiquement rejetée) et plus exigeants envers les élus (dont le nombre est régulièrement diminué et les salaires revus à la baisse). Mais, la *Landsgemeinde* recèle aussi un potentiel transgressif. La possibilité de régler les crises latentes par la délibération collective explique que Glaris ait souvent été en avance sur les progrès sociaux. Au XIXe siècle, Glaris imposa une réglementation historique sur le temps de travail ; au début du XXe, la première assurance vieillesse de Suisse y fut installée ; au tournant du XXIe, le canton devint le premier à abaisser le droit de vote à 16 ans. On parle encore de cette *Landsgemeinde* de 2006 où un citoyen suggéra brusquement de réduire le nombre des communes du canton de vingt-cinq à… trois. Proposition adoptée !

Gaspard Kœnig, *Les aventuriers de la liberté*, Plon, 2016.

EXPRIMER UNE VOLONTÉ

1. Les verbes exprimant une volonté

• **vouloir – demander – réclamer – tenir à – exiger – ordonner**

*Les écologistes **veulent (demandent, réclament,...)** que le gouvernement interdise l'emploi des pesticides.*
*Ils **tiennent à** ce que la décision soit prise rapidement.*

• **souhaiter – aspirer à – rêver de – avoir envie de – ça me ferait plaisir que...**

*Les écologistes **souhaitent** que les villes soient sans voiture. Ils **aspirent à** ce que les pistes cyclables soient développées.*

• **espérer – avoir espoir – compter**

*Ils **espèrent (comptent)** que la municipalité les écoutera.*

• **avoir l'intention de – penser – décider – renoncer à**

*Ils **ont l'intention** de manifester.*

• **regretter – déplorer – s'en vouloir**

*Je **regrette** qu'on ne les ait pas écoutés. Je **m'en veux** de ne pas être allé à la manifestation.*

2. Le temps des verbes qui expriment la volonté

Le verbe exprimant la volonté se met au conditionnel lorsqu'on veut atténuer la force de l'expression.
« ***Je veux** que vous ayez terminé le travail ce soir.* » est une demande ferme mais qui peut paraître brutale.
« ***Je voudrais (j'aimerais, je souhaiterais)** que vous ayez terminé le travail ce soir.* » est plus poli.

3. Le temps des verbes après l'expression d'une volonté

a. le verbe de la proposition qui suit l'expression de la volonté se met généralement au subjonctif.
*Je voudrais que les pouvoirs publics **prennent** conscience du problème.*

b. Quand les deux verbes ont le même sujet, le second se met à l'infinitif.
*Je voudrais **participer** à la manifestation.*

c. Quelques verbes sont suivis de l'indicatif : *espérer – compter.*
*J'espère qu'**on développera** une agriculture sans pesticide.*

d. Quand l'expression de la volonté porte sur une action achevée, celle-ci se met au subjonctif passé.
*Je souhaiterais que les pesticides **aient disparu** en 2030.*

DONNER UNE EXPLICATION

• **Par un nom**
la cause d'une inondation – l'origine (les raisons) d'un conflit – le motif d'une absence – le mobile d'un crime –
la source d'un problème

• **Par un verbe**
venir de (provenir de) – résulter de – être provoqué par – être dû à – s'expliquer par – découler de

• **Par un mot grammatical**

Il a échoué à l'examen $\begin{cases} \textbf{\textit{à cause de}} \text{ sa maladie.} \\ \textbf{\textit{parce qu'}}... (\textbf{\textit{étant donné qu'}}..., \textbf{\textit{vu qu'}}...) \text{ il était malade.} \end{cases}$

***Comme** il était malade, il ne s'est pas présenté à l'examen.*
***Puisqu'**il ne s'est pas présenté à l'examen, il a échoué.*
*Même s'il s'était présenté, il aurait eu **d'autant plus de** difficultés qu'il n'avait pas travaillé.*

EXPRIMER LA PEUR ET LE COURAGE

• **Les formes de la peur**

la **peur** d'échouer (avoir peur – faire peur à quelqu'un)

l'**angoisse** avant l'examen (angoisser – angoisser quelqu'un)

l'**anxiété** en attendant les résultats (être anxieux – rendre quelqu'un anxieux)

la **crainte** face à un patron autoritaire (craindre quelqu'un – se faire craindre)

le **trac** d'un comédien avant d'entrer en scène (avoir le trac – donner le trac)

l'**inquiétude** des parents dont le fils n'est pas rentré (s'inquiéter – inquiéter quelqu'un)

l'**effroi** à la perspective d'une intervention chirurgicale (être effrayé – effrayer quelqu'un)

l'**horreur** devant un film de vampires (être horrifié – horrifier quelqu'un)

la **panique** lors d'un attentat à la bombe (être paniqué – paniquer)

la **terreur** à cause d'un cauchemar (être terrorisé – terroriser quelqu'un)

Expressions familières : avoir la trouille – baliser – flipper

• **Les formes du courage**

le **courage** de travailler tard le soir (être courageux, avoir du courage – encourager, donner du courage)

le **sang-froid** face à une provocation (avoir du sang froid)

la **témérité** face au risque (être téméraire – rendre téméraire)

la **hardiesse** d'un jeune face à un adulte (être hardi – rendre hardi)

RÉAGIR À UN SUCCÈS OU À UN ÉCHEC

• **un essai** (essayer de courir le marathon) – **une tentative** (tenter de battre le record) – **tâcher** de faire mieux que les autres – **s'efforcer** de rester concentré

• **un succès** – **une réussite** (réussir à marquer un but) – **arriver** à déstabiliser le gardien – **parvenir** à tromper sa vigilance

• **un échec** (échouer à son permis de conduire) – **rater** le train – **manquer** le bus d'une minute

• **encourager** : *Courage ! – Je te souhaite bon courage pour ton exposé ! – N'aie pas peur ! Tu es presque arrivé. Je t'encourage à continuer !*

• **consoler** : *Ne t'en fais pas. Tu réussiras la prochaine fois ! – Tu as été courageux. Ne t'inquiète pas !*

• **féliciter, complimenter** : *Bravo ! Chapeau ! Je te félicite ! – Toutes mes félicitations ! – Tous mes compliments !*

EXPRIMER SON INTÉRÊT

• **l'intérêt** : *Il s'intéresse à l'art moderne. – L'art moderne l'intéresse. – Il trouve l'art moderne intéressant.*

• **le désintérêt** : *Elle n'éprouve aucun intérêt pour l'art. – Elle s'en est désintéressée. – Elle trouve l'art moderne inintéressant (sans intérêt).*

• **le plaisir** : *J'ai eu du plaisir (j'ai éprouvé du plaisir) en écoutant ce concert. – Son invitation m'a fait plaisir. Je n'ai éprouvé aucun plaisir en regardant ce film.*

• **la sensibilité** : *J'ai été touché par ce roman de Marguerite Duras. – Ce roman m'a touché. – C'est une histoire touchante.*

• **l'attachement** : *J'aime cette série télévisée car les personnages sont attachants.*

• **l'enthousiasme** : *Je suis enthousiasmé par ce projet de randonnée. – L'idée de faire l'ascension du volcan m'enthousiasme ! – C'est enthousiasmant !*

• **la passion** : *Elle est passionnée par le théâtre. – Les pièces de Molière la passionnent. – Elle a vu un spectacle passionnant !*

• **l'ennui** : *Je suis allée au théâtre et je me suis ennuyée. – Les romans sentimentaux m'ennuient. – Je les trouve ennuyeux*

1. LES VERBES QUI EXPRIMENT LA VOLONTÉ

a. Mettez les verbes entre parenthèses à la forme qui convient.
1. Les parents de Mathias **veulent** que leur fils (*faire*) des études d'ingénieur.
2. Mathias **préfère** (*faire*) de la musique.
3. Il **souhaite** que ses parents (*comprendre*) sa vocation.
4. Il **a l'intention de** (*intégrer*) un orchestre de jazz.
5. Il **regrette** que ses parents (*ne pas l'avoir inscrit*) plus tôt au conservatoire.

b. Reformulez les phrases de la partie a. en remplaçant les verbes en gras par un des verbes suivants :
aimer mieux – compter – penser – en vouloir à – tenir à

2. LE TEMPS DES VERBES APRÈS L'EXPRESSION DE LA VOLONTÉ

Construisez les phrases comme dans l'exemple.
Exemple : a. Nadir veut faire l'ascension de l'Himalaya

L'histoire de Nadir Dendoune
a. Nadir veut… *[Il pense faire l'ascension de l'Himalaya.]*
b. Ses parents ne souhaitent pas… *[Nadir ne doit pas faire une expédition aussi dangereuse.]*
c. Ils espèrent … *[Nadir doit abandonner cette idée stupide.]*
d. Le guide regrette… *[Nadir n'a aucune expérience de la montagne.]*
e. Il déplore… *[Nadir veut aller jusqu'au sommet.]*
f. Nadir a envie… *[Lui et son équipe doivent réussir.]*

3. L'EXPRESSION DE LA CAUSE

Rédigez les relations de cause ci-dessous en utilisant d'abord le verbe puis la conjonction.
Exemple : a. Sa créativité s'explique par son stress – Il est créatif du fait qu'il est toujours un peu stressé.

Un styliste
a. Il est créatif ← Il est toujours un peu stressé *[s'expliquer par… du fait de …]*
b. Il a des bouffées d'angoisse ← à l'approche des défilés de mode *[être dû à … à cause de…]*
c. Il est heureux ← les bonnes critiques de la presse *[venir de … d'autant plus que…]*
d. Il a du succès ← l'originalité de ses créations *[être le résultat de… puisque…]*
e. Il est souvent énervé ← les critiques de son patron *[être provoqué par… comme…]*

4. L'EXPRESSION DE L'INTÉRÊT ET DE LA PASSION

Transformez les phrases en commençant par le mot en gras comme dans l'exemple.
a. En utilisant la forme pronominale
1. Le roman historique intéresse **Paul**. → *Paul s'intéresse au roman historique.*
2. Le cinéma **le** passionne. → …
3. L'opéra ennuie **Louise**. → …
4. Un bon roman **la** satisfait. → …
b. En passant de la forme active à la forme passive
1. Les films romantiques touchent **Romain**. → *Romain est touché par les films romantiques.*
2. Les jeux vidéos fascinent **Julie**. → …
3. Les romans de Balzac ont déçu **Loïc**. → …
4. Les jeunes apprécient **les jeux de cartes**. → …
c. En utilisant les verbes « éprouver » et « ressentir »
1. **Guillaume** s'ennuie en regardant un film d'horreur. → Guillaume éprouve de l'ennui en regardant un film d'horreur
2. La danse fascine **Laurine**. → …
3. Écouter de la techno fait plaisir à **Élodie**. → …
4. **Camille** a été déçue en écoutant le groupe MC. → …

5. LES CONSTRUCTIONS NÉGATIVES

Travaillez vos automatismes.
N° 6

a. La négation avec un verbe au temps composé.
Un étudiant paresseux
• Votre ami a réussi ?
- Non, il n'a pas réussi.
• Il avait beaucoup travaillé ? …

b. La négation avec un verbe à la forme pronominale
Vous êtes très difficile
• Vous vous intéressez à l'opéra ?
- Non, Je ne m'y intéresse pas.
• Vous vous passionnez pour le théâtre ? …

c. La négation avec une forme pronominale au passé
Le rendez-vous manqué
• Tu t'es levé tôt ?
- Non, je ne me suis pas levé tôt.
• Tu t'es réveillé à 7 h ?…

UNITÉ 2

VIVRE
EN FAMILLE

1 **VIVRE UNE RELATION AMOUREUSE**
- Faire une rencontre amoureuse
- Raconter une vie de couple
- Prendre une décision –
  Poser des conditions

3 **CÉLÉBRER LES ÉTAPES DE LA VIE**
- Connaître les étapes de la vie
- Préparer une célébration
- Décrire un rite ou une célébration

2 **ÉLEVER DES ENFANTS**
- Parler des problèmes d'identité
- Gérer les problèmes causés par un enfant

4 **COMPRENDRE L'ÉVOLUTION DE LA FAMILLE**
- Parler de sa famille
- Gérer l'argent du couple

PROJET

DÉBATTRE SUR L'ÉDUCATION DES ENFANTS

CINÉMA I À L'AFFICHE

L'amour, plus fort que tout

● **CHEZ NOUS**, film de Lucas Belvaux (2017) avec Émilie Dequenne, André Dussolier et Guillaume Gouix.

Hénart dans le Pas-de-Calais. Pauline Duhez, infirmière libérale, est très attentive à la misère sociale de sa ville. Malgré le passé de militant de gauche de son père, elle accepte de se présenter à la mairie comme candidate de l'extrême-droite. C'est là qu'elle tombe amoureuse de Stéphane, un dur des services d'ordre du parti. Bien que ses amis lui révèlent le passé violent de son compagnon, elle se sent heureuse avec ce jeune homme attentif qui affirme avoir changé.

La démonstration est certes quelquefois un peu lourde mais le film donne à réfléchir.

● **LA CONFESSION**, film de Nicolas Boukhrief (2017) avec Romain Duris et Marine Vacth.

Sous l'Occupation, un jeune prêtre, Léon Morin, arrive dans une petite ville de province et suscite l'intérêt de ses paroissiennes. Toute communiste et athée qu'elle soit, Barny, une jeune femme dont le mari est prisonnier en Allemagne se rend à l'église par curiosité. Même si tout la sépare du prêtre, elle se sent attirée par lui. Mais elle a beau multiplier les provocations, Léon Morin ne se laisse pas déstabiliser.

On est un peu lassé des films qui se passent sous l'Occupation. Il n'en reste pas moins qu'on se laisse porter par de belles images et des dialogues forts.

● **DE PLUS BELLE**, film de Anne-Gaëlle Daval (2017) avec Florence Foresti et Mathieu Kassovitz.

Lucie sort guérie d'un cancer. Pourtant, elle n'est pas guérie du regard qu'elle porte sur elle-même et elle pense qu'on ne peut plus tomber amoureux d'elle. Elle fait quand même la connaissance de Clovis, un jeune homme séduisant et séducteur. Lucie résiste. Clovis va tout de même la persuader que tout est encore possible pour elle.

Avec Florence Foresti, on était habitué à rire. Il n'empêche qu'elle réussit ici à nous émouvoir.

Faire une rencontre amoureuse

1. Travaillez en petit groupe. Racontez une rencontre amoureuse dont vous avez été témoin ou que vous avez vue au cinéma.

2. a. La classe se partage les trois présentations de films. Recherchez :
1. le sujet du film.
2. ce qui oppose les personnages.

b. Présentez le film à la classe.

3. Faites le travail de l'encadré « Réfléchissons » ci-contre.

4. Présentez le film *Titanic*. Combinez deux fois les phrases en utilisant les mots entre parenthèses.

a. Rose est une riche aristocrate. Elle n'est pas heureuse. (*Bien que... – Toute... que...*)

b. Elle est jeune et belle. Elle veut se suicider. (*Malgré... – En dépit de...*)

c. Sur le *Titanic*, Jack est en troisième classe. Il va rencontrer Rose. (*Pourtant – quand même*)

d. Jack est un artiste pauvre. Rose et lui vont tomber amoureux. (*avoir beau... – Il n'empêche que....*)

e. Ils ont trouvé le bonheur. Leur histoire sera tragique (*Il n'en reste pas moins que... – Certes... mais...*)

Réfléchissons... **L'expression de la concession**

On parle de concession quand la conséquence d'un fait ou d'une idée est inattendue. On peut marquer cette relation de concession de différentes manières.
Exemple : *Il pleut. Je sors* → *Il pleut.* **Pourtant,** *je sors. –* **Bien qu'***il pleuve, je sors. –* etc.

● **Dans les présentations de films ci-dessus, relevez les mots qui expriment une idée de concession. Classez-les dans le tableau.**

Adverbes	Prépositions (suivies d'un nom)	Conjonctions (suivies d'un verbe)	Verbes
	malgré		

● **Complétez le tableau avec ces mots et expressions :** cependant – en dépit de – malgré tout – tout de même

● **Reformulez votre présentation de film (activité 2b) en utilisant les expressions de la concession.**

Raconter une vie de couple

5. Travaillez en petit groupe.
a. Dans le tableau b, trouvez un ou plusieurs synonymes de chacun des verbes du tableau a.
b. Imaginez une suite au scénario du film que vous avez présenté. Utilisez les verbes des encadrés.
Exemple : La Confession : *Léon Morin décide de rompre ses vœux de prêtre...*

a. faire connaissance – sortir ensemble – s'engager – se marier – se disputer – tromper son conjoint – se séparer – divorcer

b. décider de vivre ensemble - draguer (fam.) – épouser – être infidèle – rompre – s'engueuler (fam.) – se fiancer – se fréquenter – se pacser – se quereller – se quitter

Prendre une décision – Poser des conditions

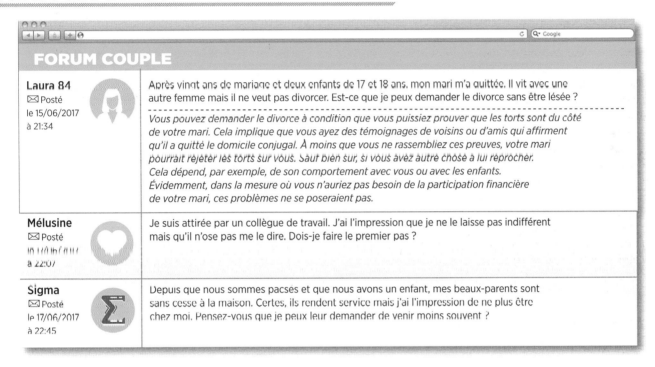

FORUM COUPLE

Laura 84
✉ Posté le 15/06/2017 à 21:34

Après vingt ans de mariage et deux enfants de 17 et 18 ans, mon mari m'a quittée. Il vit avec une autre femme mais il ne veut pas divorcer. Est-ce que je peux demander le divorce sans être lésée ?

Vous pouvez demander le divorce à condition que vous puissiez prouver que les torts sont du côté de votre mari. Cela implique que vous ayez des témoignages de voisins ou d'amis qui affirment qu'il a quitté le domicile conjugal. À moins que vous ne rassembliez ces preuves, votre mari pourrait rejeter les torts sur vous. Sauf bien sûr, si vous avez autre chose à lui reprocher. Cela dépend, par exemple, de son comportement avec vous ou avec les enfants. Évidemment, dans la mesure où vous n'auriez pas besoin de la participation financière de votre mari, ces problèmes ne se poseraient pas.

Mélusine
✉ Posté le 16/06/2017 à 22:07

Je suis attirée par un collègue de travail. J'ai l'impression que je ne le laisse pas indifférent mais qu'il n'ose pas me le dire. Dois-je faire le premier pas ?

Sigma
✉ Posté le 17/06/2017 à 22:45

Depuis que nous sommes pacsés et que nous avons un enfant, mes beaux-parents sont sans cesse à la maison. Certes, ils rendent service mais j'ai l'impression de ne plus être chez moi. Pensez-vous que je peux leur demander de venir moins souvent ?

6. Lisez la première demande du forum « couple » et la réponse. Choisissez les bonnes phrases.
a. Laura a été victime...
1. de l'infidélité de son mari.
2. de la malhonnêteté de son mari.
b. Elle voudrait...
1. régulariser la situation.
2. vivre à nouveau avec son mari.
c. La personne qui lui répond lui conseille...
1. d'être prudente.
2. de prouver que son mari a tort.
d. Ces preuves ne sont pas nécessaires...
1. si elle s'entend avec son mari.
2. si elle est autonome financièrement.

7. Faites le travail de l'encadré Réfléchissons ci-contre.

8. Choisissez une question du forum et répondez-y.

Réfléchissons... L'expression de la condition ou de la restriction

• Complétez le tableau avec des mots de la réponse à la question de Laura 84.

expression de...	conjonctions	verbes	autres
la condition	*à condition que*		
la restriction			
la dépendance			

• Observez le temps des verbes après les conjonctions de condition et de restriction.

• Complétez le tableau avec les expressions suivantes : à condition de – à moins de – être fonction de – être soumis à – impliquer – seulement si

• Reformulez les phrases de la réponse à la question de Laura 84 en changeant les mots qui expriment la condition, la restriction ou la dépendance.

La séquence radio

Les enfants de couples mixtes

N° 7

La sociologue Anne Unterreiner explique comment les enfants dont les parents ont des langues et des cultures différentes arrivent à se construire.

Parler des problèmes d'identité

1. Ecoutez la séquence en entier. Notez dans la liste ci-après, les sujets qui sont abordés dans l'interview.

a. la psychologie des enfants qui ont des parents de culture différente

b. l'influence des amis à l'adolescence

c. le rôle de l'école

d. la difficulté pour un enfant de s'intégrer dans un groupe

e. la révolte contre les parents

f. la recherche d'une identité

g. les conditions qui permettent de parler deux langues

2. Faites une écoute fragmentée de la séquence.

a. Première intervention d'Anne Unterreiner. Complétez les phrases :

Avant l'adolescence, l'enfant s'identifie à...

À partir de l'adolescence, il a comme modèle...

Il veut être considéré comme l'enfant de ses parents mais aussi...

b. Deuxième intervention. Répondez :

1. Avec quel exemple Anne Unterreiner explique-t-elle le problème d'un enfant de couple mixte ?

2. Quel est ce problème ?

c. Troisième intervention. Que peut dire un enfant de couple mixte pour éviter de choisir entre les deux cultures de ses parents ?

1. Je suis les deux   2. ...

d. Quatrième intervention. Dans quel cas, un enfant de couple mixte...

1. adopte la langue et la culture d'un seul parent ?

2. adopte la langue et la culture des deux parents ?

3. Reformulez ces expressions en utilisant celles du tableau.

a. le questionnement identitaire

b. la référence aux parents

c. un individu à part entière

d. ce qui va compter

e. ils vont se positionner

f. la culture du pays d'accueil est déterminante

1. indépendant	**4.** se demander qui on est
2. le modèle proposé par les parents	**5.** s'affirmer
3. ce qui est important	**6.** c'est un facteur décisif

4. Débat. La vie est-elle plus difficile pour les couples mixtes ou pour leurs enfants ?

Gérer les problèmes causés par un enfant

5. Lisez la scène de la page 37. Par groupe de quatre, préparez une interprétation de cette scène.

a. Pour chaque réplique :

– dites ce que souhaite le personnage ;

– caractérisez le ton du personnage.

Utilisez le vocabulaire du tableau ci-dessous.

> **• ce que souhaitent les personnages**
> dédommager – faire la paix – pardonner – rester calme – se rendre compte de la gravité de ses actes
>
> **• le ton des personnages**
> aimable – compréhensif – conciliant – courtois – direct – emporté – franc – poli – réaliste

b. Imaginez une mise en scène du dialogue : décor, déplacement des personnages, gestes...

c. Faites une lecture de la scène, à quatre, comme dans une répétition de théâtre.

6. Jeux de rôles. Préparez et jouez une des scènes suivantes.

Vous avez la responsabilité d'un enfant (votre enfant, votre jeune sœur ou frère, votre neveu ou nièce, etc.). Cet enfant a eu un des problèmes suivants :

a. Il accuse un copain de lui avoir volé ses écouteurs.

b. Il accuse un copain d'avoir posté des photos malveillantes sur un réseau social.

c. Il a été exclu d'un groupe à cause d'un copain. Vous allez voir les parents du copain pour clarifier la situation.

Après la dispute des enfants

Annette et Alain ont un fils qui s'appelle Ferdinand. Véronique et Michel sont les parents de Bruno. Les deux garçons de 11 ans qui jouaient dans un parc se sont disputés. Ferdinand a frappé violemment Bruno et l'a blessé au visage. Les parents de Ferdinand se rendent chez Véronique et Michel pour remplir la déclaration d'accident.

Annette : Nous sommes très touchés par votre générosité, nous sommes sensibles au fait que vous tentiez d'aplanir cette situation au lieu de l'envenimer [...]

Véronique : Et Ferdinand qu'est-ce qu'il dit ? Comment il vit la situation ?

Annette : Il ne parle pas beaucoup. Il est désemparé je crois.

Véronique : Il réalise qu'il a défiguré son camarade ?

Alain : Non. Non, il ne réalise pas qu'il a défiguré son camarade.

Annette : Mais pourquoi tu dis ça ? Ferdinand réalise bien sûr !

Alain : Il réalise qu'il a eu un comportement brutal, il ne réalise pas qu'il a défiguré son camarade.

Véronique : Vous n'aimez pas le mot, mais le mot est malheureusement juste.

Alain : Mon fils n'a pas défiguré votre fils.

Véronique : Votre fils a défiguré notre fils. Revenez ici à cinq heures, vous verrez sa bouche et ses dents.

Michel : Momentanément défiguré.

Alain : Sa bouche va dégonfler, et quant à ses dents, s'il faut l'emmener chez le meilleur dentiste, je suis prêt à participer...

Michel : Les assurances sont là pour ça. Nous, nous voudrions que les garçons se réconcilient et que ce genre d'épisodes ne se reproduise pas.

Annette : Organisons une rencontre.

Michel : Oui. Voilà.

Véronique : En notre présence ?

Alain : Ils n'ont pas besoin d'être coachés. Laissons-les entre hommes.

Annette : Entre hommes Alain, c'est ridicule. Cela dit, on n'a peut-être pas besoin d'être là. Ce serait mieux si on n'était pas là, non ?

Véronique : La question n'est pas qu'on soit là ou pas. La question est souhaitent-ils se parler, souhaitent-ils s'expliquer ?

Michel : Bruno le souhaite.

Véronique : Mais Ferdinand ?

Annette : On ne va pas lui demander son avis.

Véronique : Il faut que ça vienne de lui.

[...]

Alain : Madame, notre fils est un sauvage. Espérer de lui une contrition spontanée est irréel. Bon, je suis désolé, je dois retourner au cabinet, Annette, tu restes, vous me raconterez ce que vous avez décidé, de toute façon, je ne sers à rien. La femme pense il faut l'homme, il faut le père, comme si ça servait à quelque chose. L'homme est un paquet qu'on traîne donc il est décalé et maladroit.

Yasmina Reza, *Le Dieu du carnage*, © Albin Michel/Yasmina Reza, 2007.

André Marcon, Isabelle Huppert, Éric Elmosnino et Valérie Bonneton dans *Le Dieu du carnage* (2008).

Connaître les étapes de la vie

1. Travaillez en petit groupe.

a. Remettez dans l'ordre chronologique les étapes de la vie de la liste « a ». Discutez en fonction des habitudes de votre pays.

b. Utilisez les mots de la liste « b » pour dire comment on célèbre les moments de la liste « a ».

c. Lisez le « Point Infos ». Notez les changements intervenus depuis le milieu du xxe siècle dans les étapes de :
– la vie civile ;
– la vie religieuse.
Quelles sont les causes de ces changements ? Comparez avec la situation dans votre pays.

---

a. Les étapes de la vie

le baccalauréat – le baptême – le départ de la maison familiale – l'entrée à l'école – la majorité – le mariage – la naissance – le permis de conduire – le premier emploi – la promotion – la retraite

---

b. un bulletin de salaire – un cadeau – un cartable – une carte d'électeur – une célébration civile – une célébration religieuse – du champagne – la crémaillère – un diplôme – un discours – des dragées – l'état civil – un faire-part – la première sortie en voiture avec les copains – des fleurs

---

(i) Point infos

LES NOUVEAUX RITES DE PASSAGES

Jusqu'au milieu du xxe siècle, la vie d'un Français était jalonnée d'étapes que chacun célébrait à peu près au même âge. Les enfants étaient baptisés peu de temps après leur naissance. On se mariait souvent entre 22 et 25 ans, après avoir fait son service militaire.

Ce parcours est aujourd'hui beaucoup plus aléatoire et les étapes sont moins marquées. La société est de plus en plus multiculturelle et multi religieuse. En même temps, la pratique religieuse s'efface. On peut baptiser[1] à tout âge mais le baptême est un rite moins pratiqué que par le passé. La suppression du service militaire, la précarité de l'emploi chez les jeunes, la mobilité et l'évolution des mœurs font que l'union d'un couple n'est pas forcément célébrée ou l'est de manières différentes (du mariage où l'on invite 200 personnes à la petite fête entre copains).

Toutefois, l'être humain a besoin de rites de passage. Ce sont des facteurs d'intégration dans la société et de développement de la personnalité. Aux rites traditionnels qui tombent en désuétude s'ajoutent d'autres manières de célébrer les étapes de la vie. Un enfant est fier d'avoir son premier téléphone mobile, puis son premier ordinateur et enfin, à 18 ans, de conduire une voiture. L'adolescent veut entrer dans l'âge adulte en prenant des risques (sports extrêmes, consommation d'alcool, de tabac ou de drogues). On fête les étapes qui marquent la vie d'étudiant puis la vie professionnelle : le baccalauréat, le premier contrat de travail, les promotions.

1. Nous nommons « baptême » toute cérémonie d'entrée dans une communauté religieuse.

Préparer une célébration

2. Écoutez. Approuvez ou corrigez les phrases suivantes.
N° 8

Aurélien a 35 ans. Il est ingénieur à Grenoble. Son amie Yseline travaille à Lyon. Aurélien parle d'un projet à sa mère.

a. Aurélien va se fiancer avec Yseline.
b. Il a rencontré Yseline il y a trois ans.
c. Yseline doit se marier pour avoir un poste à Grenoble.
d. Aurélien est censé mener à bien un projet sur trois ans.
e. Pour ce projet, il est nécessaire qu'il reste à Grenoble.
f. Pour la mère d'Aurélien, un mariage dans une église s'impose.
g. Un mariage civil est censé se faire dans une mairie.
h. Aurélien et Yseline ont invité plus de cent personnes.
i. Ce sont les invités qui vont financer le mariage.

3. Faites le travail de l'encadré « Réfléchissons ».

Décrire un rite ou une célébration

4. Partagez-vous les rites de passage du document ci-dessous.

a. Recherchez :
– le lieu de la cérémonie ;
– l'âge où elle se pratique ;
– ce qu'on fait ;
– le but de ce rite.

b. Présentez à la classe le rite que vous avez choisi.

Réfléchissons... L'expression de l'obligation et de la nécessité

• Dans le dialogue et les phrases de l'exercice 2, relevez les expressions de l'obligation et de la nécessité. Complétez le classement suivant :
a. Verbes : *devoir...*
b. Expression et verbes impersonnels : *Il faut...*
c. Constructions « *être + participe passé* » : *être obligé de...*
d. Constructions « *c'est + adjectif ou participe passé* » :
e. Adverbes : *Normalement...*
f. Autres expressions : *Cela ne se fait pas*

• **Reformulez de différentes manières la phrase :**
Je dois finir mon travail.

---

c. Discutez. Connaissez-vous d'autres rites de passage ? Sont-ils utiles ?

5. Vous devez préparer une célébration spécifique à votre pays. Dites ce qu'il faut faire. Variez l'expression de l'obligation et de la nécessité.

Exemple : Dans mon pays, quand un enfant naît, on doit... Il est impératif que... On est censé faire... mais certaines personnes...

Quelques rites de passage dans le monde

★ En Amérique hispanophone : Quinceanera
Dans de nombreuses régions de l'Amérique centrale et du Sud, les jeunes filles célèbrent leur Quinceanera quand elles atteignent l'âge de 15 ans. Ce rite de passage commence généralement avec une messe catholique où la jeune fille renouvelle ses vœux de baptême et consolide son engagement envers sa famille et sa foi. Juste après la messe, une fête, où les amis et la famille mangent et dansent, est célébrée.

★ Au Vanuatu : le saut du Gol
Les amateurs de saut à l'élastique apprécieront : au Vanuatu, un petit pays insulaire au milieu du Pacifique Sud, pour leur rite de passage les jeunes garçons sautent d'une tour de 10 mètres de haut avec une liane attachée à leurs chevilles ce qui les empêche de se fracasser contre le sol. Le hic ? Contrairement à un cordon élastique, la liane manque d'élasticité et la moindre erreur de calcul de longueur pourrait conduire à des fractures ou même à la mort. [...]
Lors de leur premier saut, leur mère tiendra un élément représentant leur enfance, et après le saut l'objet sera jeté, symbolisant la fin de l'enfance. Au fur et à mesure que les garçons grandissent, ils vont sauter du haut de tours de plus en plus hautes, ce qui montre leur virilité à la foule.

★ Au Japon : Seijin-no-Hi
Au Japon, le deuxième lundi de janvier marque une journée spéciale : le jour où les personnes âgées de 20 ans s'habillent de leurs plus beaux costumes traditionnels, assistent à une cérémonie dans les mairies locales, reçoivent des dons et célèbrent leur joie avec leurs amis et leur famille. C'est le festival connu sous le nom de Seijin-no-Hi.
Cette tradition date de près de 1 200 ans. Elle marque l'âge où les Japonais estiment que les jeunes sont devenus matures et membres à part entière de la société. C'est aussi le moment où ils ont le droit de voter et de boire.

Leticia Pfeffer et Christina Nuñez, www.globalcitizen.org, 21/07/2016.

Le reportage vidéo

Chez les Guigo

N° 2

Reportage dans une famille française.

Parler de sa famille

1. Regardez la vidéo sans le son. Choisissez les bonnes réponses.

a. Le reportage montre...
1. une maison en ruine ;
2. un vieux moulin ;
3. une bâtisse rénovée à la campagne ;
4. un couple avec un enfant.

b. D'après vous, le couple Guigo parle...
1. de sa maison ;
2. d'un problème personnel ;
3. de sa nouvelle vie à la campagne.

2. Regardez la vidéo avec le son. Le reportage aborde-t-il les sujets suivants ? Si oui, relevez les informations propres à ces sujets.

a. l'installation de la famille dans la maison
b. le type de maison
c. les membres de la famille Guigo (nombre, âge, etc.)
d. la profession de monsieur et de madame Guigo
e. les repas dans la journée
f. le partage des tâches ménagères
g. l'éducation des enfants
h. les satisfactions du couple Guigo
i. leurs difficultés et leurs regrets
j. leurs projets

3. Lisez le « Point infos ». À quel type de famille appartient la famille Guigo ?

4. Comparez l'évolution de la famille en France et dans votre pays.

La loi de 2013 permettant aux couples homosexuels de se marier a suscité des oppositions notamment en raison de convictions religieuses.

UN ENFANT = PAPA + MAMAN

(i) Point infos

VISAGES DE LA FAMILLE

• **L'évolution de la famille** résulte de la mise en œuvre de plusieurs principes :
– l'égalité entre les femmes et les hommes ;
– la liberté donnée aux individus de faire ce qu'ils souhaitent ;
– la protection des individus par la société.

• **On distingue trois types de couples :**
– l'union libre ;
– le Pacs (pacte civil de solidarité). Il vise à établir un lien de solidarité entre les membres d'un couple non marié (impôt, sécurité sociale, etc.) ;
– le mariage. Plusieurs régimes existent (séparation des biens, communauté des biens, etc.) ;
Ces couples peuvent être hétérosexuels ou homosexuels.
Ils peuvent se marier civilement. Ils peuvent aussi adopter des enfants mais cette adoption est réglementée.

• **Il existe plusieurs types de familles :**
– la famille traditionnelle : un couple marié ou non avec des enfants ;
– la famille monoparentale : un père ou une mère élève seul(e) ses enfants soit suite à un divorce soit par choix personnel ;
– la famille recomposée : un membre du couple (ou les deux) a eu des enfants d'une union précédente. Il continue à s'occuper de ses enfants et à aider l'ex-conjoint qui en a la garde. Ils élèvent les enfants qu'ils peuvent avoir eus ensemble.
– la famille homoparentale : un couple homosexuel marié ou non avec enfants.

Gérer l'argent du couple

5. Lisez l'article « L'argent fait-il bon ménage ? »

a. Résumez les pratiques du couple concernant :

1. la mise en commun des revenus chez les nouveaux couples.
2. la mise en commun des revenus chez les couples recomposés.
3. les grosses dépenses.
4. les dépenses de tous les jours.

 b. Discutez. Quels sont les avantages et les inconvénients pour un couple :

– d'avoir une gestion commune des revenus et des dépenses ?
– d'avoir une gestion séparée ?

L'argent fait-il bon ménage ?

Une étude de l'Insee signale que si en Espagne, au Portugal ou en Pologne, 90 % des couples mettent totalement en commun leur revenu, cette proportion tombe à 63 % en France et à 53 % en Finlande. De façon un peu moins surprenante, en revanche, elle indique que les couples dont au moins un des conjoints est dans une seconde union tendent à mettre moins souvent leur revenu totalement en commun. [...]

Les Européens interrogés affirment dans leur immense majorité et dans tous les pays, que les décisions de dépense importante concernant les enfants, les emprunts ou encore les achats de bien durable sont aujourd'hui prises de façon équilibrée entre les hommes et les femmes avec un pouvoir de décision partagé. Et si les décisions concernant les achats de tous les jours restent encore « *majoritairement* » du domaine des femmes, c'est avant tout la conséquence d'un partage des tâches ménagères qui demeure très inégal.

Le Point, Pierre-Antoine Delhommais, 12/11/2015.

6. Lisez la scène du film *L'Économie du couple*.

a. Choisissez les verbes qui conviennent pour caractériser cette scène.

Marie et Boris...

1. se disputent.
2. s'entendent bien.
3. se chamaillent.
4. s'accusent.
5. se déchirent.
6. se font du mal.
7. se disent ce qu'ils ont sur le cœur.

b. Cherchez les mots familiers qui signifient :

1. travailler.
2. dépenser de l'argent sans compter.
3. à mes dépens (à mon désavantage).
4. un domestique.
5. de l'argent.

c. Repérez les constructions propres à l'oral familier.

Une scène du film L'économie du couple
de Joachim Lafosse, avec Bérénice Bejo et Cédric Kahn (2016)

Marie et Boris sont ensemble depuis 15 ans et ont deux petites filles. Ils se séparent. C'est Marie qui a acheté la maison dans laquelle ils vivent mais Boris l'a entièrement rénovée doublant ainsi la valeur du bien. Boris est architecte mais ne trouve pas de travail. Il fait des petits boulots de rénovation au noir mais il perd souvent cet argent au poker.
Boris et Marie sont dans la cuisine.

Marie : Je veux que tu partes !
Boris : Pourquoi je partirais ?
Marie : Parce que tu n'es plus chez toi.
Boris : Comment ça je ne suis plus chez moi ? Viens voir… Regarde tout ça : le parquet, le plafond, les murs… tout ça, c'est moi ! Mademoiselle la princesse, tu mets tout ça au fond de ton petit crâne.
Marie : La princesse, elle t'a bien nourri, hein ! Parce que tout ça, c'est peut-être toi mais c'est moi qui l'ai payé. Et tu sais pourquoi ? C'est parce que je bosse, j'économise, je ne claque pas tout ce que j'ai.
Boris : Oui, tu économises sur mon dos… parce que tu m'as toujours traité comme ton larbin. Qui les aurait fait les travaux si je ne les avais pas faits avec mes mains ?
Marie : J'avais peut-être pas l'argent mais j'avais un toit. Et toi, t'avais rien. Tu les aurais faits où, toi, les travaux, dans un appartement que tu n'avais pas ?
Boris : En gros, ce que tu m'expliques : c'est parce que tu es propriétaire, tu es aussi propriétaire des travaux. C'est ça que tu m'expliques ?... Tu sais quoi . C'est normal que tu penses ça. Tous les gens qui sont nés avec du pognon pensent exactement comme toi.
Marie : C'est faux !
Boris : C'est faux que tu gagnes du pognon ? C'est faux que tu as acheté cet appartement avec l'argent de tes parents ?

 7. Travaillez par deux. Chacun de vous est l'avocat d'un membre du couple.

a. Dans l'introduction et dans le dialogue, recherchez les arguments pour :

– défendre votre client ;
– montrer les torts de l'autre.

b. Discutez. D'après vous, qui a le plus tort dans ce couple ?

La façon d'élever un enfant est un sujet favori des conversations. Les partisans d'une éducation libérale affrontent les défenseurs de l'autorité. Vous préparerez et organiserez un débat sur ce sujet.

1 Choisissez le point de vue que vous allez défendre.

1. Lisez le texte « L'éducation libertaire ».
a. Dans les deux premiers paragraphes, repérez **les phrases où les idées suivantes sont développées :**
1. Il faut traiter les enfants comme s'ils étaient des adultes.
2. Les enfants doivent apprendre à être responsables.
3. Souvent, les enfants travaillent bien à l'école pour faire plaisir à leurs parents.
4. Les meilleurs élèves ne sont pas les plus épanouis.
5. Il faut laisser l'enfant se débrouiller dans son apprentissage et dans les relations avec les autres.

b. Dans le troisième paragraphe, recherchez des exemples pour illustrer les idées de J.-P. Le Goff.

2. Lisez le texte « Pour une éducation autoritaire ».
a. Recherchez :
1. les conseils qu'Alain Valtério donne aux parents.
2. les reproches qu'il adresse à la société éducative.

b. Donnez votre avis sur le fait raconté dans le deuxième paragraphe.

3. Choisissez l'opinion que vous allez défendre. Êtes-vous pour une éducation libérale ou autoritaire ?

L'émission de téléréalité « Super Nanny », une éducatrice aide les parents en difficulté à élever leurs enfants.

Plan du débat

1. Le comportement avec les adultes
Il monopolise la parole/il reste muet – Il est hyper timide/il est agressif – Il veut participer à tout ce que fait l'adulte/il refuse de participer...

2. Le comportement avec les autres enfants
Il est dominé par les autres/il veut dominer les autres – Il est agressif, voleur, méchant, menteur...

3. Le travail scolaire et les activités
Il refuse d'apprendre sa leçon ou de faire ses devoirs – Il a toujours besoin de l'aide d'un adulte – Il refuse de faire les activités qu'on lui propose (sport, musique, danse, etc.) – Il est constamment sur son portable ou son ordinateur...

4. Le respect des règles et des choses
Il ne respecte pas les objets (il claque la porte du four à micro ondes, casse le vase du salon) – Il ne participe pas aux tâches de la maison – Il conduit la voiture des parents sans avoir le permis...

2 Préparez vos arguments.

4. Travaillez en petit groupe ayant la même opinion. Pour chacun des sujets présentés dans l'encadré « Plan du débat », préparez par écrit :

a. les arguments favorables à votre point de vue.
Exemple : comportement avec les adultes.
Cas où l'enfant monopolise l'attention à table
éducation autoritaire → lui dire qu'il doit demander la parole avant de parler
éducation libérale → lui expliquer que tout le monde a droit à la parole et qu'il apprendra beaucoup en écoutant les adultes

b. des arguments pour répondre à vos adversaires.

3 Organisez le débat.

5. Un étudiant mène le débat. Il donne la parole à chaque groupe. Il contrôle le temps de parole.
Pour chacun des quatre points de l'encadré :
a. un groupe présente son point de vue (3 minutes) ;
b. le groupe adverse fait ses critiques (3 minutes) ;
c. les deux groupes échangent des idées et des exemples.

L'ÉDUCATION LIBERTAIRE

Le sociologue Jean-Pierre Le Goff présente les idées de Françoise Dolto, une pédiatre et psychanalyste qui a influencé les conceptions de l'éducation depuis les années 1970.

Françoise Dolto est allée jusqu'à dire : « Nous n'avons rien à imposer aux enfants. Mon idée, c'est qu'il n'y a qu'une seule façon de les aider : en étant soi-même authentique et en disant aux enfants que nous ne savons pas, mais qu'eux doivent apprendre à savoir ; que nous ne faisons pas leur avenir, mais qu'eux le feront ; en leur donnant ce rôle de prendre leur destin en charge exactement comme ils veulent le prendre. » [...]

Un enfant qui a de bonnes notes et qui est premier en classe n'est pas forcément celui qu'il faut féliciter, car il se moule dans le désir des parents et de l'institution, risquant ainsi de refouler[1] son propre désir d'exister dans son irréductible originalité. À l'inverse, il faut laisser l'enfant prendre ses propres initiatives, l'inciter non pas à se taire, mais à parler, à communiquer avec ses voisins, à chercher par lui-même dans les manuels, à questionner le maître. [...]

Dans le nouveau monde[2], la période de l'adolescence ne dure pas seulement plus longtemps, elle est valorisée socialement et médiatiquement, érigée en nouvelle culture, avec sa mentalité et ses goûts, ses postures[3] rebelles et ses addictions. Les individus peuvent y rester attachés jusqu'à la fin de leurs jours. L'expérimentation de tous les possibles et la « transgression » ont perdu leur sens premier ; ils sont devenus courants et insignifiants dans une société permissive.

Jean-Pierre Le Goff, *Malaise dans la démocratie*, Édition Stock, 2016.

1. terme de psychanalyse : rejeter dans l'inconscient.
2. aujourd'hui.
3. attitudes face aux autres.

POUR UNE ÉDUCATION AUTORITAIRE

Le quotidien suisse Le Temps *interroge le thérapeute Alain Valtério*

Le Temps : Vous donnez un retour du paternel dans les foyers, sous-entendu un retour du tiers séparateur[1] qui arrache les enfants des bras de leur mère pour les confronter à l'extérieur. N'est-ce pas une vision très conservatrice de l'éducation et de la répartition des rôles parentaux ?

Alain Valtério : [...]. La pensée libertaire des années 60 a cru devoir abolir les différences entre pères et mères en le décidant mentalement. Or, l'inconscient se moque des modes. Refoulez-le et il reviendra en hurlant. Comme beaucoup aujourd'hui, je plaide pour un retour de l'autorité au sein des foyers. Ce qui est formateur pour l'enfant, c'est qu'il lève les yeux sur son père, et non que son père baisse les siens sur lui. Après, le paternel n'est pas forcément le fait du père. Une mère peut très bien incarner ce tiers séparateur et formateur.

Le Temps : Dans votre ouvrage, vous vous insurgez contre la condamnation de la fessée[2]. Souhaitez-vous un retour des châtiments corporels ?

Alain Valtério : Bien sûr que non. Je raconte simplement le cas significatif d'un père divorcé soumis à un vrai tribunal stalinien de thérapeutes et d'éducateurs parce qu'il avait donné une gifle à sa fille de 15 ans. Traité de maltraitant, cet homme a dû rédiger une lettre d'excuse qu'il a lue publiquement devant ce comité, sans quoi sa fille menaçait de couper les ponts[3]. Or, un seul geste violent ne permet pas de décréter qu'une personne est violente, le violent est un multirécidiviste. Le père s'est soumis à cette mascarade[4] indigne et, devinez quoi, la jeune fille a tout de même refusé de le revoir !

Marie-Pierre Genecand, *Le Temps*, 17 octobre 2016.
Avec l'aimable autorisation du quotidien *Le Temps*.

1. Le « paternel » est la figure du père, de l'autorité qui brise la fusion entre l'enfant et sa mère. – **2.** Punition corporelle, à l'origine donnée sur les fesses. Aujourd'hui, le terme est utilisé lorsqu'on donne une gifle ou qu'on tire les cheveux. – **3.** Ne plus se voir ni communiquer. – **4.** Mise en scène hypocrite.

POSER DES CONDITIONS

1. Exprimer une condition

- *Elle accepte de divorcer **si** elle garde les enfants.*   (*si* + indicatif)
  - ***à condition qu'**elle ait la garde des enfants.*   (*à condition que* + subjonctif)
  - ***à condition d'**avoir la garde des enfants.*   (*à condition de* + infinitif)
  - ***dans la mesure où*** *elle a la garde des enfants.*   (*dans la mesure où* + indicatif)
- *Elle accepte **mais** elle pose des conditions.*
- *Son accord **est conditionné par** l'obtention de la garde des enfants.*
  *Son accord **est soumis** à une condition.*
  *Il **implique** la garde des enfants.*

2. Exprimer la dépendance

- *La date du mariage n'est pas fixée. Elle **dépend/est fonction des** disponibilités de chacun.*

3. Faire des restrictions

- *Je veux bien inviter les copains de Marie* { ***sauf s'**ils sont désagréables.*   (*sauf si* + indicatif)
                                   ***seulement s'**ils sont gentils.*   (*seulement si* + indicatif)
                                   à ***moins qu'**ils ne soient pas bien élevés.*   (*à moins que* + subjonctif)
- *Je viendrai à ta soirée **à moins d'**être malade.*   (*à moins de* + infinitif)
- *Je suis d'accord mais **je fais une réserve**... **je fais une restriction**...*

EXPRIMER UNE CONSÉQUENCE INATTENDUE (CONCESSION)

En grammaire, on appelle « concession » la conséquence illogique ou inattendue d'un fait.
Par exemple : *Louis a reçu une bonne éducation.* → *Il est devenu délinquant.*

Cette concession peut s'exprimer :
- **par une conjonction**

***Bien qu'**il ait reçu une bonne éducation, il est délinquant.*   (*bien que* + subjonctif)
***Même s'**il a reçu une bonne éducation, il a mal tourné.*   (*même si* + indicatif)
*C'est un délinquant **quoiqu'**il ait reçu une bonne éducation.*   (*quoique* + subjonctif)
***Quoiqu'**il soit amoureux, il n'ose plus lui parler.*
NB : « quoique» pour exprimer une concession n'est plus d'un usage courant.
Ne pas confondre « quoique » avec « quoi que » qui exprime l'indifférence et la restriction
(*Quoi que Paul fasse, il n'attire pas l'attention de Chloé.*).

- **par un adverbe**

Les faits et leur conséquence sont exprimés par deux phrases.
*Ils s'entendent bien. Ils ont **quand même** divorcé.*
             ***Malgré tout**, ils se sont séparés.*
             ***Pourtant,** ils se sont quittés. (**Cependant,** ...)*
***Certes**, ils s'entendent bien **mais** ils se sont (**tout de même**) séparés.*

- **par une préposition**

***En dépit du** divorce de ses parents, le jeune Paul n'a pas eu de problème.*
***Malgré** le divorce de ses parents, il a bien travaillé à l'école.*

- **par une expression verbale**

Sébastien et Lucille ne sont pas croyants.
Il n'empêche
Il n'en reste pas moins } *qu'ils ont fait un mariage religieux.*
Il reste
***Ils ont beau** ne pas être croyants, ils ont fait un mariage religieux.*

EXPRIMER L'OBLIGATION OU LA NÉCESSITÉ

1. Avec une expression verbale impersonnelle
- *Il **faut que** tu sois plus sévère avec tes enfants.* (il faut que + subjonctif)
- *Il **faut** les surveiller. – Il te **faut** être exigeant.* (il faut + infinitif)
- *Il **est nécessaire**, indispensable, important, essentiel, obligatoire, impératif...*
que *tu contrôles ce qu'ils regardent sur Internet.* (il est nécessaire que + subjonctif)
- *Il **est nécessaire d'**être attentif.* (il est nécessaire de + infinitif)

2. Avec un verbe
*Vous **devez être** compréhensifs.*
*J'**ai à** surveiller les enfants.*

3. Avec la forme « être + participe passé »
*Je **suis obligé/forcé** de garder les enfants dimanche.*
*Je **suis censé** m'occuper des enfants.*

4. « C'est + adjectif »
*Je dois aider ma fille à faire ses devoirs. **C'est nécessaire, important**, etc.*

5. Autres expressions
*Couper la parole à quelqu'un, **ça ne se fait pas**.*
*Laisser son interlocuteur finir ses phrases, **ça s'impose**.*
***En règle générale, En principe, Normalement**,... on ne coupe pas la parole à quelqu'un*

PRÉSENTER UNE FAMILLE

- **Les membres de la famille** (pour compléter le vocabulaire déjà introduit en A1, p. 59)
le beau-père/la belle-mère (les parents du conjoint ou, dans une famille recomposée, le nouveau conjoint de la mère ou du père) – le beau-frère/la belle-sœur (conjoint du frère ou de la sœur) – le grand-oncle/la grand-tante (les frères et sœurs des grands-parents) – le neveu/la nièce – un cousin/un(e) cousin(e) germain(e) (au premier degré)
le gendre/la belle-fille (le mari de ma fille – l'épouse de mon fils)
un demi-frère/une demi-sœur (par un seul parent)
un parent proche/éloigné

Le couple
un amoureux/une amoureuse – un copain/une copine – un petit ami/une petite amie – le mari (l'époux)/la femme (l'épouse) – un compagnon/une compagne – un conjoint (adm.) – un amant/une maîtresse
être célibataire – vivre en couple – se fiancer – se marier (épouser quelqu'un) – se pacser – se quitter (se séparer, rompre) – divorcer

PARLER DE L'ÉDUCATION DES ENFANTS

- un enfant de dix ans – un préadolescent – un adolescent – être mineur/être majeur (la majorité)
- élever un enfant – faire l'éducation d'un enfant – donner une bonne/mauvaise éducation
une éducation libérale (laxiste)/autoritaire (stricte) – être tolérant/exigeant – laisser faire l'enfant/contrôler, imposer – être permissif/répressif
observer une règle/transgresser une règle – valoriser/dévaloriser – récompenser/punir
- avoir confiance/se méfier – laisser s'exprimer/brimer
- se prendre en charge, être indépendant, prendre des initiatives/être dépendant

LES MOMENTS DE LA VIE

- la naissance – *Louise est enceinte. – Elle va accoucher dans un mois. – Le bébé est né à 6 heures.*
- l'adoption – adopter un enfant – *Pablo est un enfant adopté (un enfant adoptif).*
- l'enfant et l'adolescence – grandir – pousser – se développer – devenir raisonnable – l'âge de raison
- la vie de couple (voir ci-dessus)
- la jeunesse – l'âge adulte – la maturité – le troisième âge (de 60 à 80 ans, les seniors) – une personne âgée, un vieillard (littéraire), le quatrième âge (après 80 ans) – être handicapé, dépendant, en maison de retraite
- la mort – un décès – le deuil

1. POSER DES CONDITIONS

a. Formulez ces conditions en utilisant l'expression entre parenthèses.

Projet de vacances
La fille de 17 ans : Je peux partir en vacances avec les copains ?
Les parents : D'accord mais ...
1. tes résultats scolaires de fin d'année (*dépendre de*)
2. dire avec qui tu pars (*à condition que*)
3. ne partir qu'une semaine (*si*)
4. nous appeler tous les jours (*à condition de*)
5. travailler au mois d'août (*dans la mesure où*)

b. Imaginez des conditions en variant les expressions.

Un couple de trentenaires discute
Lui : On pourrait aller vivre à la campagne. Tu serais d'accord ?
Elle : Oui ...

2. FORMULER DES RESTRICTIONS

a. Formulez des réserves et des restrictions en utilisant l'expression entre parenthèses.

Projet de famille
Le père : On part tous ensemble faire du ski ce week-end ?
La mère : D'accord, on y va *à moins que*...
1. Charlotte doit peut-être réviser ses cours. (*à moins que*)
2. Peut-être qu'il ne fera pas beau. (*sauf si*)
3. Thibault aura peut-être toujours mal à sa cheville. (*seulement si*)
4. Je serai peut-être fatiguée. (*sauf si*)
5. Il n'y aura peut-être pas de neige. (*à moins que*)

b. Imaginez des restrictions en variant les expressions.
Paul : Voilà trois ans que vous êtes ensemble Armelle et toi, vous n'allez pas vous marier ?
Louis : Probablement... sauf si... à moins que...

3. EXPRIMER UNE OBLIGATION

Un responsable politique fait des propositions pour la famille. Reformulez en utilisant l'expression entre parenthèses.

a. La famille doit être un élément central de notre société. (*Il faut que ...*)
b. Une famille avec des enfants doit payer moins d'impôts. (*être impératif*)
c. Nous devons encourager les naissances. (*être essentiel*)
d. L'État doit encourager les familles défavorisées. (*être censé*)
e. Nous devons augmenter le nombre de crèches. (*Il faut que*)

4. EXPRIMER UNE CONSÉQUENCE INATTENDUE

Formulez la conséquence inattendue en utilisant l'expression entre parenthèses.

On n'a pas les enfants qu'on voudrait
a. Les parents de Lucas sont tous deux musiciens. Lucas n'aime que le rap. (*bien que*)
b. Ils sont très stricts sur la morale. Lucas a commis de petits délits. (*même si*)
c. Lucas a eu le bac avec mention très bien. Il n'a pas continué ses études. (*Certes... Pourtant...*)
d. Toute la famille l'a conseillé. Il n'en a fait qu'à sa tête. (*en dépit de*)
e. Il a été arrêté deux fois par la police. Il a continué à dealer. (*quand même*)

5. LE PRONOM COMPLÉMENT DIRECT PLACÉ AVANT LE VERBE

🔊 **Travaillez vos automatismes.**
N° 9 *Dialogues au cours d'un mariage*
a. Répondez affirmativement.
• Tu connais la fille en bleu ?
– Je la connais.
• Elle a un petit copain ?.....

b. Répondez négativement
• Tu connais le garçon avec la moustache ?
– Je ne le connais pas...
• On sait qui il est ?....

c. Répondez affirmativement.
• Tu as bu du champagne ?
– J'en ai bu.
• Tu as apprécié le gâteau ?...

d. Répondez négativement.
• Tarek a invité Laura à danser ?
– Il ne l'a pas invitée.
• Tu as vu tes amis ?....

UNITÉ 3

S'INTÉRESSER
AUX LOISIRS CULTURELS

1 **LIRE UN RÉCIT LITTÉRAIRE**
- Comprendre un récit au passé simple
- Comprendre une nouvelle
- Commenter une nouvelle

2 **RACONTER UNE FICTION**
- Raconter une fiction télévisée
- Raconter une scène culte

3 **ALLER VOIR UNE EXPOSITION**
- S'informer, informer quelqu'un sur une manifestation artistique
- Comprendre un catalogue d'exposition
- Commenter une œuvre d'art

4 **ÉCOUTER OU FAIRE DE LA MUSIQUE**
- Comprendre l'interview d'un artiste
- Présenter une chanson

PROJET

ÉCRIRE UN TEXTE ORIGINAL POUR UN ÉVÉNEMENT

La fête de l'Indépendance

Stéphane Moulinot n'a pas eu de chance. Non seulement, comme beaucoup de jeunes de province qui ont réussi les concours de l'administration, il a été nommé en région parisienne mais de plus, il s'est retrouvé dans un bureau du 14ᵉ arrondissement de la capitale, le plus convoité, celui où échouent les agents en fin de carrière. Impossible de s'y faire des amis de son âge. Stéphane découvre alors la solitude et passe ses week-ends à faire de longues marches dans Paris. Un vendredi soir, il décide sans réfléchir de prendre le RER[1] pour la banlieue, se retrouve à Saint-Denis, suit au hasard un flot de voyageurs qui prennent le tram en direction de Bobigny et choisit de descendre à la station Cosmonautes. Voici la fin de la nouvelle.

1. RER :
réseau express
régional, trains
qui desservent
la banlieue
parisienne.

Il mit un tel soin à observer la ville qui défilait par les fenêtres du tram qu'il ne pensa pas à s'intéresser à ses compagnons de voyage. Il ne vit pas la jeune femme aux cheveux très courts qui était assise en face de lui et qui le dévisageait, elle, sans gêne. Quand le tram fit halte à Cosmonautes, il se leva et sortit. Elle descendit derrière lui. Il ne s'aperçut de sa présence que lorsqu'ils furent côte à côte sous l'abri, le nez sur le plan du quartier. Cosmonautes. Un ensemble de barres d'habitation de différentes hauteurs, plantées en labyrinthe de part et d'autre de la route, et que voisinaient un stade désert et un supermarché au rideau de fer baissé. Il n'y avait à Cosmonautes, ni café ni restaurant, rien que la nuit dans laquelle filaient quelques silhouettes chargées de sacs et d'enfants.
– Je cherche la rue Virgil-Grisson, dit la jeune femme.
Elle avait le visage plein, le teint clair, les yeux verts et ronds.
– Oui, fit Stéphane Moulinot. Vous avez un joli accent.
Mis en confiance par l'obscurité, il se sentait l'âme brave et liante d'un explorateur.
– Je suis anglaise, consentit la jeune femme. Vous allez à la fête, n'est-ce pas ?
– Je ne sais pas, répondit Stéphane Moulinot, pris de court.
– Il ne faut pas renoncer maintenant, fit l'Anglaise, nous sommes presque arrivés.
– Je peux au moins vous accompagner, proposa Stéphane Moulinot. Ce sera plus prudent.
C'est ainsi qu'ils traversèrent la route et s'engagèrent dans les allées que sillonnaient quelques mobylettes. Ils marchèrent un moment, la rue Virgil-Grisson était introuvable. Ils allaient s'avouer perdus lorsqu'ils avisèrent trois donzelles, qui sortaient d'un porche d'immeuble sous lequel une dizaine de jeunes gens tenaient salon. Stéphane Moulinot se précipita. L'une d'elles offrit de les conduire, c'était à deux minutes, mais il fallait connaître, vous n'avez qu'à me suivre, pas la peine de remercier, c'est tout naturel, merci. Enfin, ils furent au pied de l'immeuble, sur la porte duquel une affichette s'excusait par avance auprès du voisinage du bruit que l'on ferait, dans la nuit du 29 avril, jour anniversaire de l'Indépendance de la Sierra Leone.
– Je vais vous laisser, dit Stéphane Moulinot à l'Anglaise qui sonnait à l'interphone.
– Pourquoi ?
– Je ne suis pas invité.
– Vous l'êtes, maintenant, fit-elle en lui prenant la main. Je dirai que vous êtes mon cousin.
Il hésita. Elle le regarda avec une ombre de suspicion.
– Vous me promettez de bien vous tenir ?
Il acquiesça, piqué.
– Je m'appelle Hélène, dit-elle en poussant la porte. Et mon ami s'appelle Sori. Il est sierra-léonais. Entrez, l'Indépendance, c'est la plus jolie fête de toute l'année.
Cette nuit-là, Stéphane Moulinot mangea du poulet au sel et au piment et dansa dans le salon des Bangura jusqu'à ce que les pieds lui brûlent. Il consola un bébé qui s'était réveillé et pleurait dans une chambre. Il nettoya le Coca qu'on avait renversé sur le sol de la cuisine. Il sympathisa avec Sori qui avait les dents de la chance, un bob, une chemise imprimée léopard, et qui semblait bien plus jeune qu'Hélène. Il fuma une cigarette sur le balcon. Il se laissa courtiser par une jeune femme noire, puis par une jeune femme blanche, puis par une autre jeune femme noire. Il fut cinq heures du matin et il n'avait embrassé personne. Enfin, il s'accrocha à la farandole et, cette fois, il dansa au milieu du cercle sous les applaudissements.
Arriva le matin, sans qu'il l'ait vu venir. Il fallut se quitter. La plupart des convives remontèrent en voiture, ils partaient vers Melun, Villejuif, Le Bourget, Le Plessis-Trévise. Hélène et Sori avaient disparu. Stéphane Moulinot, que personne n'attendait chez lui, aida Catherine et Ousmane à ranger l'appartement. Il but un café, promit de revenir et partit à pas lents par le stade, vers l'arrêt du tram.
Il se coucha alors que la ville s'éveillait. Il sentait à peine sa fatigue. Les projets lui passaient par l'esprit, comme des papillons, agaçants et gracieux. Quand il s'endormit, il avait appris deux choses qui devaient faire de lui un autochtone beaucoup plus vite qu'il ne l'aurait imaginé : qu'un 29 avril, en exil, vaut bien un 14 juillet, et que Paris, il faut le savoir, c'est beaucoup plus que Paris.

2. Marie Desplechin
est née en 1959 à
Roubaix. Elle a écrit
de nombreux livres
pour la jeunesse
et quelques-uns
pour les adultes.
Dans *Un pas de
plus*, recueil de
onze nouvelles,
elle raconte avec
générosité et
humour de petites
tranches de vie.

Marie Desplechin[2], « La fête de l'Indépendanc » in *Un pas de plus*, Points, 2006.

Comprendre un récit au passé simple

1. Lisez le texte ci-dessous.

a. Faites le travail de l'encadré « Réfléchissons ».

Antoine de Saint-Exupéry

Antoine de Saint-Exupéry naquit en 1900 à Lyon. Au cours de son service militaire, il apprit à piloter. Une fois qu'il eut terminé son service, il s'engagea dans une compagnie qui transportait le courrier par avion. Il vécut ainsi des aventures périlleuses qu'il raconta dans ses premiers romans : *Courrier sud* (1929) et *Vol de nuit* (1931).

Quand il eut quitté l'aéropostiale, il devint journaliste. Puis, quand la guerre éclata, il servit comme pilote de guerre. Après l'Armistice, il partit aux États-Unis. Il voulait convaincre les Américains d'aider la France. C'est à New York qu'il écrivit *Le Petit Prince*.

Saint-Exupéry était un homme d'action. Quand les Américains furent entrés en guerre, il rejoignit l'armée française. Son avion disparut au-dessus de la Méditerranée en juillet 1944.

b. Racontez oralement la vie de Saint-Exupéry en utilisant le passé composé et l'imparfait.

Comprendre une nouvelle

 1. Travaillez par deux. Lisez le résumé du début de la nouvelle. Les adjectifs suivants peuvent-ils caractériser Stéphane Moulinot ?

curieux – intelligent – jeune – malchanceux – original – sociable – solitaire – timide

 3. Lisez la fin de la nouvelle. En petit groupe, préparez le script d'un film sur cette nouvelle. Pour chaque scène, notez le lieu, les actions des personnages et leurs attitudes.

Lieu	Actions	Attitudes
Dans le tram	Stéphane regarde la banlieue. Une jeune femme regarde Stéphane.	intéressé regards insistants

Réfléchissons... Le passé simple et le passé antérieur

• Observez les verbes du texte de l'exercice 1. Trouvez leur infinitif et classez-les dans le tableau

Actions principales (actions de référence)	Actions antérieures à l'action principale	Commentaire ou circonstances de l'action principale
naquit (naître)		
il apprit à piloter (apprendre)		il faisait son service militaire

• Les temps des verbes des deux premières colonnes sont le passé simple et le passé antérieur. Lisez dans la page « Outils » comment se forment ces temps.

• Entraînez-vous à reconnaître le passé simple en lisant l'extrait de la nouvelle de Marie Desplechin.

4. Le lundi suivant l'aventure de Stéphane, ses collègues de bureau lui posent des questions. Répondez pour lui.

a. Pour quoi es-tu allé dans cette banlieue ?
b. Cosmonautes, c'est un joli quartier ?
c. Il y a beaucoup d'étrangers ?
d. Ils sont comment ?
e. Qu'est-ce que tu as fait là-bas ?
f. Tu as trouvé une copine ?
g. Et la fille qui t'a amené à la fête, tu vas la revoir ?

5. Les adjectifs suivants peuvent-ils caractériser Stéphane Moulinot ? Donnez des exemples de comportement.

ayant le sens de l'humour – décontracté – entreprenant – joyeux – menteur – poli – serviable – sympathique

6. Quelles réflexions Stéphane tire-t-il de son aventure ? Ajoutez vos propres réflexions.

TÉLÉ ➤ Vos fictions

Si vous avez raté le début...

C8	TF1

Maigret chez les Flamands,	*Profilage : Réminiscences,*
avec Bruno Crémer	**avec Odile Vuillemin et Philippe Bas**

À Givet, près de la frontière belge, une jeune fille, Germaine Piedbœuf, a disparu depuis quinze jours. Au moment de sa disparition, elle était la maîtresse de Joseph Peeters, le fils d'une famille de commerçants qui était arrivée du nord de la Belgique quelques années auparavant. Germaine Piedbœuf avait eu une fille et on avait soupçonné Joseph d'en être le père. Dans la petite ville, les mauvaises langues accusent Joseph d'avoir tué Germaine.

Avant que la police locale soit influencée par les ragots et arrête Joseph, Anna, la sœur de Joseph, a contacté le commissaire Maigret de la police judiciaire de Paris. Alors que ce dernier arrive à Givet pour une enquête non officielle, on découvre le corps de Germaine. Le célèbre commissaire, avec flegme et méthode, suivra plusieurs pistes en même temps, tout en se méfiant des évidences.

Le 12 septembre 2005, Pierre Vasseur, un artiste peintre a été trouvé assassiné dans son atelier, un couteau de peintre planté dans la poitrine. L'équipe du commandant Rocher de la police judiciaire de Paris qui est chargée de l'enquête compte toujours sur l'intuition et la sensibilité de la psychologue et criminologue Chloé Saint-Laurent. La police découvre que la veille du meurtre, une femme avait laissé un message sur le répondeur téléphonique de l'artiste. Elle le mettait en garde contre un meurtre imminent. Celle-ci se présente spontanément à la police. Elle affirme qu'elle a laissé ce message après qu'elle a eu une étrange vision. Son rêve se déroulait le 12 septembre 1945. Un ancien résistant Armand Jonquet, qui ressemblait à Pierre Vasseur, était assassiné d'un coup de hache dans la poitrine.

Après avoir un moment écarté cette piste extravagante, la police découvre que le meurtre du résistant a bien eu lieu dans les mêmes circonstances. Chloé Saint-Laurent pense que les deux meurtres sont liés…

Raconter une fiction télévisée

1. La classe se partage les deux articles du document.

a. Trouvez des informations sur :
1. le lieu du crime.
2. la victime.
3. les circonstances du meurtre.
4. les enquêteurs.
5. les pistes possibles pour trouver l'auteur du crime.

b. Imaginez d'autres pistes possibles.

c. Présentez la fiction télévisée au reste de la classe.

2. Faites le travail de l'encadré « Réfléchissons ».

Réfléchissons... Les moments du récit

• **Dans la présentation de *Maigret chez les Flamands,* observez le temps des verbes. Classez-les dans le tableau.**

Évènement de référence (évènement principal)	*Germaine Piedbœuf a disparu ... (passé composé)*
Circonstances liées à l'évènement principal	*elle était la maîtresse... (imparfait)*
Évènements antérieurs à l'évènement principal	*...*

• **Dans les deux articles, relevez les mots qui expriment une relation entre deux moments de l'histoire.**

a. Une action est antérieure à l'autre...

b. Une action est postérieure à l'autre...

c. Les deux actions se passent en même temps : ***Au moment de*** sa disparition.

Voir d'autres expressions dans la rubrique « Exprimer l'antériorité... » de la page « Outils » (page 59).

3. Lisez ci-contre les notes prises par un réalisateur pour une scène de film.

a. Rédigez le récit de cette scène. Utilisez le présent pour les actions de référence.
Vincent traverse en voiture le village de son enfance...

b. Rédigez le récit pour un roman (avec les actions de référence au passé composé). Dans votre récit, utilisez des expressions de temps quand c'est nécessaire.
Vincent a traversé en voiture le village de son enfance...
À un moment... À ce moment-là... Puis... Peu après...
Tout à coup...

4. Racontez la scène au passé. Combinez les phrases en utilisant l'expression entre parenthèses.

Scène de braquage de banque
a. Les trois truands garent leur voiture devant la banque. Ils attendent l'heure d'ouverture. (*après + infinitif*)
b. La banque ouvre. Léo et Bruno descendent de la voiture. (*dès que*)
c. Ils entrent dans la banque. Momo reste au volant. (*pendant que*)
d. Ils mettent leur cagoule et sortent leur arme. Les employés les voient. (*avant que*)
e. Léo braque le caissier. Bruno remplit le sac. (*tandis que*)
f. Bruno a rempli le sac. Ils sortent de la banque. (*après que*)
g. La voiture démarre. L'alarme de la banque retentit. (*au moment où*)

Racontez une scène culte

5. Écoutez. Ils parlent des scènes de film qui les ont marqués. Pour chaque scène,
N° 10

a. trouvez la photo correspondante.
b. notez :
1. où se passe la scène.
2. qui sont les personnages.
3. ce qui s'est passé avant.
4. ce qui se passera après.
5. pourquoi cette scène est devenue une scène culte

Scène des retrouvailles

• Le village où Vincent a passé son enfance – Vincent en voiture – Traversée du village – Arrêt sur un parking – Vincent prend un petit chemin

• Forêt – Atmosphère de printemps – Fleurs et chants d'oiseaux – Vincent s'approche d'un arbre – Sur le tronc, un cœur gravé avec les deux lettres « V » et « I »

• Flash back (souvenirs) – 20 ans auparavant – Vincent a dix ans – Il est devant l'arbre avec une petite fille de son âge – La petite fille finit de graver le cœur avec les deux initiales

• Retour au présent – Vincent continue sa marche – Il aperçoit un chalet – Rires et musique venant du chalet – Une jeune femme d'une trentaine d'années sort sur le balcon, suivie d'un homme et d'un jeune enfant – Le regard de la jeune femme croise le regard de Vincent – Surprise dans leurs yeux

Mieux s'exprimer

• La scène se passe... se déroule... L'événement s'est produit... a eu lieu...
• Le personnage principal/un personnage secondaire – un héros – un premier rôle – un second rôle – les amis/les ennemis
• C'est un grand moment... un coup de théâtre... un rebondissement... un moment fort... – Il y a du suspense... des effets de surprise...

6. Répondez à la question du forum ci-dessous. Suivez le plan de l'exercice 5.

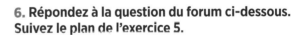

Forum Passion Ciné

Quelle est votre scène culte préférée ?
• Dark Vador
C'est la scène du début des *Visiteurs* quand Jean Reno et Christian Clavier arrivent au XXᵉ siècle et où ils rencontrent...

Pablo Picasso, *Jeune fille à la mandoline*, 1910, New York, musée d'Art Moderne.

Henri Matisse, *La desserte, harmonie rouge*, 1908, musée de l'Ermitage, Saint-Pétersbourg.

S'informer, informer quelqu'un sur une manifestation artistique

1. Écoutez le document. Complétez les informations.

a. date de l'événement
b. nombre de visiteurs en France
c. nombre de musées participant à la manifestation en France... en Europe
d. but de la manifestation
e. caractéristiques de la manifestation

2. Notez les musées qui sont cités.

1. Centre Pompidou (médiathèque et art moderne)
2. Musée d'Orsay (l'art de 1850 à 1914)
3. Musée Picasso
4. Musée de l'Orangerie (Impressionisme)
5. Musée du qual Branly (Arts premiers)
6. Musée du Louvre (de l'Antiquité au XIXe siècle)
7. Musée de Mulhouse
8. Musée Cantini à Marseille
9. Musée d'Aquitaine à Bordeaux
10. Musée du Périgord à Périgueux

La séquence radio

La Nuit des Musées

N° 11 **Chaque année, la Nuit des Musées est un événement artistique qui attire beaucoup de monde. Reportage à travers la France d'Isabel Pasquier.**

3. Dans quels musées la journaliste est-elle allée interroger les gens ?

4. Des amis qui ne connaissent pas la Nuit des Musées vous posent des questions. Répondez.

a. À Quelle heure finit la manifestation ?
b. Cette manifestation peut-elle intéresser les enfants ?
c. J'aime bien visiter un musée tranquillement et au calme. Tu penses que c'est fait pour moi ?
d. Il y a des animations au musée du Périgord ? Quoi, par exemple ?
e. Et au musée d'Aquitaine ?

Comprendre un catalogue d'exposition

5. Lisez le document de la page 53. Approuvez ou corrigez ces remarques d'un visiteur de l'exposition. Développez vos réponses.

Exemple : a. Oui, c'était au Grand Palais, le musée qui est entre la Seine et les Champs-Élysées.

a. L'exposition avait lieu à Paris.
b. Elle présentait le travail de deux peintres au début du XXe siècle.
c. Ces deux peintres sont importants pour l'histoire de l'art.
d. Ils se connaissaient bien.
e. Ils ont participé au même mouvement artistique.
f. Ils ne se sont pas influencés.
g. L'exposition retraçait l'évolution de ces artistes.
h. Il n'y avait que des peintures. C'était surtout des paysages.
i. L'exposition montrait deux parcours artistiques radicalement différents.

↘ À propos de l'événement

Exposition Matisse – Picasso

au Grand Palais

22 septembre 2002 – 6 janvier 2003
de 10 h à 20 h

Confrontation exceptionnelle entre deux Géants. L'exposition « Matisse-Picasso » présentée aux Galeries Nationales du Grand Palais est une coproduction de la Réunion des Musées Nationaux/Musée Picasso et du Centre Pompidou. [...]
Au moment de leur rencontre chez les Stein, leurs mécènes et amis communs, durant l'hiver 1905-06, Matisse (1869-1954) et Picasso (1881-1973) se trouvent engagés dans des recherches plastiques à l'origine des révolutions « fauve » et « cubiste ». Dès lors et tout au long de leur trajectoire artistique, ils vont travailler, dans un vis-à-vis productif, à Paris, en Catalogne ou sur la Riviera française, autour des grands genres du Nu, du Portrait et de la Nature morte. Oscillant entre amitié et compétition, leur relation sera fondée sur une véritable « fraternité artistique » selon les mots de Matisse.
Comme en témoigne la presse et la critique d'art, Matisse et Picasso furent considérés dès la première décennie du XXe siècle comme les deux principaux inventeurs de l'art moderne. Fondée sur un bilan croisé de près d'un siècle de réévaluations critiques et de recherches, cette exposition reconstitue les moments-clefs de leur dialogue entre 1906 et 1954, à travers un ensemble d'œuvres maîtresses provenant des plus prestigieuses collections publiques et privées : 76 peintures, 28 sculptures, 47 dessins, 10 papiers colles et gouaches découpées.
Selon un parcours globalement chronologique, l'exposition témoigne pour l'ensemble de leur trajectoire artistique des échanges ou interférences stylistiques et thématiques entre leurs deux œuvres [...]

www.centrepompidou.fr

Commenter une œuvre d'art

6. Travaillez en petit groupe. Observez les deux tableaux de la page 52.

a. Quel tableau représente :
1. une nature morte ? 3. un portrait ?
2. un paysage ? 4. une scène d'intérieur ?

b. Quel tableau appartient aux courants suivants ?
1. le fauvisme 3. l'impressionnisme
2. le classicisme 4. le cubisme

c. À propos de quel tableau peut-on parler :
1. d'une déformation de la réalité ?
2. de courbes stylisées et gracieuses ?
3. de couleurs éclatantes ?
4. de couleurs ternes ?
5. d'une modification de la perspective ?
6. d'une vision géométrique ?

d. Quel tableau évoque pour vous...
1. la solitude ?
2. le bonheur quotidien ?
3. l'harmonie du monde ?
4. la mélancolie ?
5. la possibilité d'une évasion ?
6. Le pessimisme à l'égard de l'être humain ?

7. Présentez au choix :

– une manifestation artistique que vous avez vue.
Inspirez-vous du plan de l'exercice 1
– une œuvre d'art (peinture, photographie, sculpture, installation...). Voir le vocabulaire dans la page « Outils ».

ⓘ Point infos

LA FOLIE DES EXPOSITIONS

En 2017, le jour de l'ouverture de l'exposition Vermeer au Louvre, près de 10 000 personnes se sont présentées. L'exposition Chtchoukine a accueilli à la Fondation Louis Vuitton à Paris, plus d'un million de visiteurs, un chiffre qu'approche la plupart des grandes expositions depuis quelques années. L'attribution d'un créneau horaire est maintenant nécessaire pour accéder à la présentation d'une collection.
Les raisons de cet engouement sont diverses :
– la baisse d'intérêt pour l'art contemporain, si l'on excepte quelques stars comme Jeff Koons ;
– le repli sur les valeurs sûres du patrimoine dans une période d'incertitudes ;
– la constitution d'une classe de séniors relativement aisés et désireux de se cultiver.

Le reportage vidéo

Gatha : interview d'une chanteuse

N° 3

La jeune chanteuse Gatha parle de son parcours et de ses sources d'inspiration.

Renaissance (Gatha) (extrait)

N'oublie pas toutes ces premières fois
qu'il te reste à vivre (*bis*)
Aujourd'hui en orbite autour d'un
monde clos
Arrête le tic-tac de ta boîte crânienne
Tourner sans cesse en rond dans
le fond de moi-même
Donnez-moi vite, un ardent renouveau
Photographie-moi la lumière éteinte
Pour y voir les traits lourds de sens,
je feinte
Ne reste que l'incessant courage
de vaincre
Allons quitter la zone de confiance [...]

Comprendre l'interview d'un artiste

1. Regardez le reportage sans le son. Notez ce que vous avez vu.

1. de la danse contemporaine
2. un clip de chanson
3. un groupe de musiciens
4. un salon moderne
5. une chanteuse en concert
6. un violon
7. une femme jouant du violoncelle
8. une pochette de CD

2. Regardez le début du reportage avec le son (jusqu'au clip « Passer par devant »). Répondez.

a. À quel âge Gatha a-t-elle commencé la musique ?
b. Qu'est-ce qui lui a donné envie d'en faire ?
c. Quel type d'études musicales a-t-elle fait ?
d. Ces études lui ont plu ?
e. Qu'a-t-elle décidé ?

3. Regardez la deuxième partie du reportage (jusqu'au clip « Renaissance). Approuvez ou corrigez les affirmations suivantes :

a. Gatha est à la fois auteur, compositeur et interprète de ses chansons.
b. Quand elle écrit une chanson, elle est d'abord inspirée par un texte.
c. Elle n'écrit qu'en français.
d. Par la richesse de son vocabulaire, la langue française lui permet d'exprimer ses émotions.

4. Regardez la fin de la vidéo.

a. Notez ce qui inspire Gatha.

1. le groupe CocoRosie (folk et électro)
2. la capacité de résistance
3. la chanteuse islandaise Björk (style pop, électro et jazz)
4. la vie politique
5. le chanteur anglais Tricky (mélange de rock, de hip-hop, de soul et d'électro)
6. le trip-hop (mélange de hip-hop et d'électro)
7. les artistes qu'elle aime
8. les difficultés de la vie
9. son expérience personnelle

b. Gatha aime être en concert. Pourquoi ?

 5. Travaillez en petit groupe. Lisez l'extrait de la chanson de Gatha. Aidez-vous du vocabulaire de l'encadré.

a. Qu'évoque pour vous le mot « renaissance » ?
b. À la lumière du titre de la chanson, imaginez le sens de chaque vers. Utilisez le vocabulaire de l'encadré.
Exemple : *1er vers →* *Tout au long de la vie, on peut avoir des nouveaux départs, des moments de bonheur, etc.*

• L'ennui – le flot de la pensée – les soucis – le confort quotidien – la routine
• le changement – l'énergie – l'espoir – la nouveauté – le mystère

Cité rose
Soprano

On a fleuri dans ses jungles de béton
Arrosés par les larmes d'une daronne[1]
Certains y poussent comme des orties
d'autres comme des bouquets de roses
Ça n'attend plus rien de l'État,
la politique c'est comme les mecs à Dalida[2]
Que des paroles et des paroles
Donc chacun cultive son potentiel à sa manière
Ça surfe entre les contrôles scolaires et les contrôles judiciaires
Entre ses origines et sa nationalité
Assis entre deux chaises on cherche une stabilité
Un bordel[3] qu'on a souvent du mal à gérer
Chérie désolé, chez moi le mariage c'est plus compliqué
Une richesse multiculturelle
Mais un mélange qui devient parfois vite un molotov cocktail
Quand la rue te vole ton fils c'est pour le mettre dans la merde[4]
Mais difficile d'être un père quand t'es une mère
Mais la mienne m'a toujours appris à me relever
Et m'a dit « Pour ne pas mourir continue à rêver » […]

---

1. la mère (argot) – **2.** Allusion à une chanson de Dalida (1933-1987), chanteuse française, qui reprochait aux hommes de ne pas tenir leurs promesses. – **3.** le désordre (vulgaire) ; le mot désigne aussi une maison de prostitution. – **4.** être en difficulté (vulgaire).

Voici la ville
Vincent Delerm

voici la ville
dont je te parlais
là immobile
comme elle l'était
d'ici on voit
depuis la colline
le panorama
dans la nuit les usines

voici la ville
antiquaire et préfet
la bourgeoisie docile
les pharmaciens rouennais*
d'ici on voit
les enseignes les vitrines
la Seine en contrebas
dans la nuit les usines

voici la ville
où je cherchais
les yeux des filles
un chemisier défait
d'ici on voit
une fête qui se termine
les antennes sur les toits
dans la nuit les usines

d'ici je vois
les amours la presqu'île
et ma vie avant toi
voici ma ville

* de Rouen (la chanson parle de cette ville)

Présenter une chanson

6. Travaillez en petit groupe. La classe se partage les deux chansons.

a. Quels aspects de la ville sont décrits dans la chanson ?

b. Recherchez les différentes images de la ville qui sont évoquées. Caractérisez chaque image avec le vocabulaire de l'encadré.

Exemple : Les deux premiers vers de « Cité rose » → Image de la tristesse de la mère qui voit ses enfants en difficulté.

c. Présentez votre travail aux autres groupes.

7. Présentez votre chanson préférée. Parlez brièvement :

– du chanteur ou du compositeur ;
– du sujet de la chanson ;
– de la mélodie ;
– de ce que vous éprouvez, de ce qu'elle vous rappelle quand vous l'écoutez.

Utilisez le vocabulaire de la page Outils « Présenter une chanson », page 59.

• **Pour la chanson « Cité rose »**
l'absence d'éducation – l'absence d'espoir – les conflits culturels – le courage – la débrouillardise – la délinquance – le désenchantement – les difficultés d'insertion – les familles monoparentales – l'espoir – la fierté – la surveillance permanente – la tristesse

• **Pour la chanson « Voici la ville »**
l'adolescence – le conservatisme – le monde de la bourgeoisie – le monde ouvrier – la nostalgie – le sentiment amoureux – la sérénité – le souvenir – la stabilité

Anniversaire ou mariage d'un(e) ami(e), promotion ou départ à la retraite d'un(e) collègue, réussite, fin de stage...
Dans certaines occasions, il faut écrire un texte ou un discours un peu original.
Vous mettrez en œuvre quelques recettes pour écrire un texte de circonstance qui sort de l'ordinaire. Vous travaillerez seul ou par deux.

1 Choisissez l'événement et les sujets abordés.

1. Choisissez la circonstance pour laquelle vous allez écrire.

2. Faites l'inventaire des sujets que vous allez aborder.

a. Les thèmes

Exemple : discours de fin de stage → ce que vous avez appris – les qualités des animateurs – des particularités amusantes des animateurs ou des stagiaires – les moments marquants du stage

b. Les intentions

Exemple : pour une naissance → féliciter – souhaiter du bonheur – exprimer votre joie...

> naissance – mariage – crémaillère – déménagement- réussite à un examen – fin de stage – premier emploi – nouvel emploi – promotion – départ à la retraite – nouvel an – fête religieuse – accueil d'un conférencier – retrouvailles

2 Choisissez la forme de votre texte.

3. Lisez le document de la page 57. Choisissez la forme que vous donnerez à votre texte.

4. Faites un premier brouillon de votre texte. Vous l'enrichirez à l'étape suivante.

3 Enrichissez votre texte.

5. Insérez des citations. Lisez les citations ci-contre. À quels types d'événements pourraient-elles convenir ?
Trouvez, sur Internet, des citations qui conviennent à votre sujet.

6. Employez des expressions imagées.
Cherchez dans un dictionnaire les expressions construites avec les mots de votre sujet. Intégrez-les à votre texte. Par exemple, pour un anniversaire :
âge → le bel âge – Il n'a pas d'âge – l'âge de raison – au bénéfice de l'âge – etc.

7. Utilisez les paradoxes. Lisez les paradoxes ci-contre. À quels types d'événements pourraient-ils convenir ?
Vous pouvez trouver des paradoxes sur Internet ou en inventer. Par exemple, pour le discours du garçon d'honneur d'un mariage :
« Je sais qu'en me choisissant pour faire ce discours X a dû faire beaucoup de jaloux. Mais croyez-moi, je paierais cher pour que l'un d'eux prenne la parole à ma place... »

Citations
• Le succès est la récompense de l'audacieux. (H.F. Amiel)
• On ne subit pas l'avenir, on le fait. (G. Bernanos)
• Les gens qui vous disent qu'ils dorment comme un bébé, en général, n'ont pas de bébé. (L.J. Burke)
• Il n'est pas de petit chez soi. (proverbe français)
• Le voyageur connaît l'éternel retour des départs. (S. Tesson)

Paradoxes
• On met beaucoup de temps à devenir jeune. (Francis Picabia)
• Un homme seul est toujours en mauvaise compagnie. (Paul Valéry)
• Le bonheur, c'est de désirer ce que l'on a. (Saint Augustin)
• Impossible de vous dire mon âge, il change tout le temps. (Alphonse Allais)

4 Rédigez votre texte. Présentez-le.

Pour être créatif, donnez-vous des contraintes

À partir de tests qu'elle a fait faire à ses étudiants, une chercheuse américaine, Catrinel Haught-Tromp, a montré que les productions des étudiants auxquels on impose d'introduire certains mots ou des phrases qui riment sont plus originales que celles qui ont été faites en toute liberté.
Voici quelques idées pour être plus créatif.

• Un mot peut en cacher d'autres

Avec les lettres d'un mot, on peut composer d'autres mots. Par exemple, avec les lettres de « MARIAGE », on peut former :

ÂGE – MARI – MIRAGE – ÂME – GARE – RIME – RAGE – MER – MAGE – IRE (colère) – MI (note de musique) …

On peut construire un texte a partir de ces mots :
« Dans mariage, il y a "gare". C'est bien vrai.
Avec le mariage, le train des aventures passées arrive au terminus… »

• La recette

Dans le poème ci-dessous, Guillevic utilise la forme d'une recette de cuisine pour décrire une maison. Vous pouvez utiliser cette forme dans beaucoup d'occasions : la recette pour former un beau couple, pour réussir, etc.

> *Prenez un toit de vieilles tuiles*
> *Un peu avant midi.*
>
> *Placez tout à côté*
> *Un tilleul déjà grand*
> *Remué par le vent,*
>
> *Mettez au-dessus d'eux*
> *Un ciel de bleu, lavé*
> *Par des nuages blancs.*
>
> *Laissez-les faire.*
> *Regardez-les.*

Eugène Guillevic, « Recette » in *Avec*, Gallimard, 1966.

• L'acrostiche

Les premières lettres de chaque phrase, lues verticalement forment un mot (le nom de l'événement ou d'une personne)
Par exemple, ce poème d'Apollinaire dédié à son amie Lou.

> *L'amour est libre il n'est jamais soumis au sort*
> *O Lou le mien est plus fort encor que la mort*
> *Un cœur le mien te suit dans ton voyage au Nord […]*

Guillaume Apollinaire, « Adieu », in *Poèmes à Lou*, Gallimard, 1915

• Variantes de l'acrostiche

Chaque lettre est suivie d'une comparaison

> *M comme « mystère » car Marie a toujours été pour moi une inconnue*
>
> *A comme « amie » car…..*

On peut aussi suivre l'ordre alphabétique.

> *A comme …*
>
> *B comme …*

• La répétition

Chaque phrase commence par le même mot ou la même expression. Par exemple, cette chanson de Rose.

> *Je compte les jours, les calories, mes dépenses,*
> *mes économies, les paires de bottes*
> *Je compte les clopes, les voyages que j'fais pas,*
> *les heures loin de toi*
> *Je compte, Je compte, Je compte encore*

Rose, « Je compte », *Pink Lady*, 2015.

On peut commencer chaque phrase par une expression qui convient à l'événement.

> *Je me souviens… (retrouvailles)*
>
> *Si on apprécie Louise, c'est que… (promotion)*

• La chronologie

Le texte est construit comme une notice biographique.
Mettre en valeur la chronologie.

> *7 juin 1965 : naissance de Nicolas Legrand à Tours, à 800 km du lieu de naissance de sa future épouse Valérie…*

COMPRENDRE ET PRODUIRE UN RÉCIT

Pour raconter une histoire ou faire un récit d'événements passés, on peut utiliser trois systèmes temporels. Ces systèmes dépendent du temps verbal employé pour exprimer les événements principaux (ou action de référence).
a. L'action de référence est au **présent** quand on veut rendre le récit vivant à l'oral comme à l'écrit.
b. L'action de référence est au **passé composé**. C'est le système le plus courant employé à l'oral comme à l'écrit.
c. L'action de référence est au **passé simple**. Ce système n'est utilisé qu'à l'écrit, dans certains récits à caractère littéraire ou historique. On le rencontre en littérature, dans la presse ou dans des ouvrages didactiques.
Ces trois systèmes peuvent se succéder dans un récit.

1. Concordance des temps dans les trois systèmes d'expression du passé

Action de référence (action principale)	Commentaire de l'action de référence (états ou actions en train de se dérouler)	Action antérieure non subordonnée	Cas où une action antérieure est subordonnée à une action principale
présent *Le cambrioleur **entre** dans la maison.*	**présent** *La maison **est** vide.*	**passé composé** *Il **a garé** sa voiture en face de la maison.*	**passé composé ou infinitif passé** *Quand il **a vidé** (**après avoir** vidé) le coffre, il quitte la maison.*
passé composé *Le cambrioleur **est entré** dans la maison.*	**imparfait** *La maison **était** vide.*	**plus-que-parfait** *Il **avait garé** sa voiture en face de la maison.*	**infinitif passé ou passé surcomposé** *Après **avoir vidé** le coffre (Quand il **a eu vidé**) il a quitté la maison.*
passé simple *Le cambrioleur **entra** dans la maison.*	**imparfait** *La maison **était** vide.*	**plus-que-parfait** *Il **avait garé** sa voiture en face de la maison.*	**passé antérieur** *Quand il **eut vidé** le coffre, il quitta la maison.*

2. Conjugaison du passé simple
• verbes en -*er* :
radical + *ai, as, a, âmes, âtes, èrent*

• autres verbes
Les formes les plus fréquentes sont :
– les formes en [i] : *finir* → *il finit*   *voir* → *il vit*
– les formes en [y] : *vouloir* → *elle voulut*   *pouvoir* → *elle put*   *avoir* → *elle eut*   *être* → *elle fut*
– les formes en [ɛ̃] : *venir* → *il vint*

parler	avoir	être	partir	venir
je parlai	j'eus	je fus	je partis	je vins
tu parlas	tu eus	tu fus	tu partis	tu vins
il/elle parla	il/elle eut	Il/elle fut	il/elle partit	il/elle vint
nous parlâmes	nous eûmes	nous fûmes	nous partîmes	nous vînmes
vous parlâtes	vous eûtes	vous fûtes	vous partîtes	vous vîntes
ils/elles parlèrent	ils/elles eurent	ils/elles furent	ils/elles partirent	ils/elles vinrent

3. Conjugaison du passé antérieur
Auxiliaire « avoir » ou « être » au passé simple + participe passé

parler	arriver	se promener
j'eus parlé	je fus arrivé(e)	je me fus promené(e)
tu eus parlé	tu fus arrivé(e)	tu te fus promené(e)
il/elle eut parlé	il/elle fut arrivé(e)	il/elle se fut promené(e)
nous eûmes parlé	nous fûmes arrivé(e)s	nous nous fûmes promené(e)s
vous eûtes parlé	vous fûtes arrivé(e)(s)	vous vous fûtes promené(e)(s)
ils/elle eurent parlé	ils/elles furent arrivé(e)s	ils/elles se furent promené(e)s

EXPRIMER L'ANTÉRIORITÉ, LA POSTÉRIORITÉ ET LA SIMULTANÉITÉ

1. Pour introduire une action postérieure à une autre action
- L'artiste a fait des portraits. **Après (ensuite, plus tard, puis)**, il a fait des paysages.
- **Avant de** faire des paysages, il faisait des portraits. *(avant de + infinitif)*
- **Avant qu'il (ne)** fasse des paysages il faisait des portraits *(avant que + subjonctif)*
Ce « ne » n'a aucune valeur négative. Il est de moins en moins employé.

2. Pour introduire une action antérieure à une autre action
- L'artiste est sur scène. **Avant (auparavant, antérieurement)** il se préparait dans sa loge
- **Après** s'être préparé dans sa loge, le chanteur est monté sur scène. *(après + infinitif)*
- **Après qu'il** s'est préparé dans sa loge, le chanteur est monté sur scène. *(après que + indicatif ou subjonctif)*

3. Pour exprimer la simultanéité
- Deux actions ponctuelles se déroulent en même temps
Quand (lorsque, au moment où, à l'instant où) Johnny a attaqué « Que je t'aime », le public a applaudi.

- Une action ponctuelle se déroule en même temps qu'une action progressive
Céline Dion a donné un concert à Paris **tandis que (pendant que, alors que, comme)** j'étais en vacances.

- Deux actions progressives se déroulent en même temps
Elle étudie la musique **tout en travaillant** (**en même temps qu'**elle travaille).
Au fur et à mesure qu'elle progresse, les agents artistiques s'intéressent à elle.

RACONTER UNE FICTION

- L'histoire se passe (se déroule) à Paris, au XIXᵉ siècle – Un attentat a eu lieu (s'est produit) rue Morgue. – Un crime a été commis à minuit.
- **le personnage principal**/secondaire – le héros/ un comparse, le faire-valoir – un allié (un ami)/ un adversaire (un ennemi)
- **l'intrigue** (une intrigue amoureuse) – l'intrigue est soutenue/sans intérêt, banale – le scénario – le suspense (les rebondissements, un effet de surprise, un moment fort, un coup de théâtre)
- **une scène** (comique, dramatique, d'action, une scène culte) – une course poursuite – une cascade

PARLER D'UNE ŒUVRE D'ART

- **dessiner** (un dessinateur, un dessin) – peindre (un peintre, une peinture) – sculpter (un sculpteur, une sculpture) – graver (un graveur, une gravure)
- **une exposition** – une salle d'exposition – une galerie de peintures – l'accrochage des tableaux – le vernissage un tableau : une huile – une gouache – une aquarelle – un fusain – un collage – une sérigraphie un paysage – un portrait – une nature morte – un nu – une scène d'intérieur – une scène de genre
- **l'atelier de l'artiste :** un pinceau – une brosse –
un couteau – un pochoir – un chevalet – une toile – un cadre – un modèle
- **une forme** douce/dure, géométrique – un trait fin/appuyé
- **une teinte** vive, colorée/terne – clair/foncé – un tableau dans les gris clairs – une nuance de bleu – l'éclairage (le clair obscur)
- **les courants de l'art :** l'art roman – l'art gothique – la Renaissance – le classicisme – le baroque – le réalisme – l'impressionnisme – le fauvisme – le cubisme – l'art abstrait

PRÉSENTER UNE CHANSON

- **le texte** de la chanson (les paroles) – un couplet – le refrain – une chanson à texte – une chanson engagée – un succès (un tube)
- **la chanson** populaire (la variété) – une berceuse –
une comptine – une chanson folklorique
- **la mélodie** (l'air) – le rythme – un arrangement – une orchestration – une instrumentation
- **chanter** juste/faux – siffler

1. FAIRE UN RÉCIT AU PASSÉ

Mettez le récit suivant au passé.

Exemple : Hier, 17 mars, nous sommes allés...

Le 17 mars, nous allons voir l'exposition Vermeer au Louvre. Il y a une queue très longue.

Nous attendons une heure.

Pourtant, nous avons pris les billets un mois à l'avance.

Finalement, nous entrons. L'exposition est très intéressante car des tableaux de peintres flamands contemporains de Vermeer ont été regroupés.

En voyant cette exposition, je comprends que le style de Vermeer est partagé par d'autres peintres.

2. COMPRENDRE UN RÉCIT AU PASSÉ SIMPLE

Racontez cet épisode de l'histoire au présent.

a. En 1789, la situation du royaume de France était catastrophique. Le roi convoqua les représentants de la société.

b. Dès qu'ils eurent compris que le roi ne les écouterait pas, les députés décidèrent de gouverner seuls.

c. Une assemblée du peuple fut constituée. Elle commença à faire des réformes.

d. Après que le peuple eut pris le pouvoir, la noblesse commença à émigrer.

e. Le roi lui aussi prit la fuite. Il voulait réunir les monarchies d'Europe contre les révolutionnaires. Mais, il fut reconnu avant qu'il ne passe la frontière et fut raccompagné à Paris.

3. EXPRIMER L'ANTÉRIORITÉ, LA POSTÉRIORITÉ ET LA SIMULTANÉITÉ

Combinez les phrases suivantes en utilisant l'expression entre parenthèses.

Les débuts du chanteur Julien Doré

a. Julien Doré fait ses études à l'école des Beaux-Arts de Nîmes. Il forme son premier groupe... (*pendant que*)

b. Il travaille comme manutentionnaire. Puis, il participe à l'émission « La nouvelle star »... (*avant que*)

c. Il sort gagnant du concours. Puis, il est remarqué par la presse... (*après + infinitif*)

d. Il sort son premier album. Puis, il part en tournée... (*avant que*)

e. Il rentre de tournée. Puis, il joue dans un premier film... (*après*)

f. Il remporte les Victoires de la musique. Son troisième album a beaucoup de succès... (*alors que*)

4. COMPRENDRE LES EMPLOIS DE L'IMPARFAIT

Associez chaque verbe en gras à un emploi de la liste de l'encadré.

Exemple : a habitait → 5. circonstance

Une artiste

a. Quand elle **habitait** Paris, Héloïse **peignait** tous les jours une aquarelle.

b. Un jour qu'elle **travaillait** sur les bords de la Seine, une femme l'a abordée.

c. Elle **avait** une quarantaine d'année et **était** bien habillée.

d. Elle lui a demandé si elle **avait** beaucoup de peintures.

e. Héloïse lui a répondu qu'elle en **avait** beaucoup.

f. L'inconnue lui dit : « Je **voulais** vous demander si vous accepteriez d'être exposée dans ma galerie. »

g. « Si l'exposition **avait** du succès, on parlerait de vous. »

h. Deux mois plus tard, Héloïse **accueillait** le public au vernissage de son exposition.

1. description d'un état passé
2. habitude ou répétition d'une action
3. mise en valeur d'un fait ponctuel
4. paroles rapportées
5. circonstance d'une action principale
6. forme polie de demande (équivalente au conditionnel)
7. expression d'une supposition

5. LES CONSTRUCTIONS DU PRONOM COMPLÉMENT INDIRECT PLACÉ AVANT LE VERBE

 **Travaillez vos automatismes.**

N° 12

a. Répondez affirmativement

Bon père

• Il raconte des histoires à ses enfants ?

– Il leur raconte des histoires.

• Il parle au professeur de maths. ?

...

b. Répondez négativement

Mauvais père

• Il prête son ordinateur à ses enfants ?

– Il ne leur prête pas son ordinateur.

• Il demande à ses enfants de ranger leur chambre ?

...

RECHERCHER
DES INFORMATIONS

1 **FAIRE UNE INTERVIEW**
- Interroger
- Faire des hypothèses et des déductions
- Parler d'une rumeur

3 **SYNTHÉTISER DES INFORMATIONS**
- Prendre des notes
- Regrouper des informations

2 **JUGER LA VALEUR D'UNE INFORMATION**
- Repérer des informations et des opinions
- Exprimer la certitude ou le doute

4 **TROUVER DES SOURCES D'INFORMATION**
- Présenter un centre de documentation
- Discuter la fiabilité des informations données sur Internet

PROJET

**FAIRE UNE RECHERCHE DOCUMENTAIRE
POUR DÉFENDRE UNE CAUSE**

L'ÉNIGME DU MASQUE DE FER ENFIN RÉSOLUE

L'homme au masque de fer est sans doute le prisonnier le plus mystérieux de l'histoire de France. Cet homme qui a vécu au XVIIe siècle, à l'époque de Louis XIV et dont on ne connaissait ni le nom ni la raison de l'incarcération a fait couler beaucoup d'encre. Voltaire et des centaines d'historiens après lui ont essayé de découvrir son identité. On a dit qu'il était le frère jumeau du roi, le ministre des Finances Fouquet, un amant de la reine... Mais aujourd'hui, une nouvelle hypothèse semble avoir été vérifiée. Interview de l'historien Louis Bouvet.

- **On a fait une nouvelle découverte ? Qu'a-t-on trouvé ?**
– Le prisonnier au masque de fer s'appelait Eustache Dangers. C'était un valet mais il connaissait un secret d'État.
- **Est-ce que c'était un espion ? Que savait cet homme ?**
– Il était au courant de négociations secrètes entre les rois de France et d'Angleterre.
- **On a longtemps pensé que le masque de fer était un frère jumeau de Louis XIV. Cette hypothèse n'a-t-elle pas été abandonnée ?**
– Si, elle a été abandonnée. Supposons que la reine ait eu des jumeaux, tout le monde l'aurait su à la Cour car de nombreux témoins assistaient aux accouchements royaux. Par ailleurs, si le prisonnier avait été un personnage important comme un parent du roi, il aurait été bien traité. Or, les dépenses pour l'homme au masque de fer étaient limitées.
- **Comment l'hypothèse Eustache Dangers a-t-elle été vérifiée ?**
– On dispose de plusieurs preuves...

L'homme au masque de fer de Wallace Randall, 1998, avec Leonardo di Caprio.

Interroger

1. Lisez l'interview ci-dessus. Notez quel est son sujet principal.

a. l'histoire d'un prisonnier célèbre
b. les raisons pour lesquelles il a été emprisonné
c. les différentes hypothèses sur son identité
d. la découverte de sa véritable identité
e. ce qui valide cette découverte

2. Faites le travail de l'encadré « Réfléchissons » ci-contre.

 3. En petit groupe, préparez des questions à poser à l'historien. Variez les formes interrogatives.

 4. Écoutez l'interview.

N° 13

a. Que sait-on de l'identité du masque de fer ? Quelles sont les preuves de cette identité ?
b. Complétez le tableau.

Hypothèses sur l'identité du masque de fer	Preuves favorables à cette hypothèse	Preuves défavorables
1. un frère jumeau du roi 2. ...	le roi ne veut pas de concurrent	de nombreux témoins assistaient aux accouchements de la reine

Réfléchissons... L'interrogation

- **Observez les questions de l'interview. Associez chaque question à une des constructions suivantes :**
a. L'interrogation est marquée par une intonation de la phrase.
b. On ajoute « Est-ce que » à la phrase.
c. Le pronom sujet est déplacé après le verbe ou l'auxiliaire.
d. Le groupe nominal sujet est déplacé après le verbe.
e. Le groupe nominal sujet reste devant le verbe ou l'auxiliaire. Il est repris après le verbe par un pronom.
f. La phrase est à la fois interrogative et négative. C'est une demande de confirmation.

- **Lisez le paragraphe « Interroger » dans les pages Outils. Formulez ces deux questions de différentes manières.**
a. On connaît l'identité du masque de fer ?
b. Quand le masque de fer est-il mort ?

NB : La forme **a.** n'est pas possible quand la question est introduite par « Que ».
La forme **d.** n'est pas possible quand la phrase est introduite par « Pourquoi ».

Faire des hypothèses et des déductions

5. Faites le travail de l'encadré « Réfléchissons » ci-contre.

6. Formulez les raisonnements suivants sous forme d'hypothèses et de déductions. Commencez les phrases par les mots indiqués.

Le mystère de l'identité de Jeanne d'Arc

a. Jeanne d'Arc n'était pas une pauvre bergère. C'est impossible. Elle savait lire et écrire.
→ *Si Jeanne d'Arc avait été...*

b. Jeanne d'Arc n'était pas une étrangère à la Cour, c'est impossible. Elle a reconnu le Roi qui se cachait parmi les courtisans.
→ *Supposons...*

c. Jeanne d'Arc n'était pas une fille de paysans. C'est impossible. Elle savait monter à cheval et manier les armes.
→ *Si...*

d. Jeanne d'Arc ne faisait pas partie de la famille royale. C'est impossible. Le Roi l'a abandonnée. → *Dans l'hypothèse où...*

e. Jeanne d'Arc est une femme de conviction. C'est sûr. Elle a redonné confiance à l'armée du Roi. → *Si elle n'avait pas été...*

7. Imaginez des conséquences.

Au cours d'une soirée, le téléphone portable de Juliette a disparu.

a. Si quelqu'un l'avait pris par erreur, ...
b. Supposons que Juliette l'ait laissé tombé dans sa voiture, ...
c. Admettons qu'il soit quelque part dans le salon, ...
d. Imaginons qu'il ait été volé, ...
e. Si jamais le voleur l'utilisait dans une intention malveillante, ...

Réfléchissons... Faire des hypothèses

• Dans les phrases ci-après, notez :
a. si l'hypothèse porte sur un moment présent, futur ou passé.
b. l'expression qui introduit l'hypothèse.
c. le temps des verbes des deux parties de la phrase : hypothèse → déduction.

1. Si l'historien avait raison, les romans et les films sur le masque de fer n'auraient plus beaucoup d'intérêt.
2. Supposons que le masque de fer ait été le frère jumeau de Louis XIV, on l'aurait su à la Cour.
3. Dans l'hypothèse où le masque de fer serait un simple valet, l'histoire serait banale.

• Reformulez chaque phrase de l'encadré sur le modèle des deux autres.
Exemple : *1. Supposons que l'historien ait raison... Dans l'hypothèse où l'historien ait raison...*

• Reformulez les phrases en commençant par :
En admettant que...
Imaginons que...
Si jamais...

Parler d'une rumeur

8. Jeu de rôles à faire à deux. Préparez et organisez une discussion à propos d'une rumeur.

Cette rumeur peut être celle de l'exemple ci-dessous, une rumeur propre à votre pays ou une rumeur que vous aurez imaginée. Aidez-vous d'Internet.
a. Préparez vos arguments comme dans le tableau ci-dessous.
b. Discutez. L'un de vous croit à la rumeur, l'autre n'y croit pas.

Les faits	La rumeur	Les arguments favorables à la rumeur	Les arguments défavorables à la rumeur
• En 1988, la ville de Nîmes (sud de la France) a connu de terribles inondations. On a compté 8 morts.	• Il y aurait eu plusieurs centaines de morts.	• montée des eaux très rapide • voitures emportées par le courant • nombreux parkings souterrains sous les eaux	• seulement 8 personnes transportées à la morgue • pas d'augmentation significative des funérailles dans les jours qui ont suivi • pas de déclaration de personnes disparues

Transhumanisme, le pire comme le meilleur

L'Express a interrogé le philosophe Luc Ferry sur ce qu'il pense du courant transhumaniste.

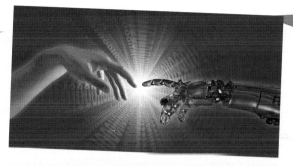

Quelles sont les grandes caractéristiques du transhumanisme ?

D'abord, et avant tout, ce mouvement entend passer d'une médecine thérapeutique classique – dont la finalité, depuis des millénaires, était de soigner, de « réparer » – au modèle de l'« augmentation » du potentiel humain. De l'ambition de combattre le vieillissement, et même de parvenir à augmenter la longévité humaine, non seulement en éradiquant les décès précoces, comme ce fut le cas depuis le XIXᵉ siècle, mais en recourant à la technomédecine, voire à l'ingénierie génétique.

Pour le moment, rien de réel ne prouve que c'est possible pour l'homme, même si ça l'est pour les souris, mais Google a déjà investi des centaines de millions de dollars dans le projet. Troisième idée majeure : corriger volontairement la loterie génétique, qui distribue injustement les qualités naturelles et les maladies […]. Nous en sommes encore loin, mais qui peut dire à quoi ressemblera la biochirurgie en l'an 2300 ? Il faut anticiper !

Concrètement, comment passe-t-on du thérapeutique à l'augmentatif ?

Prenons l'exemple d'aveugles atteints d'une maladie telle que la rétinite pigmentaire. On peut leur rendre la vue en greffant une puce électronique derrière la rétine. Là, nous sommes encore dans le thérapeutique. Imaginez maintenant que la puce en question se perfectionne à tel point qu'elle puisse permettre d'acquérir une vision d'aigle : là, nous passons à l'augmentation. Ce n'est qu'un exemple symbolique, mais, n'en doutez pas, la compétition entre les armées nous conduira sur ce genre de voie, qu'on le veuille ou non...

Certains transhumanistes vont jusqu'à parler de « la mort de la mort ». Comment peut-on sérieusement imaginer un tel bouleversement de la condition humaine ?

C'est évidemment à mes yeux un pur fantasme. D'abord, parce que l'organisme vivant est une totalité : dès que l'on touche une de ses composantes, on produit des effets pervers. Ensuite, parce que nous continuerons à mourir dans un accident, un attentat ou par suicide. En revanche, il n'est pas inimaginable que nous parvenions un jour à vivre deux cents, voire trois cents ans.

D'où tirez-vous cette conviction ?

Ce n'est pas une conviction, c'est plutôt une probabilité. En 1900, l'espérance de vie des Français était d'environ 45 ans. Aujourd'hui, elle atteint 80 ans. Cet allongement est essentiellement dû à l'éradication des morts précoces. Mais rien n'interdit de penser qu'on puisse aller plus loin en détectant la plupart des maladies génétiques, voire en réparant, un jour, les gènes défectueux. La recherche sur les cellules souches et sur l'hybridation homme-machine progresse aussi de manière extraordinaire, et c'est la convergence des diverses composantes de la technomédecine qui laisse penser que des progrès seront possibles sur ce terrain. Tout le problème est de savoir à quel prix !

Mais faut-il vraiment nous souhaiter une telle longévité ?

C'est toute la question, et elle nous oblige à réfléchir à notre condition humaine. Si l'être humain est perfectible à l'infini, s'il parvient à vieillir dans de bonnes conditions, la perspective d'une existence plus longue peut tenter.

Claire Chartier et Christophe Barbier, lexpress.fr, 05/04/2016.

Repérer des informations et des opinions

1. Lisez l'article. Associez chaque réponse de Luc Ferry à un des titres suivants.

a. Exemple d'application des progrès de la médecine
b. Doute sur la possibilité de l'immortalité
c. Définition du transhumanisme
d. Le transhumanisme, un problème moral
e. Comment allonger la durée de la vie ?

2. Notez les bonnes réponses.

a. Le transhumanisme est...
1. une nouvelle technique médicale.
2. un courant de pensée sur l'avenir de la médecine.

b. Les buts du transhumanisme sont...
1. accroître les capacités physiques et mentales de l'homme.
2. rendre les hommes physiquement égaux.
3. augmenter l'espérance de vie.
4. créer des robots intelligents.
5. rendre les hommes immortels.

c. Pour atteindre ses buts, le transhumainsme compte sur :
1. les modifications génétiques.
2. la greffe de nouvelles cellules.
3. de nouveaux médicaments.
4. l'implantation d'appareils qui remplacent ou aident les organes défaillants.

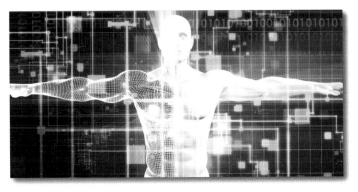

3. Relevez les informations sur lesquelles Luc Ferry donne son opinion. Résumez cette opinion.

Exemple : Augmenter la longévité humaine
« Rien de tel ne prouve que c'est possible »
(absence de preuve – doute)

Exprimer la certitude ou le doute

 4. Exprimer l'apparence. Par deux, faites des suppositions sur ce que pensent les personnages. Que s'est-il passé ? Qu'éprouvent-ils ?

Utilisez les expressions de l'encadré « Pour s'exprimer ».

Extrait d'une vidéo de Bill Viola.

5. Exprimer la connaissance et l'ignorance.
Complétez avec les expressions du tableau ci-dessous.

Lui : Je n'arrive pas à allumer mon ordinateur. Tu sais comment faire ?
Elle : ... ... mais tu peux appeler Laurent... ...
Lui : Il paraît qu'il y a un bon réparateur au bout de la rue.
Elle : Oui, ... mais je n'ai pas fait appel à lui.
Lui : Au fait, tu sais que Laurent divorce ?
Elle : Oui, ...
Lui : Tu connais le nom de sa nouvelle copine ?
Elle : ... ...
Lui : C'est un nom comme Alessia ou Alexandra.
Elle : ... ...

1. Je suis au courant.
2. J'en ai entendu parler.
3. Il s'y connaît.
4. Je l'ignore.
5. Ça ne me dit rien.
6. Je n'en ai pas la moindre idée.

6. a. Classez les expressions du tableau ci-dessous selon le degré de certitude

Certitude : *J'en suis sûr (10)* → *J'en suis certain (3)*
... ... **Doute**

1. C'est possible	7. J'en doute
2. Je me le demande	8. C'est probable
3. J'en suis certain	9. Il y a un risque
4. Ça se peut	10. J'en suis sûr
5. Je le crois vraiment	11. Je suis perplexe
6. Ça ne fait pas le moindre doute	12. Je ne sais pas trop

 b. Travaillez en petit groupe. Exprimez vos doutes ou vos certitudes à propos des remarques suivantes. Utilisez les expressions du tableau ci-dessus et celles des pages « Outils », pages 72-73.
Exemple : a. Il est possible qu'on vive plus longtemps.

Phrases entendues lors d'une discussion sur l'avenir
a. On vivra plus longtemps.
b. Les voitures rouleront sans chauffeur.
c. On aura éradiqué les maladies.
d. À l'école, on pourra se passer de professeurs.
e. Les villes se seront transformées.
f. Il y aura des mouvements de population importants.
g. Il n'y aura plus de pauvres.
h. La façon de cuisiner n'aura pas changé.

7. Écrivez un commentaire de l'interview de Luc Ferry. Exprimez vos opinions sur le transhumanisme.

Les rayures des zèbres, la fin d'un mythe

Ce n'est certes pas un grand mystère de la science. Mais assurément une question que bien des enfants, et quelques adultes, se posent depuis longtemps : pourquoi le zèbre a-t-il des
5 rayures ? Des réponses de tous ordres ont été données depuis cent cinquante ans : une forme de camouflage, un cryptage visuel qui troublerait les prédateurs, un mécanisme de contrôle thermique, un code social interne à la tribu, un répulsif contre
10 les insectes [...]

Concentrons-nous sur l'hypothèse la plus répandue : le camouflage. À la fin du XIXᵉ siècle, les deux pionniers de la théorie de l'évolution, Alfred Wallace et Charles Darwin, s'opposent
15 sur le sujet. Le premier en est convaincu : dans les forêts africaines, les rayures dissimulent l'animal aux yeux de ses prédateurs. Son maître est plus dubitatif, faisant remarquer que les terres d'élection de l'équidé sont les plaines, et que les
20 rares arbres n'offrent que peu de justifications à pareille spécificité. « *Cette hypothèse était quand même étrange*, affirme Tim Caro, biologiste à l'université de Californie-Davis. *Ce que nous voyions si bien, qui distinguait le zèbre, servait en*
25 *réalité à le camoufler...* »

Si le scientifique anglais, installé aux États-Unis, parle de cette théorie au passé, c'est qu'il pense bien l'avoir « *tuée* » dans un article publié le 22 janvier dans la revue *PLOS ONE* [...] Au grand
30 jour, quand l'homme perçoit les rayures du zèbre des plaines à 180 mètres, le lion ne les distingue qu'à 80 mètres, la hyène à 48 mètres. Dans la pénombre, ces chiffres passent, respectivement, à 45 mètres et 27 mètres pour les deux fauves.
35 La nuit, tous les zèbres sont « gris »[1] à partir de 11 mètres. « *Or, à ces distances, les prédateurs ont déjà entendu et surtout senti l'animal ; le camouflage est donc inopérant.* », précise Amanda Melin.

« *Quant au brouillage, il ne tient pas la route*,
40 renchérit Tim Caro, *dans la nature, quand un lion saute sur un zèbre, il ne le rate jamais.* »

Le biologiste anglais ne s'arrête pas là. Il écarte l'hypothèse d'un code entre pairs : « *La plupart des autres équidés ont la même organisation sociale sans*
45 *disposer de rayures. Les zèbres seraient plus bêtes que les autres ?* »

Et il ne croit pas au contrôle thermique issu des courants de convexion entre bandes noires et blanches. « *C'est très faible et ça ne marcherait qu'à*
50 *l'arrêt et sans vent.* »

Pour lui, une seule hypothèse reste solide : le dispositif antiparasitaire. En enduisant de glu des chevaux de bois peints de différents motifs, des expériences ont montré que les surfaces rayées
55 opéraient comme des répulsifs [...]

Nathaniel Herzberg, *Le Monde*, 03/02/2016.

---

1. Allusion au proverbe « La nuit, tous les chats sont gris » : dans l'obscurité, on confond les personnes et les choses (dans certaines circonstances troubles on confond les gens honnêtes et malhonnêtes).

Prendre des notes

1. Lisez le texte ci-dessus. Trouvez les mots correspondant aux définitions suivantes.

Lignes 1 à 10 : le fait de se cacher en modifiant son apparence – un ensemble de signes – animal qui se nourrit d'autres animaux – produit dont l'odeur repousse (éloigne) certains animaux

Lignes 11 à 21 : cacher – qui doute – les endroits préférés – les animaux de la famille du cheval

Lignes 32 à 41 : lieu sombre – qui n'a aucune efficacité – qui ne permet pas de voir correctement – qui n'est pas vérifiée – donner un argument supplémentaire

Lignes 42 à la fin : qui est de la même famille ou de la même espèce – recouvrir d'un liquide épais – la colle

2. Faites le travail de l'encadré « Réfléchissons ».

3. Faites le plan du texte en utilisant les expressions suivantes :

Première hypothèse (deuxième hypothèse, etc.) – conclusion – exposé du problème – introduction – justification de l'hypothèse – présentation des différentes hypothèses – réfutation de l'hypothèse

4. En suivant le plan du texte, prenez en notes les principales informations.

Introduction : *Fonction des rayures du zèbre : mystère non résolu*

...

5. Transformez les mots soulignés en expression nominale.

a. Les animaux sauvages **disparaissent**.
→ *Disparition des animaux sauvages*

b. Des parcs ont été **créés**.

c. Il est **difficile** de **surveiller** ces parcs parce qu'ils sont très **étendus**.

d. Le nombre de gardes est **insuffisant**.

e. Grâce à ces parcs le tourisme **se développe**.

f. **Les cornes des rhinocéros sont recherchées**. Cela explique le braconnage.

Réfléchissons... La prise de notes

Quand on prend des notes, on doit simplifier les phrases. Cette simplification peut se faire en utilisant des formes nominales, des abréviations et des symboles

• **Observez ci-dessous comment les phrases du texte sont prises en note. Notez les transformations qui interviennent.**

a. transformation du verbe en nom ou en forme nominale

b. transformation de l'adjectif en nom

c. signe ou abréviation

1. *« Les rayures du zèbre serviraient à le camoufler »*
Rayures du zèbre → Fonction de camouflage (?)

2. *« La nuit les fauves ont une vue très faible. Ils ne voient qu'à 27 mètres »*
Faiblesse nocturne de la vue des fauves (27 m)

3. *« Les rayures ne sont d'aucune utilité pour le camouflage car le zèbre vit dans des plaines sans arbres »*
Fonction de camouflage ≠ lieu de vie du zèbre : plaines sans arbres → difficulté de se cacher

NB : quand la transformation en nom n'est pas possible on peut utiliser la forme « le fait de... » : *Quand on a vécu en Afrique, on comprend mieux que les animaux sauvages ne soient pas toujours appréciés par les habitants.* → *Le fait d'avoir vécu en Afrique aide à comprendre les habitants.*

La séquence radio

Quelle eau pour demain ?

N° 14

Une géographe répond aux questions de notre journaliste.

Regrouper des informations

6. Travailler par trois. Écoutez la séquence radio en entier.

a. Relevez les sujets qui sont abordés.

1. l'inquiétude des responsables
2. la fabrication de l'eau à partir de l'hydrogène et de l'oxygène
3. la lutte contre le gaspillage
4. la situation des réserves d'eau en France
5. la transformation de l'eau de mer en eau potable
6. le partage de l'eau par différents pays
7. les causes de la pénurie d'eau
8. les risques de conflits
9. les risques de pénurie d'eau dans le monde
10. les techniques de recherche d'eau

b. Quels sont les cinq thèmes principaux qui sont traités (Plan de l'interview) ?

7. Faites une écoute de l'interview, partie par partie. Prenez en notes les informations principales propres à chaque partie. Utilisez les formes nominales.

Exemple : a. Problème de l'approvisionnement du monde en eau.
Causes : 1. augmentation de la population
        2. accroissement du niveau de vie
        3. ...

8. Rédigez une synthèse du document. Faites une seule phrase par partie.

Exemple : a. Les problèmes d'approvisionnement du monde en eau sont dus à l'augmentation de la population, à l'accroissement du niveau de vie, à l'urbanisation, au développement des industries et au réchauffement climatique.

9. Discutez. Êtes-vous prêt(e) à vous discipliner pour réduire votre consommation d'eau ?

Le reportage vidéo — La BnF

La Bibliothèque nationale de France (BnF) ou Bibliothèque François-Mitterrand comporte quatorze millions de livres et de revues, mais aussi des manuscrits, estampes, photographies, cartes et plans, partitions, monnaies, médailles, documents sonores, vidéos, multimédia, décors, costumes... en accroissement constant. Elle est fréquentée chaque année par plus d'un million de visiteurs et sa bibliothèque numérique, Gallica, permet de consulter gratuitement plus de trois millions de documents. Présentation par Bruno Ponsonnet, directeur des expositions et des manifestations.

N° 4

Présenter un centre de documentation

 1. Travaillez par deux. Regardez la vidéo sans le son. Approuvez ou corrigez les phrases suivantes.

a. La Bibliothèque nationale de France (BnF) est un bâtiment ancien qui s'élève au bord de la Seine.
b. La BnF comprend quatre tours qui encadrent un bâtiment au centre duquel se trouve un jardin.
c. Chaque tour a la forme d'un livre ouvert.
d. La BnF comporte de nombreuses salles avec des rayonnages de livres.
e. Elle inclut un département « langues étrangères ».
f. Un laboratoire de langue fait partie de ce département.
g. La BnF organise des expositions.

2. Regardez la vidéo avec le son. Des amis vous posent des questions à propos de la BnF. Répondez-leur en développant vos réponses.

a. « Je cherche un livre de sociologie qu'on ne trouve plus en librairie. Tu penses que je peux le consulter à la BnF ? »
b. « J'ai une recherche à faire sur l'agriculture en France dans la première moitié de XXᵉ siècle. Comment je procède ? »
c. « On trouve beaucoup de livres à La BnF ? »
d. « On peut y travailler tranquillement ? »
e. « Pour consulter des documents, est-ce que je suis obligé de me déplacer ? »
f. « C'est sympa comme lieu ? C'est convivial ? »
g. « Je fais une thèse de physique en optique. Je cherche un article paru dans une revue américaine des années 1960. »

Mieux s'exprimer

Pour décrire un établissement
• **le lieu :** Le bâtiment est situé... Il se trouve...
Il a été construit... Il s'élève...
• **la vocation :** Le centre est destiné à... Il a pour vocation...
Il intéresse un public...
• **l'organisation :** Le centre comprend trois services...
Il comporte une salle de conférence...
Il inclut un laboratoire...
Un service d'information fait partie du centre...
• **l'utilité :** Le centre est utile pour... Il sert à... Il permet...

3. Présentez brièvement à la classe un centre de documentation (bibliothèque de quartier, d'université ou de musée, centre d'information et de documentation d'un centre de langue, etc.) que vous fréquentez. Utilisez le vocabulaire de l'encadré « Mieux s'exprimer ».

Discuter la fiabilité des informations données sur Internet

Wikipédia : pourquoi peut-on faire (plutôt) confiance à l'encyclopédie en ligne ?

Vous avez sans doute déjà entendu une injonction de ce type : « Ne faites pas confiance à Wikipédia, leurs informations ne sont pas sûres ». Souvent délivré dès le plus jeune âge, notamment à l'école lorsque les élèves sont initiés au matériel informatique et à l'utilisation d'Internet, ce conseil donne une image péjorative de l'encyclopédie en ligne qui compte près de 1,8 million d'articles en français et plus de 5 millions en anglais. Pourtant, le modèle de publication mis en place par le site, disponible dans plus de 280 langues, est censé apporter des garanties quant à la fiabilité des informations délivrées sur ses pages.

Sur sa page d'accueil, Wikipédia se présente comme un projet permettant de proposer du contenu « que chacun peut modifier et améliorer ». Il est en effet vrai que la plupart des articles peuvent être édités par n'importe quel internaute. Mais cette règle ne s'applique pas à des centaines d'articles sensibles qui sont soumis à des protections. Sur ces pages, qui concernent par exemple celles des personnalités politiques comme François Hollande, Nicolas Sarkozy mais aussi des vedettes comme Lionel Messi, il est impératif d'avoir créé sur le site un compte utilisateur vieux d'au moins quatre jours pour procéder à des modifications. Une démarche visant à décourager des plaisantins qui auraient une envie soudaine de se livrer à des actes de vandalisme numérique.

Pour vérifier les milliers de changements apportés quotidiennement, Wikipédia compte sur ses administrateurs et de nombreux internautes bénévoles bénéficiant du statut particulier de « patrouilleur ». Une page spéciale indique notamment les règles et bonnes pratiques que ces personnes doivent suivre pour lutter contre les « vandales », les informations non sourcées, les contenus violant le droit d'auteur, le spam ou encore les erreurs d'édition. Leur mission a aussi pour but de vérifier qu'il n'y ait pas de problème de neutralité dans les informations ajoutées, en particulier dans la biographie d'une personne vivante par exemple.

D'une manière générale, Wikipédia compte sur sa communauté collaborative pour la bonne tenue des articles. *Sciences Humaines* rapporte d'ailleurs qu'une enquête internationale de 2010 révélait que la première motivation de 72 % des contributeurs du site était : « *J'aime l'idée de partager le savoir et je veux y contribuer* ». Il n'est ainsi pas rare que des universitaires apportent leur pierre à l'édifice. Leurs contributions, en plus d'être vérifiées par les modérateurs, peuvent également être vérifiées par des utilisateurs lambda. Sur chaque article, il existe une page « discussion » permettant de remettre en cause ou de suggérer des précisions aux auteurs. Tous ces mécanismes permettent ainsi à Wikipédia de proposer des articles relativement fiables et mis à jour dans la mesure du possible. Mais bien entendu, cela ne dispense pas les internautes de prendre le temps, comme partout, de s'assurer de la fiabilité de ce qu'ils lisent.

Julien Absalon, www.rtl.fr, 13/01/2016.

5. Lisez l'article. Pourquoi les informations données par Wikipédia pourraient ne pas être fiables ?

6. Faites la liste des moyens qui garantissent la fiabilité de Wikipédia.

1. la nécessité de créer un compte pour écrire sur des sujets sensibles

2. ...

7. Débat. Lisez le « Point infos ». Les trois risques évoqués par Tim Berners-Lee vous paraissent-ils réels ?
Faites part à la classe de votre expérience (harcèlement publicitaire, fausse information, information que vous n'avez pas demandée, etc.).

ⓘ Point infos

LES RISQUES DE L'INTERNET

Tim Berners-Lee considéré comme le père d'Internet a récemment fait part de trois inquiétudes sur l'avenir du web.

• **Nos données personnelles** sont de moins en moins protégées. Elles sont utilisées par les géants du web mais aussi par les gouvernements qui contrôlent notre vie privée.

• **Les fausses informations** (*fakes news*) se multiplient. La désinformation est devenue un moyen de nous manipuler dans nos choix commerciaux ou politiques.

• **Les publicités sont ciblées** en fonction de groupe de personnes. Un même annonceur peut envoyer jusqu'à 50 000 variantes de sa publicité pour s'adapter aux personnes ciblées en les dissuadant de s'intéresser à un produit et en les orientant vers un autre. Cette technique est aussi valable pendant les campagnes électorales.

Il est donc urgent qu'une réglementation soit mise en place pour éviter que le web ne devienne un outil qui sert à diviser les hommes alors qu'il était censé les rapprocher.

Source : www.24matins.fr,
Sebastien Veyrier, 13 mars 2017.

Tim Berners-Lee

Faire une recherche documentaire
pour défendre une cause

Vous ferez une recherche documentaire pour approuver ou critiquer une cause écologique. Vous noterez les arguments qui vous permettront de réfuter les idées de vos adversaires et de défendre les vôtres. Vous rédigerez une présentation de votre recherche.

Faut-il supprimer les centrales nucléaires ?

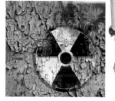

Depuis les années 1970, près de 80 % de notre électricité provient de nos centrales nucléaires nous assurant une énergie à un coût assez bas. Mais après Fukushima et les nombreux dysfonctionnements signalés ces dernières années, les risques ne sont-ils pas démesurés par rapport aux avantages ?

Devons-nous donner des droits aux animaux ?

Certes, la loi sanctionne les actes de cruauté envers les animaux. Elle protège aussi certaines espèces en voie de disparition. Mais on ferme les yeux sur leurs conditions d'élevage ou d'abattage, la chasse, les corridas, les animaux de laboratoire.

PLUS D'ESPACES VERTS DANS LES VILLES

Depuis les années 1950, beaucoup d'espaces verts ont disparu dans les villes moyennes de France. On en a fait des places bétonnées ou des ensembles immobiliers. Or, les espaces verts ont un impact écologique important pour le maintien de la biodiversité. Ils ont aussi un effet social et psychologique positif.

Mettre des péages à l'entrée des villes

De grandes villes, en Europe, font payer un droit d'entrée aux automobilistes non résidents. Le trafic a été réduit de 20 % diminuant ainsi la pollution. Un péage pour les non résidents serait aussi un moyen de les faire participer financièrement à l'entretien et au développement des infrastructures qu'ils utilisent.

1 Choisissez votre cause.

 1. Travaillez en petit groupe. Lisez les débuts d'articles ci-dessus.

a. Les problèmes évoqués sont-ils d'actualité dans votre pays ? Mettez en commun des exemples.

b. Choisissez l'un des débats évoqués.
Vous pouvez aussi choisir :
– un problème spécifique. Par exemple, ne travailler que sur le problème des animaux de laboratoire
– une autre cause qui intéresse votre groupe.
NB : Si vous n'avez pas le temps de faire une recherche documentaire, vous pouvez choisir de travailler sur le nucléaire (voir page suivante).
c. Formulez clairement le sujet du débat
Pour ou contre.........
Faut-il..... ?

2 Faites votre recherche documentaire.

2. Recherchez sur Internet des arguments pour et contre votre cause.
Partagez-vous ce travail de recherche.
Prenez ces arguments en notes.

3 Choisissez le point de vue que vous allez défendre.

3. Dans le débat que vous avez choisi, décidez d'être pour ou contre (pour ou contre le nucléaire, les corridas, la chasse, etc.).
À partir de cette étape, vous devez travailler avec un(e) partenaire qui adopte le même point de vue que vous ou bien travailler seul(e).

POUR LE NUCLÉAIRE

- En France : 19 centrales nucléaires (77 % de la consommation en électricité)
- Le secteur nucléaire : 2500 entreprises et 220 000 salariés
- Pas de rejet de CO_2. Aucun impact sur le réchauffement climatique
- Aucun accident majeur dans les centrales nucléaires françaises depuis leur création. Amélioration constante des mesures de sécurité
- Possibilité d'exploiter la chaleur des centrales nucléaires pour chauffer les villes et les serres
- Réacteurs de nouvelle génération → autosuffisance en uranium. Les sources d'énergie non renouvelable (charbon, pétrole) de plus en plus rares.
- Coût du démantèlement d'une centrale et stockage des déchets inclus dans le prix actuel de l'électricité
- Haut niveau scientifique de la France dans le domaine nucléaire

CONTRE LE NUCLÉAIRE

- Parc nucléaire français vieillissant. Les 2/3 des réacteurs ont atteint l'âge limite. Multiplication des petits incidents
- Investissements insuffisants en matière de sécurité
- Risque de catastrophe important (terrorisme, risque tellurique notamment pour les centrales de Fessenheim et de Tricastin)
- Production de déchets qui restent actifs pendant des centaines de milliers d'années. Difficulté de stockage
- Beaucoup de pays se passent du nucléaire ou l'abandonnent
- Nécessité d'importer l'uranium (Canada, Nigeria...) = dépendance de la France
- Possibilité de production de l'électricité à partir des énergies renouvelables (centrales hydroélectriques, centrale marémotrice, le solaire, les éoliennes et la géothermie)
- Développement des énergies renouvelables + politique d'économie d'énergie = création d'emplois
- Proximité nucléaire civil et nucléaire militaire. Augmentation des risques en cas de guerre.

4 Rédigez une présentation de vos arguments.

4. a. Présentez le problème.

« Depuis..., le problème du nucléaire est en débat. »

b. Présentez vos arguments en relation avec les arguments de vos adversaires.

Voir l'organisation des arguments (p. 100) et l'expression de la concession (p. 44).

Exemple : *« L'énergie nucléaire fournit près de 80 % de l'électricité en France. Certes, on pourrait la remplacer par des énergies renouvelables. Toutefois, celles-ci nécessiteraient des investissements importants... »*

c. Concluez.

« En conclusion, on peut affirmer que... »
« Finalement,... Pour conclure, ... »

 Point infos

L'ÉNERGIE NUCLÉAIRE EN FRANCE

Le développement de l'industrie nucléaire en France est dû à quatre facteurs :
- la compétence française en physique de l'atome au début du XXe siècle. Des noms prestigieux y sont rattachés : Henri Becquerel, Marie et Pierre Curie, Francis Perrin, etc.
- la politique d'indépendance énergétique décidée en 1945.
- la politique d'indépendance militaire et nucléaire voulue par le Général de Gaulle à partir de 1958.
- la crise pétrolière de 1973 qui incite la France à développer le programme de production d'électricité à partir de l'énergie nucléaire civile.

Aujourd'hui, près de 80 % de l'électricité et 20 % de la consommation énergétique globale sont d'origine nucléaire.
Les accidents de Tchernobyl et de Fukushima ont donné du poids aux arguments des anti-nucléaires mais les enjeux économiques sont tels que le débat divise quasiment tous les partis politiques, y compris celui des écologistes chez qui la sortie du nucléaire peut être plus ou moins radicale.

INTERROGER

1. Cas où l'interrogation porte sur toute la phrase

a. Question par l'intonation : *Le masque de fer était le frère jumeau de Louis XIV ?*

b. Avec « Est-ce que » : **Est-ce que** *le masque de fer était le frère jumeau de Louis XIV ?*

c. Inversion du pronom sujet (quand le sujet est un groupe nominal, il reste devant le verbe mais il est repris après le verbe ou l'auxiliaire par il(s) ou elle(s)) : *Le masque de fer était-il le frère jumeau de Louis XIV ? Connaissez-vous cette histoire ?*

d. Forme interro-négative : elle permet de demander la confirmation d'un fait. *Le masque de fer n'était-il pas le frère jumeau de Louis XIV ?*

2. Cas où l'interrogation porte sur un élément de la phrase (le sujet de l'action, l'objet, le lieu, etc.)

a. Question par l'intonation : **Où** *le masque de fer était emprisonné ?*

b. Mot interrogatif en fin de phrase : *Le masque de fer a été arrêté* **quand** *?*

c. Avec « est-ce que » : **Pourquoi** *est-ce qu'il a été arrêté ?*

d. Inversion du pronom sujet : **Où** *a-t-il été emprisonné ?*

e. Cas où le sujet est un groupe nominal sujet. Dans ce cas, le pronom représentant le groupe nominal est repris après le verbe ou l'auxiliaire : **Dans quelles** *prisons le masque de fer a-t-il séjourné ?*

f. Groupe nominal après le verbe ou l'auxiliaire : **Qu'**avait fait le masque de fer pour être emprisonné ?*

Attention : Avec « que » les constructions « a » et « e » ne sont pas possibles.
Avec « pourquoi » la construction « f » n'est pas possible.

FAIRE DES HYPOTHÈSES ET DES DÉDUCTIONS

1. L'hypothèse porte sur un fait présent ou futur

• **Si** on mettait des péages à l'entrée des villes, il y aurait moins d'embouteillages.
(*Si* + imparfait → conditionnel présent)

• **Admettons (supposons, imaginons)** qu'on mette des péages, la municipalité gagnerait de l'argent.
(*Admettons que* + subjonctif → conditionnel présent)

• **Dans l'hypothèse où** il y aurait moins de voitures, la pollution diminuerait.
(*Dans l'hypothèse où* + conditionnel → conditionnel présent)

2. L'hypothèse porte sur un fait passé

• **Si,** dans les années 70, les halles de Paris n'avaient pas été détruites, le quartier aurait gardé son âme. On utiliserait les bâtiments comme musée, théâtre ou lieu d'exposition.
(*Si* + plus-que-parfait → conditionnel présent ou passé)

• **Supposons que** dans les années 70, on n'ait pas construit une voie rapide le long de la Seine on n'aurait pas été obligé de la supprimer aujourd'hui. On aurait une belle voie piétonne pour traverser Paris.
(*Supposons que* + subjonctif passé → conditionnel présent ou passé)

• **Dans l'hypothèse où** la tour Eiffel aurait été démolie après l'exposition Universelle de 1889, Paris n'aurait pas eu son symbole.
(*Dans l'hypothèse où* + conditionnel passé → conditionnel présent ou passé)

EXPRIMER LA CERTITUDE OU LE DOUTE

1. Exprimer le degré de réalité ou d'existence d'un fait

• **Il est possible/impossible (concevable/inconcevable, imaginable/inimaginable, improbable, invraisemblable)** qu'on vive 200 ans. (subjonctif)

• **Il est probable (vraisemblable)** qu'on vivra plus longtemps. (indicatif)

• *On vivra plus longtemps.* **C'est possible (probable, imaginable...)**

• *Dans le futur,* **il se peut qu'on** vive plus longtemps (subjonctif)

• *L'allongement de la durée de vie* **risque** de poser des problèmes à la société.

• **Il me semble que (J'ai l'impression que ...)** les transhumanistes sont des utopistes.

• **Il ne me semble pas qu' (Je n'ai pas l'impression qu')** ils aient raison. (subjonctif)

2. Exprimer la certitude

Après une expression de certitude, on utilise l'indicatif.

• *Je suis **sûr (certain, convaincu, persuadé)** que les énergies renouvelables seront de plus en plus utilisées.*

• *Il est **sûr (certain)** qu'on aura encore besoin des centrales nucléaires.*

• ***C'est un fait que** … **On sait bien que**… le nucléaire est dangereux.*

Cela ne fait aucun doute. – On ne peut pas le nier.

3. Exprimer le doute

• *Je ne suis pas **sûr (certain, convaincu, persuadé)** que les énergies renouvelables pourront (puissent) couvrir nos besoins.* (indicatif ou subjonctif)

• ***Je doute qu'**elles soient suffisantes.* (subjonctif)

• ***Je me demande si** ces nouvelles énergies remplaceront totalement les énergies fossiles.* (indicatif)

• *J'ai du mal à croire que… Je ne peux pas croire que …
Je n'arrive pas à me faire à l'idée que…*

UTILISER LES FORMES NOMINALES

• **On peut avoir à transformer un verbe ou un adjectif en nom**

– pour prendre des notes : ***Défense** de la condition animale*

– pour enchaîner des idées : *Dans certains abattoirs, les animaux **souffrent**. Cette **souffrance** est inacceptable.*

– pour énumérer des arguments : *Les associations de défense des animaux s'insurgent contre leur **utilisation** dans les laboratoires, leur **condition** d'élevage, leur **abattage** sans anesthésie…*

• **Transformer un verbe en nom**

– On utilise un nom dérivé du verbe ou un nom qui exprime le même sens.

L'Institut Pasteur a été fondé en 1887. Il se consacre à la recherche biomédicale.

→ ***Fondation** de l'Institut Pasteur en 1887 – **Vocation** : la recherche biomédicale.*

– La transformation peut aussi se faire avec l'expression « le fait que »

L'Institut Pasteur est associé à de nombreuses découvertes. Il a acquis une grande notoriété.

→ ***Le fait que** l'Institut Pasteur soit associé à de nombreuses découvertes lui donne une grande notoriété.*

• **Transformer les adjectifs en noms**

On utilise un nom dérivé de l'adjectif ou une expression formée avec « le caractère », « l'aspect », « le côté »

*L'Institut Pasteur a fait des découvertes **importantes**.* → ***Importance** des découvertes faites par l'Institut Pasteur.*

*L'Institut Pasteur a une vocation **internationale**…* → *Le **caractère international** de l'Institut Pasteur…*

DIRE SI ON SAIT, SI ON IGNORE

1. La connaissance

• *C'est un homme cultivé. – un connaisseur – un spécialiste – un expert – un érudit – un savant – un maître – Il fait autorité.*

• *Je sais qu'on a découvert un nouveau virus. – Je connais le nom de son inventeur. – C'est un excellent chercheur. Il s'y connaît.*

Elle a entendu parler de cette découverte. Elle m'en a informé. – Luc Montagnier, ça vous dit quelque chose ?

2. L'ignorance

• *Il est ignorant, inculte. – C'est un âne.
Je suis nul en géographie. – En géographie, j'ai des trous, des lacunes. – Pour l'examen, j'ai fait l'impasse sur le relief de l'Italie.*

• *J'ignore qui travaille dans ce laboratoire. – Je n'en ai pas la moindre idée. – Je ne suis pas au courant. – Roland Wolt ? Ça ne me dit rien. – Je n'en ai pas entendu parler.*

PARLER DE LA SCIENCE

• **les sciences** fondamentales (les mathématiques, l'astronomie…) – les sciences appliquées (la physique, la chimie…) – les sciences de la nature (la botanique, la zoologie, la géologie…) – les sciences humaines et sociales (la sociologie, la psychologie…)

• **la recherche scientifique** – un chercheur – faire des recherches sur un nouveau médicament – chercher (rechercher) – expérimenter (l'expérimentation) – tester (un test) – explorer (une exploration) – analyser (une analyse) – constater (une constatation) – se rendre compte que … – faire une hypothèse – vérifier (une vérification) – contrôler (un contrôle)

• **la découverte** – découvrir – faire une découverte – trouver (une trouvaille) – une idée (un coup de génie) – déceler – dépister une maladie (le dépistage) – déchiffrer le génome (le déchiffrage) – identifier un virus (une identification)

1. INTERROGER

Retrouvez les questions de Louane. Utilisez les formes avec inversion du sujet.

Rencontre avec la Dame blanche

Patrick : Hier, j'ai rencontré une autostoppeuse bizarre.

Louane : ... ... ?

Patrick : Elle était sur la route de Bourges.

Louane : ... ... ?

Patrick : Cette femme était habillée tout en blanc.

Louane : ... ... ?

Patrick : Elle ne m'a parlé que pour me dire où elle allait. Je l'ai amenée jusqu'à une maison abandonnée.

Louane : ... ... ?

Patrick : Dans une forêt, à un kilomètre de la route. Là, elle m'a fait entrer dans la maison et m'a montré la photo d'une femme.

Louane : ... ... ?

Patrick : Elle ressemblait à mon autostoppeuse.

2. FAIRE DES HYPOTHÈSES SUR DES FAITS PRÉSENTS OU FUTURS

Reformulez ces hypothèses en utilisant l'expression entre parenthèses.

a. La médecine continuera peut-être à progresser. On vivra plus longtemps. (*Si...*)

b. On vivra peut-être jusqu'à 120 ans. Il faudra travailler jusqu'à 100 ans. (*Supposons que...*)

c. On travaillera peut-être jusqu'à 100 ans. On devra être en bonne santé. (*Faisons l'hypothèse que...*)

d. On pourra peut-être rester en bonne santé. La terre sera surpeuplée. (*En supposant que...*)

3. FAIRE DES HYPOTHÈSES SUR DES FAITS PASSÉS

Un homme politique exprime des regrets. Formulez ses hypothèses en utilisant l'expression entre parenthèses.

Exemple : Si on avait développé la voiture électrique il y a 40 ans, il n'y aurait plus de voiture à essence.

a. Il y a 40 ans, on n'a pas développé la voiture électrique. Il y a toujours des voitures à essence. (*Si...*)

b. On n'a pas encouragé les énergies renouvelables. On a toujours besoin de pétrole. (*Si...*)

c. On n'a pas supprimé les centrales atomiques. Une catastrophe nucléaire est toujours possible. (*Supposons que...*)

d. On n'a pas valorisé l'apprentissage. Les entreprises ne trouvent pas du personnel formé. (*Imaginons que...*)

e. On n'a pas instauré le revenu universel. Il y a toujours des pauvres. (*Si...*)

4. EXPRIMER LE DOUTE OU LA CERTITUDE

Lisez le texte. Reformulez les jugements comme dans l'exemple.

Exemple : a. Il est possible que l'argent vienne d'un héritage.

En 1885, un prêtre, l'abbé Saunière arrive à Rennes-le-Château. Il est pauvre mais quelques années plus tard il fait rénover l'église et se fait construire une luxueuse maison. Les gens se posent des questions sur l'origine de sa fortune. Aurait-il trouvé le trésor des Wisigoths, peuple qui vivait dans la région au Ve siècle ?

a. L'argent vient peut-être d'un héritage. C'est possible.

b. Viendrait-il d'une famille riche ? C'est improbable.

c. Saunière a peut-être trouvé un trésor. C'est possible.

d. Les Wisigoths ne sont pas partis en oubliant leur trésor. C'est impossible !

e. L'abbé Saunière n'a pas dépensé tout le trésor. C'est probable.

f. Le trésor est-il toujours dans le vieux château ? J'en doute.

g. Il y est ! J'en suis sûre.

h. Certains continuent à le croire. On le dirait !

5. LES CONSTRUCTIONS INTERROGATIVES

Travaillez vos automatismes.

N° 15 *Interrogatoires*

a. Répétez la question en utilisant la forme avec inversion du pronom sujet.

• Son nom est Lucia Lopez ?

– Son nom est-il Lucia Lopez ?

• Elle est espagnole ?

– ...

b. Demandez confirmation comme dans l'exemple.

• Vous êtes Nicolas Legrand ?

– N'êtes-vous pas Nicolas Legrand ?

• Connaissez-vous Louis Dubois ?

– ...

UNITÉ 5

AMÉLIORER
LE QUOTIDIEN

1 PROFITER
DES INNOVATIONS
- Présenter une innovation
- S'informer sur un objet

3 SURVEILLER SA SANTÉ
- Mettre en garde sur les comportements à risque
- Améliorer son bien-être

2 S'APPROPRIER
UN NOUVEL OBJET
- Comprendre un mode d'emploi
- Résoudre un problème suite à un achat

4 TRANSFORMER
SON HABITAT
- Découvrir un lieu de vie
- Exprimer la surprise et l'indifférence
- Aménager son logement

PROJET

PARTICIPER À UN FORUM DE CONSOMMATEURS

Présenter une innovation

Santé et environnement
à l'honneur au concours Lépine

Pour sa 115e édition, le concours Lépine a mis à l'honneur, samedi 7 mai, des inventions qui apportent des solutions pour la santé au quotidien et d'autres qui préservent l'environnement.

Le prix du président de la République – le plus prestigieux – a distingué parmi les 556 inventions en compétition, une application permettant aux personnes souffrant du diabète de suivre de manière plus fiable leur traitement. Elle a été mise au point par Benoît Mirambeau, un directeur de supermarché de 48 ans dont la mère souffre depuis plusieurs années de cette maladie [...]

Créée en 1901 par le préfet de la Seine Louis Lépine pour promouvoir l'artisanat, la compétition a servi de tremplin à de nombreux objets du quotidien, comme le stylo à bille, le fer à repasser vapeur, les lentilles de contact ou l'aspivenin. Le jury du concours prend notamment en compte le caractère innovant des inventions, la possibilité d'un passage rapide en production et leur viabilité économique.

www.lemonde.fr avec AFP, 07/05/2016.

Une exposante du concours Lépine.

1. Lisez l'article ci-dessus. Complétez ces informations.

a. Le concours Lépine est une manifestation où sont présenté(e)s...
b. Le jury du concours sélectionne les inventions qui...
c. Cette manifestation, qui a été créée en ... présentait surtout cette année...
d. L'invention que le prix du président de la République a récompensée était...
e. Benoît Mirambeau, qui est..., a mis au point cette invention.

2. Notez les caractéristiques des quatre inventions qui sont présentées ci-contre.

CE N'EST PAS DE LA SCIENCE-FICTION

➤ La table de bureau intelligente
Ce meuble de bureau, auquel on a intégré un logiciel de transcription de conversation ne se contente pas d'enregistrer les propos tenus lors d'une réunion. Il en fait un résumé selon l'ordre des interventions ou selon les thèmes abordés. L'objet dont tous les rapporteurs de séance ont besoin.

➤ Le frigo connecté
Ce réfrigérateur dont les familles seront bientôt accros possède une porte avec un écran tactile intégré. Celle-ci comporte de nombreuses fonctions dont la gestion du contenu du frigo et la possibilité de laisser des messages aux membres de la famille. Une porte magique grâce à laquelle on pourra également regarder un programme télé tout en cuisinant.

➤ Le jean autonettoyant
Il est fabriqué avec un textile dont les propriétés absorbantes étonnent. Le vêtement avec lequel vous pourrez passer d'une randonnée à un cocktail sans vous changer.

➤ Le réveil sans bruit
Il ne vous réveille pas par une sonnerie intempestive mais en diffusant le parfum que vous pouvez choisir (café, croissant ou bord de mer). Un réveil auprès duquel votre conjoint pourra continuer à dormir quand vous vous leverez.

3. Faites le travail de l'encadré « Réfléchissons ».

4. Associez les deux phrases en employant un pronom relatif composé.

Anaïs présente à une amie son appartement rénové

a. Voici un lit intelligent. On a intégré à ce lit des capteurs régulateurs du sommeil.

b. Voici ma cuisinière. Sur cette cuisinière, je fais cuire mes plats à distance.

c. Voici la cheminée. Près de cette cheminée, j'aime lire en hiver.

d. Voici mes nouveaux fauteuils. Le concepteur a donné une forme design à ces fauteuils.

e. Voici ma baignoire. Dans cette baignoire, je me détends.

f. Voici mon nouveau canapé. À côté de ce canapé, j'ai mis ma nouvelle lampe LED.

5. Associez les deux phrases en utilisant « dont ». Indiquez chaque fois la fonction du pronom.

Trouvés aux Puces

a. J'ai trouvé un vieil appareil photo. Pierre rêvait de cet appareil.

b. J'ai acheté une armoire. Le style de cette armoire convient à ma chambre.

c. J'ai cherché une BD de Tintin. Je suis collectionneuse de BD de Tintin.

d. J'ai déniché un canapé. Le bas de ce canapé comporte des tiroirs.

e. J'ai trouvé un miroir. J'avais besoin d'un miroir pour l'entrée.

f. J'ai acheté un lot d'étoffes indiennes. Deux de ces étoffes sont magnifiques.

6. Par trois, imaginez une innovation.

a. Choisissez un type de produit : une voiture, un vélo, un robot de cuisine, un fauteuil, etc.

b. Imaginez des caractéristiques innovantes pour ce genre de produit.

c. Rédigez une brève présentation de votre innovation. Selon le cas, vous pouvez illustrer votre innovation par un croquis.

S'informer sur un objet

7. Voici des questions qu'on pose quand on achète un objet. Trouvez dans le tableau à quel sujet se rapportent ces questions.

a. Quelles sont ses dimensions ?
b. C'est robuste ?
c. C'est bruyant ?
d. C'est économe en énergie ?
e. Combien ça coûte ?
f. Comment ça marche ?
g. À quoi ça sert ?
h. C'est garanti combien de temps ?
i. Vous faites une extension de garantie ?
j. La livraison est incluse dans le prix ?

8. Jeu de rôles. Vous décidez de commercialiser votre innovation (activité 6). Présentez-la à la classe. Répondez aux questions.

Réfléchissons... Les pronoms relatifs

1. Le rôle du pronom relatif

• Observez cette reformulation.

Le concours Lépine récompense des inventeurs. Il a lieu tous les ans à Paris.

→ Le concours Lépine **qui** a lieu tous les ans à Paris récompense des inventeurs.

a. Quel est le rôle du pronom relatif « qui » ?

b. Quel est le rôle des pronoms relatifs « que » et « où » dans l'exercice 1 ?

2. Le pronom relatif « dont »

• Dans la présentation des quatre inventions, observez les pronoms relatifs « dont ». Classez-les selon les emplois suivants.

Le pronom « dont » :

a. remplace un nom complément de nom.

b. remplace un nom complément d'adjectif.

c. remplace un nom complément indirect d'un verbe construit avec la préposition « de ».

d. introduit une partie d'un ensemble.

3. Les pronoms relatifs composés

a. Ils résultent de l'association de :

– « préposition + *qui* » pour les personnes ;

– « préposition + *lequel/laquelle/lesquels/lesquelles* » pour les choses.

Avec la préposition « à » : *auquel/à laquelle /auxquels/ auxquelles*

Avec la préposition « de » : *duquel/de laquelle /desquels/ desquelles*

b. Repérez ces pronoms composés dans la présentation des innovations. Retrouvez à chaque fois les deux phrases que le pronom relatif combine.

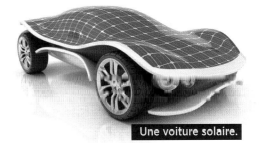

Une voiture solaire.

1. l'assurance
2. les décibels
3. l'encombrement
4. le fonctionnement
5. l'empreinte écologique
6. le prix
7. le prolongement de l'assurance
8. la solidité
9. le transport à domicile
10. l'utilité (la fonction)

GUIDE D'UTILISATION

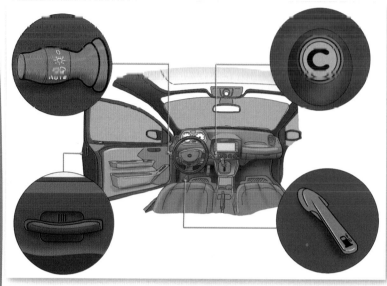

• **Démarrage**
Vérifiez que le frein à main est serré.
Assurez-vous que le levier de vitesse
est sur la position P (parking).
Appuyez sur la pédale du frein
Appuyez sur le bouton « Contact ».

• **Plein de carburant**
Tirez vers le haut le levier de verrouillage situé
au plancher.
Dévissez le bouchon du réservoir dans
le sens contraire des aiguilles d'une montre.

• **Fonctionnement de l'éclairage**
Tournez le levier situé à droite du volant pour
régler l'éclairage :
– 0 arrêt

– feux de position

– feux de croisement

– auto
Le passage des feux de croisement aux feux
de route s'obtient en tirant le levier vers le
conducteur.

• **Déverrouillage et verrouillage des portes**
Pour ouvrir les portes, effleurez de la main le capteur
situé sur la poignée de n'importe quelle porte. Saisissez la
poignée et ouvrez.
Pour verrouiller, touchez le capteur situé sur la poignée.
Un clic de verrouillage se fait entendre.

Comprendre un mode d'emploi

 N° 16 **1. Écoutez. Julien veut conduire la nouvelle voiture d'Isabelle qui est équipée de dispositifs nouveaux pour lui. Il consulte le guide d'utilisation ci-dessus.**

a. Associez chaque passage du dialogue avec un extrait
du guide d'utilisation et avec une partie du dessin.
b. Complétez le guide d'utilisation pour qu'il soit plus
précis.

2. Remettez dans l'ordre les étapes du montage d'un meuble.

a. assembler les pièces
b. peindre le meuble
c. déballer les cartons
d. fixer les éléments
en vissant ou en clouant
e. lire la notice
f. positionner le meuble
dans l'appartement
g. étaler et vérifier les
différentes pièces du meuble

3. Trouvez dans le tableau les outils dont vous avez besoin pour effectuer les opérations suivantes. Aidez-vous du dictionnaire.

a. arracher – **b.** creuser (faire un trou) – **c.** clouer – **d.** dévisser –
e. fixer – **f.** percer – **g.** planter – **h.** raboter – **i.** ratisser – **j.** scier –
k. visser

> **1.** une clé – **2.** un marteau – **3.** une pelle – **4.** une
> perceuse – **5.** un rabot – **6.** un râteau – **7.** une scie –
> **8.** des tenailles – **9.** un tournevis

 4. En petit groupe, imaginez une suite à la bande dessinée de la page suivante. À quoi pourrait servir d'autres objets de la maison ?

Exemple : *Un livre peut servir à caler un meuble.*

 5. Jeu de rôles à faire à deux. Vous avez des problèmes dans une des situations suivantes. Un(e) ami(e) vous donne des conseils sur :

– le fonctionnement d'un nouvel appareil (appareil photo,
Smartphone, etc.) ;
– le montage d'un meuble en kit ou d'un jouet en pièces détachées ;
– une opération à l'ordinateur (montage de photos ou d'un film, etc.).

Richez, Cazenove et Widenlocher, *Les Fondus du bricolage*, Bamboo Éditions, 2015.

6. Le vocabulaire des outils est utilisé dans des expressions figurées. Remplacez les mots ou expressions en gras par des expressions de l'encadré.

Une entreprise en difficulté

a. Le directeur **n'arrête pas de dire** qu'il faut augmenter le chiffre d'affaire.

b. Il ne faut pas **augmenter** les déficits.

c. On doit **diminuer** les dépenses.

d. L'entreprise doit **explorer différents secteurs** pour conquérir de nouveaux marchés.

e. Le DRH **a obtenu difficilement** un accord avec les syndicats.

f. Avec d'un côté, les ordres du directeur et de l'autre, les demandes des syndicats, le DRH **est pris entre deux camps opposés**.

> arracher – creuser – être entre le marteau et l'enclume – marteler – raboter – ratisser large

Résoudre un problème suite à un achat

N° 17 **7.** Lisez le « Point infos » puis écoutez. Des personnes qui ont acheté un objet ont un problème. Complétez le tableau et conseillez-les.

	objet acheté	problème rencontré	conseils suite à donner
1	un aspirateur	manque des pièces	contacter le service après-vente
2	...	...	...

> **Les problèmes que peut rencontrer un acheteur**
> une livraison non effectuée (effectuée avec du retard) – un produit non conforme à la commande – un produit en mauvais état (défectueux – endommagé – cassé) – un problème à la mise en service, de fonctionnement – un produit non fiable

(i) Point infos

LA PROTECTION DES CONSOMMATEURS

• La France et l'Union européenne mettent en œuvre une **politique de protection des consommateurs** :

– obligation d'information du vendeur sur l'origine des produits alimentaires, le fonctionnement des appareils, les garanties, etc.

– règlementation de la publicité sur certains produits (boissons alcoolisées, médicaments) ;

– contrôle de la publicité trompeuse ;

– contrôle de la sécurité des produits ;

– contrôle des prix de certains produits ;

– vérification qu'il n'y a pas entente entre les vendeurs sur les prix.

• **Quand la vente d'un produit ne s'effectue pas directement** (cas de la vente à crédit, à domicile, par Internet ou téléphone), l'acheteur peut se rétracter dans un délai de 15 jours. Le vendeur est alors tenu de reprendre et de rembourser le produit.

Dans tous les cas y compris la vente directe, l'acheteur est protégé par la garantie du produit. Il peut aussi faire appel au service après vente.

Beaucoup de grandes enseignes acceptent un retour ou un échange du produit sous 15 jours.

Quand le produit fait l'objet d'une livraison, le livreur est tenu de laisser l'acheteur vérifier le contenu du paquet.

• **L'acheteur qui s'estime lésé peut aussi faire appel à :**

– une association de consommateurs. Il en existe une quinzaine en France qui sont agréées par l'Institut national de la consommation. La plus connue est l'*UFC-Que choisir* qui publie un magazine mensuel ;

– un médiateur de la consommation. Il en existe dans différents secteurs ;

– une assurance personnelle liée, par exemple, à sa carte bancaire ou incluse dans d'autres contrats d'assurance qu'il peut avoir.

La séquence radio
Nouveaux comportements et risques auditifs

N° 18

Le journaliste Bruno de Rubeaux fait le point avec un jeune homme, Clément, et un médecin, le docteur Hung Thai-Van.

Mettre en garde sur les comportements à risque

1. Faites une première écoute de la séquence radio. Trouvez dans l'encadré ce que dit chaque intervenant. Associez.

a. le journaliste
b. le jeune Clément
c. le professeur Hung Thai-Van

1. Il dit ce qu'il ressent quand il écoute de la musique très fort.
2. Il parle des risques dus au niveau sonore.
3. Il donne des conseils pour éviter les problèmes auditifs.
4. Il indique le niveau sonore autorisé.
5. Il indique le nombre d'heures que les jeunes passent à écouter de la musique trop fort.

2. Associez ces mots à leur définition.

a. un baladeur
b. un marteau-piqueur
c. un décibel
d. aigu/grave, basse
e. un acouphène
f. un sifflement

1. unité de mesure du bruit
2. bruit aigu et continu
3. bruit pathologique dans les oreilles
4. MP3
5. pour définir la hauteur d'un son
6. outil pour casser un revêtement dur

3. Réécoutez la première moitié de la séquence (jusqu'à la fin de l'intervention de Clément).

a. Complétez les informations suivantes.
1. Nombre de jeunes qui risquent d'avoir un problème auditif...
2. Niveau sonore autorisé...
3. Temps passé quotidiennement par les jeunes à écouter de la musique très fort...
4. Risques encourus à écouter de la musique très fort...

b. Approuvez ou corrigez ces remarques sur Clément.
1. Il ressent des sifflements très forts dans une oreille.
2. La musique a un effet sur tout son corps.
3. Il n'aime pas être près des haut-parleurs.
4. Le bruit le met dans un état anormal.
5. Pour oublier le bruit, il parle aux autres.

4. Écoutez la fin de la séquence. Faites la liste des conseils donnés par le professeur.

a. Durée maximale d'écoute :
– d'un baladeur ;
– dans une discothèque ;
– dans un lieu bruyant.

b. Mesures qu'on pourrait prendre pour sensibiliser les jeunes.

Réfléchissons... La négation

• **Observez les phrases suivantes. Associez-les à un emploi.**
a. Il **ne** faut **pas** dépasser 92 décibels.
b. Il **ne** faut écouter son baladeur **ni** trop fort **ni** trop longtemps.
c. **Ni** les discothèques **ni** les concerts **ne** sont conseillés.
d. Pour **ne pas** avoir de problèmes auditifs, il faut mettre des bouchons d'oreilles.
e. J'espère **ne jamais** avoir de problèmes.

1. La négation porte sur une proposition infinitive.
2. La négation porte sur une action.
3. La négation porte sur deux objets en position complément.
4. La négation porte sur deux objets en position sujet.

• **Combinez les deux phrases en utilisant les constructions de l'activité précédente.**
1. Dans un restaurant, je n'aime pas le bruit. Je n'aime pas non plus la fumée.
2. Les concerts bruyants ne sont pas bons pour l'audition. Les baladeurs non plus.
3. Il se bouche les oreilles. Il ne veut pas être incommodé par le bruit.
NB : « ne rien », « ne plus » se construisent de la même manière.

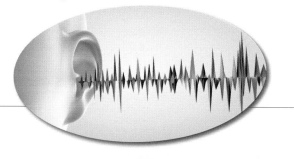

5. a. Faites le travail de l'encadré « Réfléchissons ».

b. Complétez les réponses en utilisant des constructions négatives.

Un patient qui tousse beaucoup consulte un médecin

Le médecin : Vous avez arrêté de fumer ?

Le patient : Non, je regrette...

Le médecin : Les chats vous donnent des allergies ?... Et les chiens ?

Le patient : Non, ...

Le médecin : Vous mangez des arachides... des amandes ?

Le patient : Non, ...

Le médecin : Vous buvez du vin ? Des apéritifs ?

Le patient : Non, ...

Le médecin : Vous ne fumerez plus ? Vous me le promettez ?

Le patient : Oui, je vous promets...

6. Jeu de rôles. Votre partenaire a un comportement addictif (grignoter à tout heure, rester trop longtemps devant un écran, être accro à la météo, à l'horoscope...). Vous le mettez en garde.

Améliorer son bien-être

Le sommeil assisté par la high-tech

Dormir moins mais mieux. Une proposition qui n'a rien d'inutile quand on sait que depuis les années 1970, les Français ont perdu une heure et demie de sommeil, soit l'équivalent d'un cycle ! La solution ? Optimiser la qualité de son repos. Et à plus forte raison en hiver, quand le sommeil est gage du bon fonctionnement de notre système immunitaire [...]

Outre nombre d'applications qui, sur smartphone, offrent de surveiller la qualité de son sommeil (la veilleuse dont la lumière joue avec la sécrétion de la mélatonine – l'hormone du sommeil –, le matelas qui peut évaluer la qualité du sommeil à partir des mouvements cardio-respiratoires et des battements du cœur...), on trouve encore plus sophistiqué : un masque high-tech qui détermine le meilleur moment pour aller se coucher, mais surtout, qui réveille à un moment théoriquement idéal pour être en pleine forme, à savoir la fin d'un cycle. Et cela, tout en respectant le nombre de cycles de sommeil de l'utilisateur, ainsi que son agenda (rendez-vous, réunion...) !

Conçu par la start-up polonaise Intelclinic, ce masque, baptisé NeuroOn, ressemble à ceux distribués dans les avions long-courriers, à ceci près qu'il intègre des fonctions d'analyse du sommeil – déjà dispensées par quelques appareils de coaching nocturne. Mieux, il propose à ceux qui le souhaitent des programmes de repos courts sur mesure, y compris le jour. Les personnes contraintes de réduire ponctuellement leur nuit, pour des raisons personnelles ou professionnelles, pourront ainsi répartir leur sommeil en plusieurs phases sur la journée, plutôt que de dormir d'une seule traite.

G. S., *Sciences et Vie*, Questions/ Réponses, janvier-mars 2016.

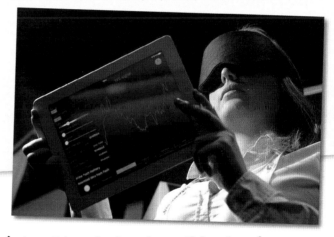

7. Lisez l'article ci-dessus. Approuvez, corrigez ou précisez les affirmations suivantes.

a. Les Français dorment beaucoup.

b. La durée du sommeil est plus importante que sa qualité.

c. Bien dormir permet de lutter contre les maladies.

d. Il existe une lampe qui influe sur l'endormissement.

e. On a inventé un matelas qui s'adapte à chaque dormeur.

8. Répondez à ces questions sur le masque NeuroOn.

a. Pour qui ce masque est-il utile ?

b. À quoi sert-il exactement ?

c. À quoi ressemble-t-il ?

d. Qui l'a créé ?

e. Comment fonctionne-t-il ?

9. Écrivez. Répondez à un des participants au forum « Bien-être ». Donnez-lui des conseils.

Forum Bien-être

• Depuis quelques jours, j'ai des bruits bizarres dans les oreilles. Cela arrive brusquement sans explication et peut durer plusieurs heures. J'ai pris rendez-vous chez un ORL. Mais c'est dans un mois. Cela m'inquiète.

Charly, 20 ans

• J'ai le sommeil perturbé. Je m'endors très bien mais je me réveille à 2 h du matin sans pouvoir me rendormir. J'ai quelques soucis au boulot depuis que j'ai un poste de responsabilité. J'ai essayé les tisanes, la respiration, sans effet... Je voudrais éviter les médicaments.

Marianne, 35 ans

La séquence vidéo

Un lieu de vie original

Hugues Martel parle de son lieu de vie.

Découvrir un lieu de vie

1. Travaillez par deux. Regardez la vidéo sans le son. Choisissez les réponses qui vous paraissent les plus probables.

a. Le bateau d'Hugues Martel est amarré :
1. à un quai de rivière ou de fleuve.
2. dans un port de pêche.

b. L'intérieur du bateau est :
1. sommaire.   3. confortable.
2. luxueux.   4. bien aménagé.

c. Hugues Martel :
1. vit seul sur le bateau.
2. vit en couple.
3. vit en famille.

d. Hugues Martel :
1. navigue seulement sur les cours d'eau.
2. navigue partout dans le monde.
3. ne navigue jamais.

2. Regardez la vidéo avec le son. Vérifiez vos hypothèses de l'exercice 1.

Exprimer la surprise et l'indifférence

5. Jeu de rôles à faire à deux. Vous avez aménagé dans un lieu original. Vous le faites visiter à un (e) ami(e). Cet(te) ami(e) exprime tantôt la surprise tantôt l'indifférence.

(Voir vocabulaire « La surprise ou l'indifférence » dans la page « Outils », page 87).
Vous présentez :
– l'environnement ;
– la vue ;
– la cuisine et ses équipements ;
– la chambre et le salon avec leurs innovations.

3. Répondez.

a. Depuis quand Hugues Martel habite-t-il sur ce bateau ?
b. Comment lui est venue l'idée de vivre sur un bateau ?
c. Où le bateau est-il amarré ? Pourquoi ?
d. Quels avantages trouve-t-il à vivre sur le bateau ?
e. Quelles impressions ressent-il ?
f. Hugues Martel travaille-t-il ?
g. Invite-t-il des amis sur son bateau ?
h. Compte-t-il aller vivre ailleurs ?

4. Visionnez le reportage par fragment. Choisissez ci-dessous un titre pour chaque fragment.

a. S'isoler du monde
b. Réaliser un rêve
c. Avoir un rythme de vie calme
d. Être à la fois à la ville et à la campagne
e. Partager une expérience avec les autres
f. Se déplacer librement
g. Retourner en enfance
h. S'attacher à un lieu de vie

Zeec Architects/www.residentalchurch.com
Photo © Frans Hanswijk.

JE RANGE, DONC JE SUIS

De déménagements en voyages, Francine Jay a pris l'habitude de vivre avec : « sa vie dans une valise ». De retour aux États-Unis, elle a voulu garder « ce même sentiment de liberté » dans sa vie quotidienne. […]

5 Francine Jay le répète : « La qualité de vie (et le bonheur) ne se mesure pas à l'aune des biens matériels. » […]

Pour tout bon minimaliste, l'art du rangement va beaucoup plus loin que le simple fait de mettre de l'ordre. L'acte devient thérapie, une façon de « dégager de la place » pour des choses plus essentielles : « Quand

10 nous contrôlons nos possessions, nous acquerrons la confiance pour prendre le contrôle de notre vie, estime-t-elle. Tant de gens m'ont dit que désencombrer leur maison avait mené à des transformations, comme perdre du poids, améliorer ou changer de carrière. » [Une de ses recommandations] : faire le tour de chez-soi en parlant à chaque objet pour lui demander son histoire. Le but étant de le classer (ou pas) dans l'une des trois catégories qui échappent à la poubelle : les objets beaux, utiles ou sentimentaux. Un exercice qui peut s'avérer délicat

15 psychologiquement, certains bibelots, légués ou offerts étant chargés d'un passé difficile : « On doit se confronter à son passé, se délivrer d'émotion et d'attente pour décider de son futur » […]

Le thème du rangement lui permet de surfer sur les sujets sensibles de notre époque : elle accompagne son apologie du tri et de l'ordre d'un discours anticonsumériste et écologiste qui encourage à moins acheter pour préserver notre planète. Consommer moins permet d'attaquer les causes de la pollution des déchets ou des conditions de travail injuste.

Charlotte Langrand, *Le Journal du Dimanche*, 28/08/2016.

Aménager son logement

6. a. Faites le travail de l'encadré « Réfléchissons ».

b. Reformulez les phrases suivantes en commençant par la personne représentée par le mot en gras et en utilisant « (se) faire + infinitif ».
a. Un architecte a fait les plans de la maison de **Loïc**
b. Un décorateur a conseillé **Loïc** pour son aménagement intérieur.
c. On **lui** a construit une piscine.
d. Pendant les travaux, on a volé les outils **des maçons**.
e. Les amis de **Loïc** l'ont aidé pour le déménagement.

 7. Travaillez en petit groupe. Lisez l'article « Je range, donc je suis », ci-dessus.

a. Trouvez dans l'article les mots ou expressions correspondant aux expressions suivantes :
Ligne 6 : mesurer en se référant à... – L7 : qui utilise très peu de moyens. – L10 : obtenir – L14 : récipient où on jette les ordures – L15 : petit objet décoratif – L15 : donner – L17 : discours élogieux– L18 : classement

b. D'après Francine Jay, pourquoi est-il utile d'avoir le moins possible de biens matériels ?

c. Quels conseils donne-t-elle pour ne pas s'encombrer de biens matériels ?

 8. Discutez. Êtes-vous plutôt minimaliste ou accumulateur ? Donnez des exemples et expliquez votre comportement.

Réfléchissons... *(se) faire* + infinitif

• **Observez les phrases suivantes.**
a. Louise a fait rénover son appartement.
b. Elle a fait repeindre son salon par **un peintre**.
c. Elle a fait travailler son ami **Julien**.
d. Elle s'est fait faire une véranda.
e. Julien s'est fait piquer par **des guêpes**.
f. Il s'est fait soigner à l'hôpital.

• **Caractérisez les mots en gras des phrases ci-dessus avec les expressions suivantes.**
La personne ou la chose :
1. commande une action.
2. exécute l'action.
3. est l'objet de l'action.
4. commande et est l'objet de l'action.
5. commande l'action et marque son implication
6. est victime d'une action.

Vous avez acheté un produit ou un service (objet utilitaire ou artistique, séjour ou voyage, loisirs, soins, cours ou formation, etc.). Vous avez des motifs de satisfaction et d'insatisfaction. Vous les exposez sur un forum de consommateurs.

1. Dites ce que vous attendez d'un produit.

1. La classe se partage les deux publicités ci-contre. Recherchez les envies et les attentes qu'elles cherchent à créer.

Exemple : En partant en voyage avec TUI, on peut s'attendre à avoir un temps chaud et ensoleillé, à trouver des plages tranquilles....

2. Choisissez un produit ou un service dont vous avez envie de parler. Rédigez brièvement ce que vous attendiez en l'achetant.

2. Exposez vos sujets de satisfaction.

N° 19

3. Micro-trottoir. Ils ont acheté une trottinette électrique. Ils en parlent. Complétez le tableau.

	1	2
Qualités ou défauts	*la légèreté*	
Mots qui expriment la satisfaction	*je suis ravie*	
Mots qui expriment l'insatisfaction		
Mots et expressions qui servent à conseiller	*Si j'étais vous, je l'achèterais*	
Mots et expressions qui servent à déconseiller		

4. Lisez ci-contre le commentaire que l'acheteur de la guitare a posté sur le site du vendeur. Relevez les points commentés et les façons de commenter.
– la livraison : pas de surprise – le jour prévu
– le pack : ...

5. Rédigez un commentaire de satisfaction pour le produit ou le service que vous avez choisi.

6. Lisez le « Point infos ».
a. Comparez l'évolution et l'état de l'économie française avec l'économie dans votre pays.
b. Que pensez-vous des moyens de défense des productions locales ?
c. Si le fait qu'un produit soit fabriqué localement est un argument positif, ajoutez-le à votre commentaire.

Bob Rolling dit :
♥ ♥ ♥ ♥ ♥ ♥   **Super produit**

J'ai commandé le pack guitare électrique DZ 238 sur les conseils d'un ami, mais très honnêtement, pour le prix, je ne m'attendais pas à un instrument d'une telle qualité. Pas de surprise en ce qui concerne la livraison qui a eu lieu le jour prévu. Le pack était complet et tout est arrivé en bon état. Bien qu'étant une entrée de gamme, cette guitare a un design superbe, un bois de très bonne qualité, un vernis parfait. Bref, la finition est impeccable. Petit bémol toutefois, la couleur est plus claire que sur la photo qui est sur le site. Les réglages ont été vite faits et j'ai trouvé que le son était vraiment excellent. Les micros en particulier m'ont comblé. Ils émettent un son fin et sans bavure. Je la recommande. Si vous êtes débutant et que vous cherchiez néanmoins une bonne guitare, vous auriez tort de vous en passer.

☹☹☹☹ **Décevant**

Céline le 25 août

Si je peux vous donner un conseil, évitez cet organisateur de randonnées qualifiées prétentieusement d'« aventures ». Je me faisais une joie à la perspective de ce trek autour du Mont-Blanc mais j'ai d'abord été déçue par le groupe qui n'était pas du tout homogène. Comment peut-on accepter de prendre dans ce type de randonnée des gens, certes sympathiques, mais qui sont épuisés au bout de 400 mètres de dénivelé, nous obligent à faire de nombreuses pauses et à rentrer à 20 h au refuge ?

Je déplore aussi d'être tombée sur un guide farfelu qui nous a mis plusieurs fois en danger en voulant s'écarter des sentiers balisés soit pour prendre des raccourcis, soit pour expérimenter de nouvelles voies.

Je n'ai pas été satisfaite non plus de l'hébergement. Ce n'est pas l'inconfort qui m'a gênée mais l'impolitesse et la grossièreté de certaines personnes (qui heureusement ne faisaient pas partie de notre groupe).

La nourriture, en revanche, était correcte bien que peu conforme aux découvertes de la cuisine régionale qui étaient annoncées.

Un seul bon point : un temps magnifique et des paysages époustouflants ! Mais l'organisateur n'y est pour rien et je pense vous avoir dissuadé de faire ce trek avec lui.

3 Exposez vos sujets d'insatisfaction.

7. Lisez le commentaire ci-contre.
a. Qui écrit ? À qui ? Pour quelles raisons ?
b. Notez les sujets d'insatisfaction et de satisfaction.
c. Reprenez le tableau de l'activité 3 et complétez-le.

8. Rédigez un commentaire pour exposer vos motifs d'insatisfaction à propos du produit ou du service que vous avez choisi.

4 Postez vos remarques sur le forum.

Faites la synthèse de vos remarques sur le produit et rédigez vos recommandations.

ⓘ Point infos

LE « MADE IN FRANCE »

• **Des secteurs importants de l'économie française comptent parmi les meilleurs du monde :** l'automobile, l'aéronautique, l'aérospatiale, l'agro-alimentaire, l'électronique, le nucléaire civil, l'armement, la pharmacie, les cosmétiques, le luxe …

• **Toutefois, des industries de fabrication comme le textile ou la fabrication de machines et d'appareils divers ont beaucoup souffert** de la concurrence étrangère et des délocalisations. On entend souvent les Français s'en désespérer en disant qu'on ne trouve plus de produits « made in France ». Leurs vêtements sont indiens, leur ordinateur chinois, leurs appareils ménagers polonais et leur téléviseur coréen.

• **Pourtant, de petites industries se développent en s'installant sur des créneaux précis :** vêtements pour les sportifs de haut niveau, meubles design, cosmétiques bio, lunettes, instruments de musique, etc. Le Salon du « made in France » qui se déroule chaque année, en novembre, à Paris rassemble un nombre croissant d'exposants et de visiteurs. Le « made in France » redevient « tendance ».

• **Les produits français sont par ailleurs soutenus par :**
– une politique de « **promotion de la diversité culturelle** » qui considère que les produits culturels (films, livres, musique) ne doivent pas être soumis au libre-échange ;
– un « **patriotisme économique** », prôné par ceux qui souhaitent une intervention de l'État dans l'économie. Il s'agit d'inciter les consommateurs à acheter français. Le label « Fabriqué en France » peut être indiqué sur un produit dont les principales étapes de fabrication sont effectuées en France.

UTILISER LES PRONOMS RELATIFS

Le pronom relatif permet de relier deux propositions, la deuxième proposition ajoutant une information à un nom de la proposition précédente.

*Sébastien a acheté **un robot de cuisine**. Avec **ce robot** il fait des soupes délicieuses.*
→ *Sébastien a acheté un robot de cuisine **avec lequel** il fait des soupes délicieuses.*
Le choix du pronom relatif dépend de la fonction du mot qu'il représente.

Fonctions du pronom relatif	Pronoms relatifs	Exemples
Sujet	qui	*Anne a déménagé dans un appartement **qui** lui plaît beaucoup.*
Complément d'objet direct	que – qu'	*Cet appartement **qu'**elle a trouvé grâce à un ami est situé dans le XVᵉ arrondissement.*
Complément indirect introduit par « à »	**à qui** (pour les personnes) **auquel (auxquels) – à laquelle (auxquelles)** (plutôt pour les choses) **à quoi** (chose indéterminée)	*Anne a un voisin peintre **à qui** elle parle souvent. La peinture est un sujet **auquel** Anne s'intéresse. Elle ne sait pas **à quoi** il pense.*
Complément indirect introduit par « de »	dont	*Dans sa rue, il y a tous les commerces **dont** elle a besoin.*
Complément introduit par un groupe propositionnel terminé par « de » (à cause de, auprès de, à côté de, etc.)	**de qui** (personnes) **duquel – de laquelle desquelles – desquelles de quoi** (chose indéterminée)	*Anne est une amie **auprès de qui** je me sens bien. Comment s'appelle le parc **à côté duquel** elle habite ? Je ne sais pas **de quoi** elle vit.*
Complément indirect introduit par une préposition autre que « à » et « de »	**avec (pour...) qui** (personnes) **avec (pour...) lequel – laquelle – lesquels – lesquelles avec quoi**	*Anne est la fille **avec qui** je m'entends le mieux. La maison d'édition **pour laquelle** elle travaille se trouve près de chez elle.*
Complément d'un nom ou d'un adjectif Introduit une partie d'un ensemble Complément d'un nom avec idée de quantité, il peut exprimer l'inclusion	dont	*Dali est un peintre surréaliste **dont** Anne admire le talent. Anne a beaucoup d'amies **dont** deux sont chinoises.*
Complément de lieu	où (peut être précédé d'une préposition)	*La Bourgogne est la région **où** elle passe ses vacances. C'est la région **par où** je passe quand je vais dans le Jura.*

CONSTRUIRE UNE PHRASE NÉGATIVE

• **Quand la négation porte sur plusieurs personnes ou choses**
*Lola **n'**aime **ni** Paul, **ni** sa copine, **ni** ses amis.*
***Ni** le théâtre, **ni** la danse **ne** l'intéressent.*

• **Quand la négation porte sur un verbe à l'infinitif**
*Lola préfère **ne pas** inviter Paul.*
*Je n'inviterai pas Paul pour **ne pas** fâcher Lola.*

METTRE EN VALEUR PAR UNE CONSTRUCTION PASSIVE

L'objet ou le bénéficiaire d'une action peuvent devenir sujet et être ainsi mis en valeur :

1. par la transformation passive
*Une start-up polonaise **a conçu** un masque pour mieux dormir.* → *Un masque pour mieux dormir **a été conçu par** une start-up polonaise.*

2. par la construction « (se) faire + infinitif »
Cette construction est utilisée dans plusieurs cas.
• Le sujet commande une action à un exécutant : *Zoé **fait repeindre** son salon par un peintre.*

• Le sujet est très impliqué dans l'action : *Zoé **s'est fait couper** les cheveux.* (L'objet est un élément du sujet.) – *Elle **s'est fait offrir** une bague.*
• Le sujet aide l'exécutant : *Zoé **fait apprendre** leurs leçons à ses enfants.*
• Le sujet est victime d'une action : *Zoé **s'est fait** voler sa bague.*

3. par la forme pronominale
*Les objets connectés pour la santé **se sont beaucoup développés** ces dernières années.*
*Les bracelets de contrôle du rythme cardiaque **se vendent** très bien.*

EXPRIMER LA SURPRISE OU L'INDIFFÉRENCE

• **La surprise**
Interjections exprimant la surprise grâce à l'intonation : Ah ! Oh ! Quoi ! Ça alors ! Non ! Mon Dieu !
Cet événement est incroyable, étonnant, surprenant, fou, dingue. (fam.)
Cette histoire m'étonne (me surprend, m'intrigue, me frappe) !
Ce n'est pas possible ! – Je n'en reviens pas ! – Je ne m'attendais pas à ça ! – Vous plaisantez ! – Ce n'est pas sérieux !

• **L'indifférence**
Interjections : Et alors ? – Bof !
Ça ne m'étonne pas ! – Je m'y attendais ! – Ça me laisse indifférent. – Ça ne me fait ni chaud ni froid. –
Ça n'a pas d'importance. – Peu importe.
Ça m'est égal. – Je n'en ai rien à faire.

EXPRIMER SA SATISFACTION OU SON INSATISFACTION

• **La satisfaction**
Je suis satisfait, content, ravi, comblé. – Ces vacances m'ont satisfait (ravi, comblé).
Ça me va. – Ça me convient. – Il ne manque rien. – Ça me suffit. – C'est conforme.

• **L'insatisfaction**
Je suis déçu. – Ce livre m'a déçu. – Je regrette de l'avoir acheté. – Je déplore le manque d'imagination de l'auteur.

• **Conseiller / Déconseiller**
Je vous conseille/déconseille ce produit. – Je vous le recommande. – Je vous invite (incite) à l'acheter. –
Il m'a persuadé/dissuadé de l'acheter.
Si j'étais vous (À votre place), je l'achèterais. – Si je peux vous donner un conseil : achetez-le ! – Vous auriez tort de vous en priver.

PRÉSENTER UNE INNOVATION

• **La nouveauté**
Ce produit est nouveau, original, inattendu, novateur, révolutionnaire. – Il vient de sortir.
rénover un appartement – renouveler sa garde-robe – bouleverser une habitude – révolutionner une façon de voir
un pionnier – un initiateur

• **La création**
créer (un créateur, une création) – inventer (un inventeur, une invention) – concevoir (un concepteur, une conception) – innover (un innovateur, une innovation)
imaginer – avoir une idée (une idée géniale, un coup de génie, une illumination, une révélation) – être inspiré par... – (s'inspirer de...) – avoir une inspiration

BRICOLER

• **Les outils et leur fonction**
une scie (scier) – un marteau (planter - clouer - marteler) – un tournevis (visser - serrer - dévisser) – un rabot (raboter) – des pinces, des tenailles (arracher) – une clé (serrer - desserrer) – une perceuse (percer - forer)

• **Les opérations**
monter (un montage) – assembler (un assemblage) – ajuster (un ajustage) – fixer (une fixation) – coller (un collage) – accrocher (un accrochage)

1. UTILISEZ LES PRONOMS RELATIFS

Associez les deux phrases en utilisant un pronom relatif.

Un logement original

a. Je vis sur une péniche. Elle est amarrée près de la tour Eiffel.

b. Elle est amarrée au quai de Suffren. À côté de ce quai, se trouve le départ des bateaux Mouche.

c. C'est une péniche de transport de charbon. J'ai aménagé sa soute.

d. L'intérieur fait 100 m². Je l'ai aménagé moi-même.

e. Sur le pont, il y a un petit jardin. Dans ce jardin, je cultive mes légumes.

f. Sur mes étagères, j'ai posé des souvenirs de voyage. Je tiens beaucoup à ces souvenirs.

g. Je dispose d'un équipement. Je me sers de cet équipement quand je vais naviguer sur les canaux et les fleuves.

2. UTILISEZ LE PRONOM RELATIF « DONT »

Associez les deux phrases en utilisant « dont ».

Nouvelle décoration

a. Voici mon nouveau salon. Je suis très fier de ce salon.

b. J'ai déniché dans une salle des ventes cette armoire chinoise. J'en suis très content.

c. Regardez cette table italienne. Ses pieds sont torsadés.

d. Voici le fameux tapis iranien de mon grand-père. Je vous en ai parlé.

e. J'ai accroché cinq tableaux. Deux de ces tableaux sont de mon ami peintre polonais.

f. Voici une table basse ottomane. Le plateau de cette table est marqueté.

3. RÉPONDRE NÉGATIVEMENT

Répondez négativement en utilisant : « ne... aucun / jamais / pas encore / personne / plus / rien ».

Réfractaire aux nouvelles technologies

a. Vous envoyez souvent des courriels ? – Non, ...

b. Connaissez-vous des gens grâce aux réseaux sociaux ? – Non, ...

c. Vous êtes inscrit sur des réseaux sociaux ?...

d. Vous avez appris quelque chose sur Wikipédia ?

e. Vous avez déjà la fibre otique ?

f. Vous utilisez encore votre téléphone portable ?

4. UTILISER LA FORME « (SE) FAIRE + INFINITIF »

Reformulez en commençant par le mot en gras.

Relookage

a. François a suivi le régime d'**un diététicien**.

b. Il a perdu 10 kilos grâce à **ce régime**.

c. Un chirurgien réputé **lui** a refait le nez.

d. Un coach **l'**a aidé.

e. Les cheveux de **François** ont été teints.

f. Un styliste **lui** a fait un nouveau costume.

5. METTRE EN VALEUR

Reformulez les phrases en utilisant une construction passive. Commencez la phrase par le mot en gras.

Nouvelle voiture

a. La Toyota hybride a séduit **Marie**.

b. Un vendeur sympathique **l'**a conseillée.

c. Le vendeur a repris **l'ancienne voiture de Marie** à un bon prix.

d. Des capteurs intelligents facilitent **la conduite de cette Toyota**.

e. On fabrique **cette voiture** en France.

f. On **la** commercialisera encore longtemps.

6. CONSTRUIRE DES PHRASES NÉGATIVES

Travaillez vos automatismes.

N° 20 **a. Confirmez comme dans l'exemple.**

Minimaliste

• Il n'a pas de voiture ? Il n'a pas de moto ?

– Non, il n'a ni voiture ni moto.

• Il ne consomme pas de gaz ? Il ne consomme pas de fioul ?

– ...

b. Confirmez comme dans l'exemple.

Elle n'a pas envie de revoir son ex

• Elle n'ira pas à la soirée de Marie ? Elle le regrette ?

– Elle regrette de ne pas aller à la soirée de Marie.

• Elle ne veut pas rencontrer Lucas ? Elle reste chez elle ?

– ...

UNITÉ 6

DÉFENDRE
DES VALEURS

1 **FAIRE UN CONSTAT SUR LA SOCIÉTÉ**
- Parler des valeurs
- Répondre à une enquête

3 **MILITER POUR VIVRE ENSEMBLE**
- Favoriser la compréhension mutuelle
- Débattre sur l'immigration

2 **MENER UNE ACTION SOCIALE**
- Raconter une action humanitaire
- Organiser un récit

4 **RÉFLÉCHIR À UNE NOUVELLE ÉCONOMIE**
- Donner son avis sur l'économie de partage
- Découvrir un lieu alternatif

PROJET

DÉFENDRE OU CRITIQUER UN PROJET

Les valeurs des Français

✓ Parmi les tendances lourdes, il faut d'abord noter une forte individualisation, c'est-à-dire une culture de l'autonomie individuelle. Chacun veut être autonome dans ses choix de vie, sans avoir à obéir à des prescriptions morales toutes faites, que ce soit celles d'une religion, de l'État ou même de sa famille pour tout ce qui concerne la vie privée. Chacun veut pouvoir faire ses expériences, se concocter sa petite philosophie pratique, en relativisant ce que disent les maîtres à penser. Pour tout ce qui concerne la vie privée, la demande majoritaire est donc en faveur de législations libérales qui laissent ouverts le maximum de possibles pour les individus […] Mais, attention, l'individualisation n'est pas l'individualisme comme on le dit trop souvent. Celui-ci correspond à toutes les logiques utilitaristes d'action en faveur de son intérêt particulier. L'individualisme est l'opposé de la solidarité […]

✓ Concernant le travail, l'individualisation correspond à la recherche d'un travail socialement utile, qui ait du sens, où l'on peut se faire entendre et comprendre à quoi on sert. Les Français continuent à beaucoup valoriser le travail quand les pays de l'Europe du Nord pensent davantage à l'épanouissement grâce aux loisirs.

✓ En matière politique, l'individualisation va de pair avec une politisation qui tend à se renforcer : avec le développement de la scolarisation, avec des médias informatifs plus nombreux, l'intérêt pour les affaires publiques se développe. Mais chacun est aussi plus facilement critique et davantage prêt à se mobiliser ponctuellement pour défendre des causes sociales, humanitaires ou environnementales. Mécontents de leurs élites, ne sachant pas très bien à quelle tendance faire confiance, les Français votent de moins en moins par devoir, mais seulement lorsqu'ils ont le sentiment que leur vote a du sens, d'où une montée de l'abstention intermittente.

✓ Les Français n'ont pourtant pas perdu leurs valeurs politiques : en économie, ils sont certes plutôt favorables à la liberté d'entreprendre mais veulent aussi de l'égalité entre citoyens et le maintien des acquis sociaux. Ce qui explique leur fréquent rejet de la loi El Khomri* que tous les sondages ont enregistré. On a pu s'interroger, avec les crises migratoires, sur le niveau de xénophobie et de rejet des immigrés qui semblaient progresser. Mais là aussi, la tendance lourde des dernières décennies, montrant une plus grande tolérance à l'égard de l'étranger, semble se confirmer […]

✓ Dans l'espace public, la logique dominante n'est pas la même que pour la vie privée : la plupart des gens reconnaissent aujourd'hui qu'il faut de la régulation et de l'ordre. Depuis la vague d'enquêtes de 1999, les valeurs autoritaires sont plus soutenues qu'auparavant. Autant les valeurs de permissivité des mœurs ont progressé, autant un rigorisme en matière de comportements collectifs s'est maintenu. On supporte mal les incivilités, d'où des attentes plus importantes à l'égard des forces de l'ordre.

Pierre Bréchon, « Quelles sont les valeurs des Français ? », *Les Grands Dossiers des Sciences Humaines*, n° 44, septembre-octobre-novembre 2016.

---

*Loi Travail dite Loi El Khomri du nom de la ministre du Travail.

Parler des valeurs

1. Lisez l'article de Pierre Bréchon. Associez un des titres ci-dessous à chacune des cinq parties de l'article.

a. Une responsabilisation dans le travail
b. L'alliance du social et du libéral
c. Un désir d'autonomie
d. Une demande d'autorité
e. Politiquement informé mais méfiant

2. Dans la liste suivante, notez les mots et expressions qui correspondent aux valeurs des Français.

1. altruiste
2. autonome
3. confiant dans les politiques
4. égalitaire
5. égoïste
6. en demande d'autorité
7. engagé politiquement
8. favorable à la libre entreprise
9. indépendant
10. libéral en matière de mœurs
11. informé
12. laxiste
13. individualiste
14. libre
15. responsable
16. solidaire
17. tolérant
18. travailleur
19. xénophobe

3. Faites un résumé de l'article de Pierre Bréchon en complétant les phrases suivantes.

Dans leur vie personnelle, les Français veulent avant tout être… . Mais, ils ne sont pas…
Dans le domaine professionnel, ils … . Ils sont pour une économie … mais …
Face aux étrangers, …
En politique, … . Ils demandent à l'État …

4. Tour de table. Quelles sont pour vous les cinq valeurs les plus importantes. Dites pourquoi ?

Répondre à une enquête

Enquête

Êtes-vous altruiste ou individualiste ?	Oui	Non
1. Un ami a un problème d'argent. Vous lui en prêtez sans intérêt.	☐	☐
2. Une amie rencontre des problèmes personnels. Elle a confiance en vous et elle vous en parle.	☐	☐
3. Des amis ont besoin d'un coup de main pour déménager. Vous le leur donnez.	☐	☐
4. Des voisins vous demandent la permission de faire une fête dans votre jardin. Vous la leur accordez.	☐	☐
5. Des amis immigrés ont besoin de cours de langue. Vous leur en donnez.	☐	☐
6. Une association humanitaire vous demande de lui faire un don. Vous le lui faites.	☐	☐
7. Vos voisins étudiants font la fête tous les week-ends. Vous ne le leur reprochez pas.	☐	☐
8. Il y a une « Ressourcerie » près de chez vous. Vous avez des vêtements et des objets que vous n'utilisez plus. Vous les y apportez.	☐	☐

5. Par deux, répondez aux questions de l'enquête. Comparez vos réponses et discutez des raisons de vos choix.

6. Pour chaque question de l'enquête, dites :
a. quelle qualité révèle une réponse positive ?
b. quelle défaut révèle une réponse négative ?
Aidez-vous du vocabulaire de l'encadré ci-dessous.

Mieux s'exprimer

Parler des qualités et des défauts
• la bonté – la charité – le désintéressement – la sensibilité – la tolérance
• la dureté – l'égoïsme – l'indifférence – l'insensibilité – l'intolérance – la pingrerie (fam.)

7. Faites le travail de l'encadré « Réfléchissons ».

8. Écoutez. Un organisme de sondage fait une enquête sur le besoin de confidentialité dans l'utilisation des nouvelles technologies de la communication. Répondez en utilisant des pronoms.
N° 21

Réfléchissons… Le double pronom avant le verbe

• **Observez la dernière phrase de chaque question de l'enquête.**
Que remplacent les pronoms compléments placés avant le verbe ?
*Vous **lui en** prêtez.* → lui = un ami
en = de l'argent
*Elle **vous en** parle.* → …

• **Notez l'ordre des pronoms selon le cas.**
- pronom objet direct + pronoms « lui/leur »
- pronom « en » + pronoms « lui/leur »
- pronom objet direct + pronom « y »

• **Les pronoms indirects « me/te/nous/vous » sont toujours placés en premier.**
*Il te prête sa voiture ? – Il **me la** prête.*
*Elle vous fait des cadeaux ? – Elle **nous en** fait.*

Le youtubeur Jérôme Jarre récolte plus d'un million de dollars pour la Somalie

Jérôme Jarre n'avait peut-être pas anticipé un tel élan de générosité. Cinq jours après avoir lancé un appel aux dons sur Twitter, la star française de Youtube et de Snapshat a permis de récolter plus d'un million de dollars pour venir en aide aux victimes de la famine en Somalie, confrontée à l'une des plus graves crises humanitaires de son histoire.

Tout commence le mercredi 15 mars. Ce jour là, ému par la mort d'une fillette somalienne de 6 ans, racontée par un de ses amis bénévoles sur place, le jeune homme aux 1,3 million d'abonnés publie une vidéo sur son compte Twitter. Dans celle-ci, il lance une collecte de fonds, en compagnie d'autres youtubeurs. Son objectif : rassembler un million de dollars, afin de dépêcher des vivres sur place.

La compagnie Turkish Airlines étant la seule à affréter des vols réguliers en Somalie, Jérôme Jarre lance également le hashtag #turkishairlineshelpsomalia, pour convaincre la compagnie aérienne de lui venir en aide.

Le succès est fulgurant. En cinq jours, les dons ont déjà largement dépassé l'objectif initial avec 1,753 million de dollars récoltés. Et la campagne active menée sur les réseaux sociaux a conduit Turkish Airlines à proposer ses services, en mettant à disposition un vol cargo pouvant contenir 60 tonnes de nourriture. Le chargement devrait partir le 27 mars.

Dans une nouvelle vidéo publiée dimanche, le youtubeur annonce : « On a décidé d'utiliser le premier million 100 % sur de la nourriture [...] tout ce qui est au-dessus on va le concentrer sur l'eau ». Il compte, en effet, dépêcher des camions-citernes de 2 000 litres d'eau. Jérôme Jarre entend enfin « transformer ce million en trois millions ». À l'aide d'un nouvel hashtag #nominatedforsomalia, les internautes sont invités à nominer trois personnes pour les convaincre de faire un don. Et de nombreuses stars ont déjà répondu présent, comme Omar Sy, mais également le comédien américain Ben Stiller, qui a publié une vidéo de soutien sur son compte Twitter.

Selon les organisateurs de la collecte, l'acteur aurait mis à disposition son organisation caritative « Stiller foundation » pour recevoir et gérer les fonds collectés.

www.lexpress.fr, le 20/03/2017.

Raconter une action humanitaire

1. Lisez l'article ci-dessus. Travaillez par trois. Recherchez dans l'article les informations relatives aux trois parties du titre

a. « *Jérôme Jarre...* » → Qui est-il ? Qu'apprend-on de lui ?
b. « *... récolte de plus d'un million de dollars...* » → Comment ?
c. « *... pour la Somalie* » → Que sait-on de ce pays ?

2. Faites la chronologie de l'action de Jérôme Jarre.

Le mercredi 15 mars, ...

3. Confirmez, précisez ou corrigez les informations suivantes.

a. Jérôme Jarre a été sensibilisé aux problèmes de certains pays démunis.
b. C'est lors d'un voyage en Somalie qu'il a pris conscience des problèmes de ce pays.
c. Il a récolté des fonds pour les victimes de la guerre.
d. La compagnie Turkish Airlines a proposé spontanément son aide pour le transport de l'aide humanitaire.
e. Jérôme Jarre a créé une association qui gère les dons.

4. Commentez et discutez les remarques suivantes.

a. Jérôme Jarre réussit ce que les hommes politiques ne font pas. Il est efficace.

b. Jérôme Jarre a fait un « coup ». Il ne résoudra pas le problème de la faim dans le monde.

c. Il utilise le pouvoir des réseaux sociaux. C'est très astucieux.

d. Dans cette affaire, tout le monde se donne bonne conscience. C'est trop facile.

 5. Tour de table. Donnez votre avis sur l'action de Jérôme Jarre.

Organiser un récit

6. Faites le travail de l'encadré « Réfléchissons ».

Lundi 7 novembre, à 16 heures 34 minutes et 7 secondes, 4 700 salariées françaises se sont mises en grève jusqu'au soir, à l'appel de l'association « Les Glorieuses », pour protester contre les inégalités de rémunération entre les femmes et les hommes.

 7. Lisez la nouvelle brève ci-dessus. Écoutez. Un journaliste interroge une gréviste. Prenez des notes pour rassembler des informations sur les sujets suivants.

N° 22

a. les participantes au mouvement

b. les causes de la grève

c. le choix de la date et de l'heure

d. la création de l'association « Les Glorieuses »

e. les différentes réactions

8. Lisez et commentez le « Point infos ». Comparez avec la situation dans votre pays.

9. À partir des informations données par la nouvelle brève, l'interview et le « Point Infos », rédigez un article de 10 à 15 lignes sur le mouvement du 7 novembre. Veillez à assurer la cohérence de votre texte.

Pour qu'un récit soit sans ambiguïté, il faut :

1. rattacher ce dont on parle à ce qu'on vient de dire :

– en utilisant les pronoms : *Monsieur Dupuis... Il... Celui-ci...*

– en utilisant des mots équivalents : *Luc Dupuis... L'homme... Le mari de Jeanne...*

– en faisant de l'action qui précède le sujet de la phrase : *Luc Dupuis **a donné 100 euros** à Jérôme Jarre. **Ce don** a servi à l'achat de nourriture.*

• Observez comment l'auteur de l'article, en enchaînant ses phrases, a évité la répétition de « Jérôme Jarre » et « Turkish Airlines ».

2. rattacher les moments du récit à des moments de référence :

*Luc Dupuis avait déjà donné à des organisations caritatives. Après avoir lu l'appel de Jérôme Jarre, **il n'a pas hésité** à envoyer un don.*

• Comparer l'organisation de l'article à la chronologie que vous avez faite dans l'exercice 2.

Dans les deux premiers paragraphes, observez :

– le moment de référence ;

– les indications de moments et de durée ;

– l'emploi des temps.

i Point infos

LA PARITÉ ENTRE LES FEMMES ET LES HOMMES

La France a attendu 1945 pour donner le droit de vote aux femmes, 1965 pour supprimer la tutelle du mari sur leurs épouses et 1983 pour instaurer l'égalité professionnelle des femmes et des hommes. Toutefois, en 2014, les femmes cadres gagnaient en moyenne 21,8 % de moins que les hommes. Elles étaient en minorité dans les conseils d'administration des entreprises et les assemblées élues.

Ce retard s'expliquerait par deux fausses idées :

– l'autorité et l'ambition seraient des qualités plus masculines que féminines ;

– la présence d'une femme à la maison est bénéfique pour l'équilibre du couple et l'éducation des enfants.

Mais le rajeunissement de la classe politique pourrait être l'occasion d'un nouveau progrès. En 2017, le deuxième gouvernement du président Emmanuel Macron (élu à 39 ans) comportait 15 femmes et 15 hommes. À l'Assemblée nationale, le nombre de femmes passait de 18 % (en 2007) à 39 %.

La séquence radio

La Grande Parade Métèque

Des habitants de Seine-Saint Denis organisent chaque année un carnaval original. La journaliste Ingrid Pohu interroge l'organisateur Damien Villière.

N° 23

Atelier de préparation d'un char.

Favoriser la compréhension mutuelle

1. Écoutez le reportage. Choisissez les bonnes réponses.

a. L'association « Un sur quatre » est :
1. une organisation politique.
2. une association d'habitants.

b. Cette association s'est créée :
1. dans un département où cohabitent différentes communautés.
2. dans le département 93.
3. dans le département de Seine-Saint-Denis.

c. Cette association organise :
1. un défilé de chars.
2. des manifestations improvisées.
3. un carnaval qui rassemble différentes communautés d'immigrés.

d. Pour l'association « Un sur quatre » :
1. l'immigration est un fléau pour la France.
2. l'immigration est une force pour la France.
3. un quart des Français a des ascendants immigrés.
4. une société multiculturelle heureuse est possible.

e. Cette manifestation a pour but :
1. de créer un moment de fête et de gaieté.
2. de se plaindre des difficultés de la vie.
3. de susciter la rencontre entre des gens différents.
4. de montrer qu'on est tous semblables.

2. Trouvez dans le tableau le sens des mots suivants :

a. un métèque
b. un collectif
c. contrecarrer
d. un fléau
e. avoir la banane (fam.)
f. ruminer
g. râler (fam.)

> **1.** une association
> **2.** une catastrophe
> **3.** se plaindre
> **4.** s'opposer
> **5.** terme péjoratif pour « immigré »
> **6.** retourner constamment un problème dans sa tête
> **7.** être souriant

3. Vous faites partie de l'association « Un sur quatre ». Répondez à ces critiques.

a. Lors de votre dernière parade, vous n'avez pas rassemblé beaucoup de monde.
b. En dehors du jour de la parade, chacun reste dans sa communauté.
c. Pendant votre manifestation, il risque d'y avoir des conflits.
d. Ça coûte cher. Il vaudrait mieux dépenser l'argent public à autre chose.

4. En petit groupe, recherchez des idées.
Vous êtes au conseil municipal d'une ville où il y a différentes communautés d'immigrés. Vous recherchez des idées pour :
– établir un dialogue entre les communautés ;
– favoriser l'intégration des immigrés.

Débattre sur l'immigration

5. Lisez l'article « Et si on abolissait les frontières ? », ci-contre.

Voici des remarques familières entendues couramment. Associez-les à des phrases du texte.

• **Dans les deux premiers paragraphes :**
a. « J'en ai assez de ces contrôles de police ! »
b. « Les immigrés sont victimes de mafias. »
c. « Il n'y a plus de travail pour les immigrés en France. »
d. « Sans contrôle, des millions de gens vont arriver en France. »
e. « Ils travaillent dans la clandestinité. »

• **Dans le troisième paragraphe :**
f. « On n'est plus chez soi. »
g. « Ils viennent pour profiter des aides sociales. »
h. « Ils nous prennent notre travail. »
i. « La France est un grand pays qui n'a pas besoin des autres. »

Et si on abolissait les frontières ?

Des frontières ouvertes signifieraient la fin des sans-papiers, car l'illégalité du passage ou du séjour n'aurait plus de sens, la fin des passeurs et une meilleure insertion sur le marché du travail, du fait de l'abolition des limites juridiques à l'acquisition d'un statut. Comme il n'y a actuellement que 3,5 % de migrants internationaux, les arrivées ne seraient pas nécessairement massives car les plus pauvres ne partent pas faute de réseaux de connaissance, d'épargne, ou de culture de la mobilité, de savoir-faire migratoire.

Plus de frontières signifieraient un meilleur partage des ressources car l'accès au marché du travail serait libre, sans soumettre pendant des années les contrevenants du passage irrégulier à l'attente d'une régularisation dans des métiers exercés au noir. Cela supposerait une diminution des tensions liées au chômage dans les pays de départ et des extrémismes qui en découlent : extrémisme religieux, violence. […]

Les résistances seraient multiples : souverainistes attachés au contrôle national des frontières, défenseurs de l'État providence craignant que les migrants ne viennent profiter de prestations auxquelles ils n'ont pas contribué, travailleurs pauvres rencontrant parfois un soutien syndical face à la menace représentée dans leur esprit par les nouveaux venus sur le marché du travail, partis politiques conservateurs et d'extrême-droite peu acquis à l'idée de l'abolition des frontières. […]

Il ne s'agit pas d'ouvrir toutes les frontières tout de suite mais de progressivement les abolir par étapes successives, comme cela existe dans les systèmes migratoires régionaux. […]

Catherine Wihtol de Wenden, *Sciences humaines*, hors-série
Les Essentiels n° 1, mars-avril 2017,

6. Exprimez les conséquences de la suppression des frontières. Construisez vos phrases comme dans l'exemple. Utilisez les verbes et expressions de la page « Outils », « Exprimer la conséquence », page 101.

*Exemple : a. L'abolition des frontières **permettrait** la suppression des visas…*

a. abolition des frontières
→ suppression des visas
→ fin de la clandestinité
→ disparition des passeurs

b. droit au travail
‣ meilleure insertion dans le pays d'accueil
→ amélioration du chômage dans le pays de départ

c. problèmes politique et économique dans les pays de départ
→ extrémisme religieux
→ violence

d. acceptation de bas salaires par les immigrés
→ peur de la perte d'emploi

7. Lisez le « Point infos ». Tour de table. Seriez-vous favorable à l'abolition des frontières dans les pays du monde ? Exposez vos arguments. Répondez aux questions et aux remarques de la classe.

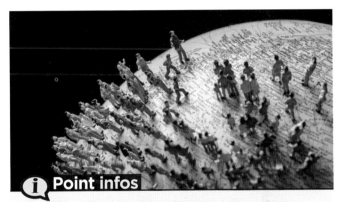

(i) Point infos

LES POLITIQUES MIGRATOIRES

La construction de l'Europe, la mondialisation de l'économie, la facilité de circulation des personnes ainsi que les troubles qui affectent certains pays d'Afrique et du Moyen-Orient ont entraîné une augmentation de l'immigration vers l'Europe de l'Ouest.

La France comme **la Belgique** sont partagées entre :
– une tradition humanitaire qui les incite à accueillir les réfugiés politiques ou ceux qui immigrent pour des raisons économiques ;
– la crainte par une partie de plus en plus importante de la population qu'un taux important de migrants déséquilibre le modèle social et dégrade l'unité culturelle du pays.

Beaucoup citent en exemple la politique migratoire du **Québec** qui sélectionne les migrants selon leurs compétences professionnelles et linguistiques. En **Suisse**, une votation organisée en 2014 souhaitait le rétablissement des quotas migratoires. Cette consultation n'a pas été approuvée par le Parlement pour cause d'harmonisation avec la politique de l'Union Européenne mais elle montre que l'immigration est une préoccupation majeure des peuples.

Elle a d'ailleurs été un thème dominant des élections présidentielle et législative qui ont eu lieu en France en 2017.

FORUM – L'économie collaborative en question

Depuis quelques années, l'ubérisation touche de plus en plus de secteurs de l'économie. Après les transports (Uber, Blablacar), l'hôtellerie (Airbnb), les sites qui mettent directement en contact le client et le prestataire de services se multiplient. Pour ses défenseurs, l'ubérisation permet de créer plus d'égalité sociale. Pour ses détracteurs, c'est une forme de capitalisme sauvage et sans garde-fous. **Qu'en pensez-vous ?**

❯ Je n'y vois que des avantages. Prenons Blablacar. D'abord, les trajets coûtent moins chers qu'avec les transports en commun. Ensuite, on peut se décider au dernier moment. Autre élément, on dispose de l'évaluation du chauffeur. De plus, on peut tomber sur un chauffeur avec qui on a des affinités. Au final, on n'a que des avantages.
Sego

❯ Certes, ce modèle économique est séduisant. Toutefois, il est en dehors du système. L'ouvrier qui vient réparer votre robinet par l'intermédiaire d'une plateforme est soit un chômeur qui travaille au noir, soit un salarié qui travaille aussi au noir en dehors de ses heures dans son entreprise, soit c'est un auto-entrepreneur. Donc, il ne cotise pas normalement pour ses prestations sociales.
Mélusine

❯ D'une part, on fait des économies. D'autre part, on se sent plus libre. Par exemple, le logement chez l'habitant. On est moins contraint qu'à l'hôtel. On rentre quand on veut. On mange ce qu'on veut. On invite qui on veut...
Pierre

❯ Ce sont des emplois précaires. Or, ils se développent. On devrait donc se demander pourquoi. En premier lieu, c'est parce que nous avons 5 millions de chômeurs. En outre, quand on gagne le SMIC, on ne peut pas se permettre des vacances dans des hôtels à 100 euros la nuit ou de changer son lave-vaisselle qui vient de tomber en panne. On peut ajouter la simplicité de la relation entre le prestataire et le client.
Geoffrey

❯ Ces travailleurs indépendants n'ont aucune sécurité de l'emploi, aucun contrat, pas d'indemnités s'ils sont malades. Quant aux entreprises, elles se trouvent déstabilisées. Elles ont moins de clients et leur chiffre d'affaire baisse. Bref, c'est mauvais pour tout le monde.
Fanny

Donner son avis sur l'économie de partage

1. Lisez le forum ci-dessus.

Avec les mots suivants, expliquez ce qu'est « l'ubérisation ». Donnez des exemples.
économie collaborative – plateforme – mise en contact – usager – prestataire de service – en marge

2. Dans le forum, relevez et classez les avantages et les inconvénients de l'économie collaborative. Complétez avec vos arguments personnels.

	Pour l'usager (le client)	Pour le prestataire (l'employé)
avantages	*prix avantageux*	
inconvénients		

3. Faites le travail de l'encadré « Réfléchissons ».

4. Répondez à la question du forum. Organisez vos arguments en utilisant les mots de l'encadré « Réfléchissons ».

Réfléchissons... La succession des arguments

• **Observez par quels mots les intervenants du forum introduisent leurs arguments.**
Exemple : Ségo : **D'abord,** *les trajets coûtent moins chers ...* **Ensuite,** ...

• **Classez ces mots introducteurs selon leur fonction.**
Le mot introduit :
a. un premier argument.
b. un deuxième ou un troisième argument.
c. un argument plus fort.
d. un argument annexe (mais pas opposé).
e. deux arguments en parallèle.
f. un argument opposé à ce qui précède.
g. un argument opposé à ce qui va suivre.
h. un argument final.

• **Complétez le classement avec les mots suivants.**
Cependant – D'ailleurs – Par ailleurs – D'un côté... de l'autre – De même – Enfin – En premier lieu – En dernier lieu – Néanmoins – Pourtant

La séquence vidéo — La Ferme Urbaine

N° 6 Visite de la Ferme Urbaine de la REcyclerie par une jeune femme, membre de la REcyclerie.

La REcyclerie

Située à deux pas des puces de la porte de Clignancourt, La REcyclerie, avec son passé d'ancienne station de la petite ceinture[1], se mue en cantine et lieu d'échanges ancré sur les valeurs du développement durable & de l'écologie.

Le lieu accueille une économie plurielle innovante, qui permet de financer une ferme urbaine et un atelier de réparation d'objets de toute sorte, ainsi qu'une large programmation d'événements et de rencontres.

- Manger ou boire un verre au **Café-cantine**
- Visiter et s'occuper de la **Ferme Urbaine**
- Demander conseil, faire réparer ses petits objets **Chez REné**
- Se relaxer, travailler ou se réunir – on a même du WiFi

Situé à l'entrée de la gare, à la vue de tous et avec un accès direct sur le boulevard Ornano, l'*Atelier de REné* est un atelier partagé, véritable laboratoire de réparations ouvert à tous les adhérents, tous les jours de l'année (ou presque). On y découvre de nouvelles manières de créer, de réparer et de recycler. On lutte contre l'obsolescence programmée : on répare plutôt que de racheter. On partage des compétences et des outils : on se donne les moyens de faire en apprenant et en empruntant du matériel

- On crée de nouvelles choses avec des matériaux qu'on pensait inutilisables…

Extrait du site de La REcyclerie.

1. ligne de chemin de fer qui faisait le tour de Paris jusqu'en 1934. Aujourd'hui, transformée en voie verte.

Découvrir un lieu alternatif

5. **Lisez l'extrait du site de la REcyclerie.**

a. Où est-elle située ?

b. Qu'est-ce qu'on peut y faire ?

c. Quels sont les buts et les idées des personnes qui ont créé la REcyclerie ?

 6. **Travaillez en petit groupe. Regardez le reportage sans le son. Notez ce que vous voyez.**

a. le lieu

1. une ruche
2. des rails de chemin de fer

b. les légumes

1. un artichaut
2. des blettes
3. une courge
4. une courgette
5. des pommes de terre
6. des tomates
7. des salades

c. les animaux

1. un canard
2. un coq
3. une oie
4. une poule

c. les fruits

1. des fraises
2. des framboises
3. des cassis
4. des mûres

d. les fleurs

1. des capucines
2. des coquelicots
3. des roses trémières

e. les actions

1. retourner la terre avec une fourche
2. étaler de la paille
3. semer des graines de haricots
4. cueillir des fruits
5. arroser les semis
6. préparer des traitements naturels
7. prendre du compost
8. manger des fleurs

7 Rédigez quatre questions que vous avez envie de poser à la jeune femme qui fait visiter la ferme urbaine.

8. Regardez la vidéo avec le son. Faites plusieurs écoutes fragmentées.

a. Complétez la présentation de la REcyclerie

- Adhérents : nombre… – Comment participent-ils ?
- Animations : …
- But de l'association : …

b. Dans les listes de l'exercice 6, notez les légumes, les fruits et les actions dont parle la présentatrice mais qu'on ne voit pas à l'image.

 9. Discutez. Connaissez-vous, fréquentez-vous un lieu alternatif ? Présentez-le.

Ces lieux de la nouvelle économie sont-ils utiles ? Vont-ils se développer dans l'avenir ?

Vous prendrez parti pour ou contre un projet de loi ou une décision locale dans un domaine qui vous intéresse.
Vous argumenterez votre défense ou votre critique dans un article ou une lettre ouverte. Vous défendrez oralement votre point de vue.

Le droit de vote à 16 ans s'invite dans la campagne

[…] La question du droit de vote à 16 ans gagne du terrain dans le monde politique. Même Thierry Solère[1], porte-parole de François Fillon, s'est déclaré favorable à la mesure. Le PS comme les écologistes ont, eux, ouvert leur primaire aux non-majeurs. Plus encore, Jean-Luc Mélenchon a inscrit ce nouveau droit dans son programme : « *Il s'agit de modifier le poids politique de la jeunesse dans la société, explique le candidat de la France insoumise. Il est relégué aujourd'hui. (…) Dans ces conditions, il n'est pas surprenant que tant de candidats et dirigeants politiques ignorent tout simplement la jeunesse en se limitant à quelques formules incantatoires très générales.* »

L'Humanité, 23/12/2016.

1. Les deux premiers articles citent des hommes politiques candidats à l'élection présidentielle de 2017 : François Fillon (Les Républicains, parti de droite), Jean-Luc Mélenchon (La France insoumise, parti de gauche), Emmanuel Macron (« En marche », parti de centre gauche).

FAUT-IL LÉGALISER LE CANNABIS ?

Alors qu'une petite majorité de Français souhaite désormais que la question de la législation du cannabis soit abordée dans le cadre de la prochaine campagne présidentielle, la classe politique reste majoritairement hostile à sa légalisation.

Pour Emmanuel Macron, ancien ministre[2] « *Aujourd'hui, le cannabis pose un problème de sécurité, de lien avec la délinquance dans les quartiers difficiles, de financement de réseaux occultes. Et donc on voit bien que la légalisation du cannabis a des intérêts de ce point de vue et a une forme d'efficacité. […] En même temps, j'entends les préoccupations de santé publique qui sont émises par ailleurs* ».

www.lci.fr, 10/10/2016.

2. Élu Président de la République française le 7 mai 2017.

LIGNE TGV LYON-TURIN, UN PROJET CONTESTÉ

Lancé il y a 26 ans, le projet de ligne à grande vitesse qui doit relier Lyon à Turin en Italie risque d'être un nouveau Notre-Dame des Landes. Rappelons que cette ligne doit non seulement désenclaver les vallées alpines et faciliter les communications entre la France et l'Italie mais qu'elle serait aussi le maillon important d'un axe de communication entre l'Est et le Sud de l'Europe. Toutefois, les résistances auxquelles ce projet se heurte ne font que prendre de l'ampleur. L'écosystème de la vallée de Suse serait bouleversé. Le percement des tunnels qui se ferait dans des roches riches en amiante et en uranium contaminerait l'environnement. Sans compter les énormes quantités d'eau qu'il faudrait puiser.

Un coût écologique donc qui se double d'un coût financier que les opposants jugent inutile puisqu'il suffirait selon eux de remettre en état la ligne ferroviaire existante pour atteindre les mêmes objectifs.

Faut-il rendre les œuvres d'art à leurs pays d'origine ?

Le 27 juillet dernier, le gouvernement béninois demandait à la France de lui restituer les trésors royaux pillés lors de la conquête de 1892. Si, aujourd'hui, aucune décision officielle n'a été prise, le débat est relancé.

On imagine bien que les grandes nations occidentales n'accepteront jamais de vider leurs musées… Alors existe-t-il une solution qui satisferait tout le monde ? Peut-être se cache-t-elle parmi toutes les idées émises depuis bien des années : restituer les pièces vraiment mal acquises, se séparer de certains objets que les musées possèdent en multiples exemplaires, faire des copies, concéder des prêts perpétuels, organiser des expositions, utiliser les technologies nouvelles – les œuvres resteraient dans les musées et leur représentation virtuelle serait accessible dans les pays d'origine…

Marie Torres pour www.micmag.fr, 08/10/2016.

1

Choisissez le projet dont vous allez parler.

1. La classe se partage les quatre articles. Préparez une brève présentation du projet exposé dans l'article.

a. Formulez le projet.

b. Donnez un argument pour et un argument contre.

c. Recherchez des projets dans le même domaine. Par exemple, le premier article porte sur la jeunesse. Il peut exister d'autres projets comme attribuer une bourse d'étude systématiquement à tous les jeunes...

2. Présentez votre travail à la classe.

3. Choisissez le projet que vous allez défendre ou critiquer. Vous pouvez choisir :

– un des quatre sujets que vous venez d'étudier ;

– un projet appartenant à un autre domaine ou propre à votre pays.

2

Recherchez des arguments pour ou contre le projet.

4. Lisez, ci-contre, la lettre ouverte du collectif « Nature ».

a. Observez le plan de la lettre.

1. Présentation du projet (paragraphe 1)

2. ...

b. Quel plan devrait-on suivre pour défendre le projet ?

5. Faites le plan de votre texte et recherchez des arguments.

3

Rédigez votre article ou votre lettre ouverte.

4

Présentez votre réflexion à la classe.

L'exposition des projets pour le futur Grand Paris.

LETTRE OUVERTE

Collectif « Nature » aux élus du Grand Paris

Un vaste projet de complexe à la fois commercial, culturel et de loisirs est actuellement à l'étude au nord-est du Grand Paris. Cet ensemble qui s'étalerait sur 80 hectares comporterait des galeries commerciales, des hôtels, des restaurants, une halle d'exposition, un parc d'attraction, un parc aquatique, une piste de ski, un cirque et une ferme urbaine.

Selon ses promoteurs, ce projet dynamiserait la région. Il créerait plus de 11 000 emplois et attirerait trente millions de visiteurs. Très peu d'expropriations seraient nécessaires puisque les aménagements se feraient sur de vastes zones agricoles.

Bien qu'un tel projet soit séduisant, il convient d'en mesurer les implications. Tout d'abord, la création de commerces, d'hôtels et de restaurants porterait préjudice aux entreprises existantes. Certes, on créerait des emplois mais on en détruirait d'autres. De plus, il en résulterait une désertification économique des communes environnantes.

En second lieu, 80 hectares de terres agricoles et d'environnement naturel disparaîtraient. Il s'agit de terres fertiles sur lesquelles on cultive du blé et des produits maraîchers. Outre des suppressions d'emplois, on diminuerait la production agricole de l'Île-de-France. Or, cette région prétend à son autosuffisance en produits maraîchers. On conviendra qu'il y a là une contradiction.

Enfin, en période de crise économique durable, la réussite d'un tel projet de plus de 3 milliards d'euros ne nous paraît pas assurée. D'autant que le site situé à 8 km de l'aéroport de Roissy souffrirait de nuisances sonores.

Ce projet, par son gigantisme, ne paraît pas viable à notre collectif. Toutefois, soucieux du développement de notre région, nous proposons un projet alternatif qui tient compte des intérêts des habitants et respecte la continuité écologique du lieu.

UTILISER LES CONSTRUCTIONS AVEC DEUX PRONOMS

Ces constructions sont très fréquentes et doivent être automatisées. Voir les exercices à la fin du « bilan grammatical » des pages 102, 116 et 144.

• **Pronoms objets indirects « me – te – nous – vous » + pronoms « le/la/les », « en » et « y »**
*Votre amie vous prête sa voiture ? – Elle **me la** prête.*
*Vos amis vous font des cadeaux ? – Ils **m'en** font.*
*Votre ami vous amène au théâtre ? – Il **m'y** amène.*

• **Pronoms directs « le/la/les » + pronoms indirects « lui/leur »**
*Elle dit la vérité à son ami ? – Elle **la lui** dit.*

• **Pronoms indirects « lui/leur » + pronom « en »**
*Vous prêtez de l'argent à vos amis ? – Je **leur en** prête.*
→ à **la forme négative**
*Vous envoyez des cartes postales à vos amis ? Je **ne leur en** envoie **pas**.*
→ **aux temps composés**
*Vous avez donné un pourboire à l'ouvreuse? Mon ami **lui en** a donné un. Je ne **lui en** ai pas donné.*

ORGANISER DES ARGUMENTS

1. Quand les arguments défendent la même idée

• **Premier argument :** D'abord... Tout d'abord... Premièrement... En premier lieu... Pour commencer...
Nous commencerons par remarquer que...

• **Arguments suivants :** Ensuite... Deuxièmement... En second lieu... Par ailleurs... De même... Autre fait...
On peut ajouter...

• **Gradation d'arguments :** En outre... De plus... On ne se contente pas... On peut ajouter...

• **Lorsqu'il y a deux arguments :** D'une part... d'autre part – D'un côté... de l'autre (ces formes peuvent aussi introduire des arguments opposés)

• **Arguments d'ordre différent :** À propos de... En ce qui concerne... D'ailleurs... Quant à...

• **Argument final :** Enfin... En dernier lieu... Dernier point... Une dernière remarque... Pour finir...

2. Quand les arguments sont opposés
• **Phrase développant une idée différente**
En revanche... Par contre... Face à ce problème... Inversement... À l'inverse... À l'opposé de cette idée...
Contrairement à ce que vous pensez ...
*La construction de la ligne TGV Paris Lille a été très utile. **En revanche,** la gare TGV Haute-Picardie était inutile.*

• **Phrase développant une idée en contradiction avec la précédente**
Pourtant... Cependant... Toutefois... Néanmoins... Malgré tout... Il n'en reste pas moins que... Il n'empêche que...
*Les habitants voudraient une gare TGV proche du centre. **Il n'empêche que** les autorités en ont décidé autrement.*

• **Phrase introduisant une idée en contradiction avec la suivante**
Certes... Je reconnais que... J'admets que...
***Certes,** la ligne Lyon-Turin rapprocherait la France et l'Italie **mais** le coût serait très élevé.*

• **Phrases contenant deux idées contradictoires.** Voir l'expression de la concession, page 44.
***Bien que** le fret ferroviaire soit privilégié, on voit encore trop de camions sur les routes.*

• **Phrase qui vient modifier la conséquence attendue**
*Le projet de ligne TGV Lyon-Turin est à l'étude depuis 1995. **Or,** son coût s'avère plus élevé que prévu. Sa réalisation est **donc** reportée.*

EXPRIMER LA CONSÉQUENCE

La relation de conséquence peut être exprimée :

1. par une expression grammaticale
• **Donc... Par conséquent ... De ce fait**
*Certains pays sont en guerre. **De ce fait**, les habitants tentent de fuir.*
• **Voilà pourquoi... C'est pourquoi... C'est pour cela... D'où...**
*Les immigrés privilégient les pays proches. **D'où** un afflux vers l'Europe.*
• **Aussi...** (suivi d'une construction avec inversion du pronom sujet)
*Les pays d'Europe ne sont pas préparés à une immigration massive. **Aussi** sont-ils désemparés.*
• **Du coup...**
*Les immigrés ne trouvent pas assez de structures d'accueil. **Du coup**, ils se regroupent dans des camps improvisés.*

2. par un verbe
• Conséquence négative : **causer – provoquer**
*La crise financière de 2008 **a provoqué** une crise économique.*
• Conséquence positive : **permettre**
*La baisse des taux d'intérêt **a permis** à beaucoup de personnes d'acheter leur logement.*
• Conséquence positive ou négative : **créer – produire – entraîner – rendre (+ adjectif) – aboutir à – déboucher sur – avoir pour effet**
*La crise financière **a entraîné** un effondrement de la Bourse. Elle **a rendu** les gens plus méfiants à l'égard de la Bourse.*

3. par un nom : **un effet – un résultat – un impact – une portée – des répercutions – des retombées – une suite**
*La crise économique a eu **un impact** négatif sur l'emploi.*

PARLER DES VALEURS

• **les valeurs** – défendre des valeurs – avoir des principes, une éthique, une morale – suivre un code de déontologie
• **l'altruisme/l'individualisme** – être solidaire (la solidarité), généreux (la générosité) – satisfaire des intérêts collectifs/particuliers – l'égoïsme (l'individualisme – le chacun pour soi)
• **l'honnêteté/la malhonnêteté** – être honnête, intègre/malhonnête, voleur – être loyal/déloyal – être droit, loyal/hypocrite – rigoureux, intègre/corruptible, corrompu – être sincère, de bonne foi/menteur, dissimulateur
• **la tolérance/l'intolérance** – être tolérant, ouvert, compréhensif, libéral, indulgent/ être intolérant, borné, dogmatique, rigide – les valeurs laïques – la laïcité
• **l'engagement/le détachement** – prendre conscience d'un problème – s'engager (prendre position – militer) pour/contre les droits des animaux – être détaché (indifférent, insensible) aux problèmes écologiques, rester neutre

DÉCRIRE UNE ACTION SOCIALE OU HUMANITAIRE

• **le manque** – un besoin (satisfaire un besoin d'éducation) – la pénurie (faire face à la pénurie d'eau) – le manque d'infrastructures (*Cette région manque d'infrastructures.*) – un déficit (combler un déficit de main-d'œuvre qualifiée) un pays démuni, dépourvu de ressources naturelles – un pays en voie de développement
• **l'aide** – apporter une aide technique, médicale, financière, ... – accompagner le développement d'une région – pourvoir à un besoin
l'assistance (assister un pays en difficulté) – porter assistance à des personnes dans le besoin
le secours – secourir (porter secours) à un blessé – venir au secours (se porter au secours) d'un pays agressé – intervenir (une intervention militaire) – venir en appui d'une opération humanitaire
• **la coopération** – coopérer avec un pays étranger – participer à la formation des cadres – collaborer dans le domaine scientifique – contribuer au développement de l'industrie
• **les associations** – une association (une œuvre) humanitaire, caritative – une ONG (organisation non gouvernementale) – entreprendre des actions pour dynamiser l'agriculture – agir contre la faim dans le monde – défendre la cause des plus démunis – le bénévolat (un bénévole)

1. INTRODUIRE DES ARGUMENTS

Remplacez les mots en gras par des expressions de la liste.

La responsable d'une association présente un projet de construction d'école en Afrique.

a. En premier lieu, nous financerons entièrement l'opération.
b. Par ailleurs, les responsables locaux sont demandeurs.
c. En outre, nous avons déjà des échanges avec ce village du Togo.
d. D'un côté, nous apprendrons à connaître le Togo. **De l'autre**, les Togolais obtiendront des bourses pour étudier en France.
e. Enfin, si nous réussissons, nous pourrons construire d'autres écoles.

> D'une part... d'autre part – De plus –
> En dernier lieu – Ensuite – Tout d'abord

2. EXPRIMER L'OPPOSITION

a. Combinez les phrases en utilisant l'expression entre parenthèses.

Un homme en contradiction avec ses idées

1. Il milite pour le partage des richesses. Il est contre une taxe sur les héritages. (*bien que*)
2. Il a des convictions laïques. Il met ses enfants dans une école religieuse. (*en dépit de*)
3. Il est pour la liberté de la presse. Il critique les journalistes. (*même si*)
4. Il veut la parité entre les hommes et les femmes. Il a nommé un homme au poste d'adjoint. (*malgré*)
5. Il est nationaliste. Il a placé son argent dans un paradis fiscal. (*tout ... que*)

b. Reformulez les oppositions ci-dessus en utilisant les expressions suivantes.

Il n'en reste pas moins que – Il n'empêche que – Néanmoins – Pourtant – Toutefois

3. EXPRIMER LA CONSÉQUENCE

Combinez et reformulez les phrases suivantes.
Exprimez la relation de conséquence par le mot entre parenthèses.

Les conséquences de l'« ubérisation »

a. Le chômage augmente. → Certaines personnes décident de créer leur emploi. (*conduire*)
b. Ils utilisent Internet. → Le contact avec les clients est facilité. (*permettre*)
c. Ces nouveaux travailleurs paient moins de charges sociales. → Leurs services sont moins chers. (*de sorte que*)
d. C'est une concurrence déloyale. → Les entrepreneurs sont en colère. (*provoquer*)
e. Ils sont en dehors du système. → Ils sont peu protégés. (*donc*)

4. ÉVITER LES RÉPÉTITIONS

Réécrivez les informations suivantes en évitant la répétition des mots en gras.

Faits divers

• Un mendiant a refusé à une chanteuse les 5 000 € que **la chanteuse** proposait **au mendiant**. **Le mendiant** a estimé que **5 000 €** c'était trop élevé. Les 5 000 € ont été versés **par la chanteuse** à une œuvre sociale.
• C'est au moyen d'une simple boule de neige qu'un voleur a réussi à dérober une somme importante à un homme de 50 ans. **Le voleur** a lancé **la boule de neige** au visage de **l'homme de 50 ans** au moment où **l'homme de 50 ans** sortait d'une banque. **L'homme de 50 ans** portait une serviette contenant 10 000 € et le voleur a arraché **cette serviette à l'homme de 50 ans**.

5. LES CONSTRUCTIONS AVEC DEUX PRONOMS

N° 24 Travaillez vos automatismes. Répondez affirmativement en utilisant deux pronoms.
Jeanne a deux colocataires sympa, Paul et Steve.

a. me/te/nous/vous + le/la/les – en – y
• Paul te paie régulièrement le loyer ?
– Oui, il me le paie régulièrement.
• Il te prête sa voiture ?
– Oui, ...

b. le/la/les + lui/leur
• Tu leur souhaites leur anniversaire ?
– Je le leur souhaite.
• Tu leur présentes tes amis ?
– Oui, ...

c. lui/leur + en
• Tu présentes des copains à Steve ?
– Oui, je lui en présente.
• Tu donnes des cours de français à Steve ?
– Oui, ...

UNITÉ 7

SE FORMER

1 **FAIRE LE POINT SUR SES COMPÉTENCES**
- Connaître les compétences recherchées
- Présenter ses propres compétences

3 **AUGMENTER SES PERFORMANCES**
- Parler des capacités intellectuelles
- Faire et présenter un schéma de connaissance

2 **JUGER UN PROJET ÉDUCATIF**
- Commenter l'intérêt d'un programme d'échange
- Analyser un système éducatif

4 **PRÉSENTER UN LIEU DE FORMATION**
- Décrire une école professionnelle
- Réfléchir à de nouvelles façons d'apprendre

PROJET

FAIRE DES PROPOSITIONS POUR AMÉLIORER L'ENSEIGNEMENT

TOP 10 des compétences attendues en 2020

Forum économique mondial de Davos, janvier 2017

L'avenir du Travail, avec un grand T, est au cœur des débats mondiaux. Le Forum économique mondial (World Economic Forum) s'est également emparé du sujet lors de sa réunion annuelle à Davos en janvier 2017, mettant en garde sur une conséquence de la digitalisation : la pénurie de compétences.

S'il est désormais prouvé que l'automatisation de certaines tâches à faible valeur ajoutée va faire disparaître des emplois, le nombre de nouvelles opportunités professionnelles qui va en découler vient contrebalancer cette conséquence. Toutefois, le marché du travail étant en pleine phase de transition, « *la numérisation des environnements professionnels entraîne aujourd'hui l'inadéquation des compétences des salariés avec les nouveaux besoins des employeurs* » explique le Forum économique mondial dans un article publié sur son site […]

En Europe, 40 % des employeurs ont déclaré en 2013 avoir du mal à trouver des candidats possédant les compétences requises pour répondre aux nouveaux besoins liés à la digitalisation. Une pénurie de profils qui touche avant tout le secteur industriel. Avec l'arrivée de celle que l'on nomme déjà la 4e révolution industrielle, où les avancées numériques rapides et la technologie transforment notre façon de travailler, il est aujourd'hui nécessaire pour les salariés de faire évoluer leurs compétences au rythme de ces bouleversements.

L'intelligence artificielle réalisant désormais des tâches faites précédemment par les humains, « *les employés devront développer des compétences qui leur donnent une longueur d'avance sur les machines* » lit-on dans l'article. Des compétences qui relèvent en majorité de *soft skills*, comme la pensée critique et la créativité. Un autre rapport du Forum économique mondial, intitulé « *L'avenir de l'emploi* », révèle qu'en 2020, plus du tiers des compétences qui sont considérées comme importantes dans la main-d'œuvre actuelle auront changé. La bataille pour les compétences : voilà le prochain grand défi des entreprises à travers le monde.

> **Top 10 des compétences qui seront recherchées en 2020**
> 1. Résolution de problèmes complexes
> 2. Esprit critique
> 3. Créativité
> 4. Management
> 5. Esprit d'équipe
> 6. Intelligence émotionnelle
> 7. Jugement et prise de décision
> 8. Sens du service
> 9. Négociation
> 10. Flexibilité

www.blog-emploi.com, « *Mon travail et moi* » par Rozenn Perrichot 10 mars 2017.

Connaître les compétences recherchées

1. Lisez le titre et les quatre premières lignes de l'article.

a. Quel est le problème abordé ?
b. Où a-t-il été abordé ?
c. Y a-t-il des solutions au problème ?

2. Lisez l'article en entier. Trouvez dans le tableau le sens des mots suivants :

a. mettre en garde
b. la digitalisation
c. la pénurie
d. l'automatisation
e. à faible valeur ajoutée
f. l'inadéquation
g. requis
h. un profil
i. une avancée
j. les soft skills

> **1.** avertir – **2.** caractéristiques psychologiques et professionnelles – **3.** compétences non techniques – **4.** le manque – **5.** nécessaire – **6.** nécessitant une main-d'œuvre importante – **7.** la numérisation – **8.** un progrès – **9.** l'inadaptation – **10.** la robotisation

3. Complétez ce résumé de l'article.

Cet article rend compte des préoccupations de ...
Les chefs d'entreprise ont soulevé le problème de ...
Il est nécessaire que ...

4. Répondez aux inquiétudes de ces personnes à l'aide des éléments du texte.

a. « Plus les tâches seront robotisées, moins il y aura d'emplois. C'est inquiétant. »
b. « Que dois-je conseiller à ma fille de 18 ans pour qu'elle trouve plus tard un emploi ? »
c. « Mon fils de 18 ans veut faire des études de philosophie. En dehors du métier de professeur, il n'aura pas de débouché. »

5. Travaillez par groupe de trois. Associez chacune des dix compétences présentées dans l'article :

a. à un verbe et à un adjectif du tableau ci-dessous.
b. à une profession qui requiert cette compétence.

- **1.** chercher un accord – **2.** collaborer – **3.** évaluer – **4.** examiner – **5.** exécuter – **6.** innover – **7.** piloter – **8.** s'adapter – **9.** se maîtriser – **10.** solutionner
- **a.** conciliant – **b.** coopératif – **c.** décideur **d.** discipliné – **e.** empathique – **f.** gestionnaire **g.** ingénieux – **h.** inventif – **i.** sceptique – **j.** souple

6. a. Faites le travail de l'encadré « Réfléchissons ».

b. Imaginez une suite aux phrases suivantes.

Un enfant qui a changé en grandissant
a. Enfant, il jouait de la guitare plutôt que...
b. Plus il écoutait de la musique, plus...
c. Il faisait des progrès en musique d'autant que...
d. Autant il était timide quand il était enfant, autant en grandissant...
e. Il s'est fait connaître au fur et à mesure que

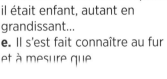

Réfléchissons... Les constructions comparatives

Voici des phrases prononcées dans une réunion de chefs d'entreprise.

a. J'ai besoin de gens qui ont le sens du collectif **plutôt que** de fortes personnalités.
b. Autant il faut être techniquement compétent, **autant** il faut être imaginatif.
c. Au fur et à mesure que le travail se robotise, on a besoin d'employés intellectuellement compétents.
d. Ce qui compte **le plus**, c'est de satisfaire le client.
e. On est **d'autant plus** compétent **qu'**on sait gérer ses émotions et celles des autres.
f. Plus les cadres savent prendre du recul, **plus** ils sont efficaces.
g. L'observance des règles est **moins** importante **que** la capacité à décider.
h. J'ai besoin de gens qui soient **davantage** capables de planifier et de gérer un projet.
i. Tant que les salariés n'accepteront pas le changement, ils ne progresseront pas.
j. Un cadre doit savoir résoudre des conflits **tels que** les revendications de salaire.

• **Faites correspondre chaque phrase à une des dix compétences énumérées dans l'article.**

• **Observez dans les phrases les mots en gras. Ils expriment une idée de comparaison. Caractérisez cette comparaison.**

1. supériorité	**5.** ressemblance et similitude
2. égalité	**6.** parallélisme
3. infériorité	**7.** progression parallèle
4. différence	

Présenter ses propres compétences

7. Écoutez. Une femme demandeur d'emploi a rendez-vous avec un conseiller
N° 25 de Pôle Emploi. Notez :
a. son niveau d'études.
b. ses expériences professionnelles.
c. ses compétences techniques.
d. ses compétences et ses qualités générales.
e. les emplois souhaités.

8. Jeu de rôle à faire à deux. Vous cherchez du travail et vous rencontrez un conseiller de Pôle Emploi.
a. Choisissez l'emploi que vous souhaitez et indiquez-le à votre partenaire.
b. Réfléchissez aux compétences requises pour le travail souhaité par votre partenaire.
c. Jouez l'entretien en suivant le canevas de l'exercice 7.

La séquence radio

Le programme d'échange Erasmus

N° 26

Le journaliste Gaël Letanneux interroge deux jeunes filles qui ont participé au programme d'échange universitaire Erasmus : Marine Moulin et Yana Todorova.

Erasme

Le film *L'Auberge espagnole* de Cédric Klapish, sorti en 2002 a fait du programme Erasmus (1987) un mythe européen.

Commenter l'intérêt d'un programme d'échange

1. Faites une écoute complète de la séquence. Puis réécoutez la présentation de Gaël Letanneux. Complétez les informations suivantes.

a. But du programme Erasmus
b. Date du début des échanges
c. Nombre de pays participants
d. Raison du choix du nom Erasmus

2. Écoutez l'interview de Marine Moulin. Corrigez les erreurs dans les phrases suivantes.

a. Marine Moulin est partie étudier le catalan à Barcelone.
b. Tout avait été organisé pour la recevoir.
c. Elle partageait un appartement avec des étudiants espagnols.
d. Elle faisait la cuisine pour tout le monde.
e. Elle se sentait un peu isolée.
f. Sa vie n'avait rien à voir avec celle des étudiants du film *L'Auberge espagnole*.
g. Aujourd'hui, elle ne garde pas un bon souvenir de cette expérience.

Analyser un système éducatif

6. Remettez dans l'ordre ces moments de la scolarité d'un élève français.

a. Classe de 5e
b. Cours préparatoire (CP)
c. Entrée à l'école élémentaire
d. Entrée à l'école maternelle
e. Entrée à l'université
f. Entrée au collège
g. Entrée au lycée
h. Passage du baccalauréat
i. Passage du brevet

3. Écoutez l'interview de Yana Todorova. Complétez la fiche suivante.

Nom :...   Nationalité : ...

Études : ...   Revenus : ...

Adresse en Francce : ...

Langues parlées :...   Intérêts : ...

Projet professionnel : ...

4. Faites la liste des points positifs et négatifs d'une expérience d'échange Erasmus. Utilisez les mots suivants :

carrière professionnelle – communauté – découverte – proximité – rencontre – ressemblance – utilité.

5. Discutez en petit groupe. Vous avez fait un séjour à l'étranger dans le cadre de vos études ou d'un stage professionnel. Quels ont été les points positifs et négatifs de cette expérience ?

7. Lisez l'introduction de l'article de la page suivante. Quel problème soulève cet article ?

8. Faites une lecture rapide de l'article. Dans quel paragraphe traite-t-on des sujets suivants ?

a. les mesures qu'on peut prendre pour remédier au problème.
b. les outils qui permettent d'évaluer les problèmes.
c. les erreurs commises par les personnes qui décident de la politique éducative.

Réformer l'école

Tous les trois ans, l'OCDE (l'organisation de coopération et de développement économique) organise l'enquête PISA qui évalue l'efficacité des systèmes éducatifs de 73 pays du monde. La France ne se classe que dans la moyenne. Dans une interview au Figaro, *Jean-Michel Blanquer, ancien directeur général de l'enseignement scolaire et nommé ministre de l'Éducation nationale en 2017, commente cette situation.*

Le Figaro. – Les performances des élèves se dégradent depuis trente ans. Pourquoi est-on incapable de redresser la barre ?

Jean-Michel BLANQUER. – Aujourd'hui, les Français sont mûrs pour le changement. Nous sommes dans la situation de l'Allemagne il y a quinze ans, qui a su réagir très vite aux résultats de l'enquête Pisa menée par l'OCDE. Mais l'erreur est de multiplier les lois, quand il faudrait plutôt un travail en profondeur sur les pratiques. On a longtemps eu une approche idéologique sur des sujets fondamentaux, comme la lecture, alors que la solution était de s'inspirer de ce qui marche. Les freins ont été du côté de ceux qui faisaient l'opinion pédagogique en France. Et puis, il y a eu un effet de « stop and go » : on défait ce qui a été fait par le gouvernement précédent. Or, en matière d'éducation, il est important d'agir sur le long terme, afin d'être en mesure d'évaluer les résultats de manière scientifique.

• Quelle est votre analyse ?
– Les trois piliers de mon analyse sont de puiser des réponses dans l'expérience, les comparaisons internationales et la science. Notre expérience, d'abord, car elle est riche d'enseignement. À titre d'exemple, le programme d'enseignement national pour la maternelle mis en place en 2008 a donné d'excellents résultats. Le pourcentage d'élèves les plus faibles à l'entrée du CP a été divisé par trois entre 1997 et 2011, passant de 10 à 3 %. Pourtant, le programme de 2013 va dans le sens inverse. Et puis la France a une tradition éducative ancienne très riche. Quant aux comparaisons internationales, elles nous montrent les vertus d'un enseignement structuré, explicite et centré sur l'acquisition des savoirs fondamentaux. [...] Enfin,

les sciences cognitives nous apprennent beaucoup sur les mécanismes d'apprentissage : enseignement explicite du code alphabétique, aller du plus simple au plus compliqué, association de la lecture et de l'écriture.

• Quelles sont vos préconisations ?
– La mission de l'école primaire doit être que chaque élève en sorte en sachant lire, écrire, compter et respecter les autres. La première inégalité est devant le langage. En arrivant à l'école maternelle, le vocabulaire d'un enfant peut varier du simple au triple. L'école peut y remédier. Sur ces bases, l'école élémentaire doit se concentrer sur les fondamentaux. Ce sont les enfants les plus défavorisés socialement qui sont les principales victimes. Au moins 20 heures par semaine sur 26 doivent être consacrées au français et aux mathématiques.
On peut imaginer des collèges plus autonomes, où les équipes pourront déployer des initiatives et personnaliser les parcours. Pourquoi ne pas généraliser les études dirigées ? Il faut aussi une nouvelle vision du lycée professionnel, où se concentre le décrochage scolaire. L'apprentissage doit y avoir une place plus systématique. Le lycée professionnel doit évoluer vers l'entreprenariat, le digital, les savoir-faire à la française.

Interview par Sophie de Tarlé, www.lefigaro.fr, 17/10/2016

 9. La classe se partage les trois paragraphes de l'article. Recherchez les idées développées dans votre paragraphe. Présentez-les à la classe.

10. Voici des critiques qu'on entend souvent quand on parle de l'éducation en France. Sont-elles justifiées par les arguments de Jean-Michel Blanquer ?

a. En France, chaque nouveau ministre de l'Éducation nationale réforme ce qu'a fait son prédécesseur.
b. On impose à tous les enseignants les mêmes programmes et les mêmes méthodes.

c. Les inspecteurs qui font les programmes et qui contrôlent les professeurs ont souvent très peu enseigné.
d. On s'enthousiasme pour des idées nouvelles sans voir qu'elles ne sont pas adaptées à tous. Puis, on les abandonne. Exemple : l'enseignement des maths modernes dans les années 1970.
e. Les enseignants, surtout les universitaires, considèrent qu'ils n'ont pas à s'occuper des besoins des entreprises.

11. Partage-t-on ces critiques dans votre pays ? Comparez.

MUSCLER VOTRE CERVEAU

▶ « Aujourd'hui, il faut savoir faire plus vite et mieux », analyse Monique Le Poncin, docteur ès sciences à l'origine de la « gym cerveau ». « Il ne s'agit plus d'entraîner sa mémoire, mais d'optimiser son cerveau afin de suivre les exigences d'un monde économique de plus en plus compétitif. »

▶ Certaines techniques tendent à muscler notre matière grise façon body-building. La grande majorité préconise des astuces générales et propose des batteries d'exercices. Ceux-ci ont d'abord valeur d'évaluation : de notre mémoire immédiate (par exemple, regarder trente secondes une liste de mots abstraits et les restituer), de nos capacités d'observation (reproduire de tête une figure géométrique complexe), de notre sens de l'organisation (redessiner le plan d'un quartier avec ses commerçants). Parfois, il s'agit aussi de tester notre capacité de raisonnement et de logique (compléter une suite de nombres) [...]

▶ D'autres techniques favorisent le développement de notre imagination. Ainsi Tony Buzan a inventé le « mind mapping » : il s'agit d'une arborescence de mots mis en images selon notre inspiration. On inscrit un mot (ou un dessin qui l'évoque) au centre d'une feuille disposée horizontalement puis, sans réfléchir, on y associe d'autres mots, développant ainsi ses idées imagées sous forme de branches qui elles-mêmes se subdiviseront. Parmi les lois à respecter : utiliser un maximum de couleurs, varier les tailles des caractères et des flèches établissant les connexions entre les mots.

▶ Cet outil, basé sur la « pensée irradiante » (par association à partir d'un point central), entraîne à maîtriser ses processus de réflexion et à générer toujours plus de pensées créatives. Il opère comme son cousin éloigné, le brain-storming (libre association d'idées), lorsqu'il invite à jouer sur tous les registres des sensations dans les mots spontanément émis (employer des expressions évoquant une odeur, un toucher, un goût, les prononcer à voix haute, les visualiser). Les auteurs préconisent le « mind mapping » pour favoriser la prise de décision, la mémorisation, pour résumer un roman… Et même pour suivre un discours en direct ! Chacun trouvera en s'exerçant l'application qui lui convient le mieux.

www.psychologies.com, Agnès Rogelet,
« Comment muscler son cerveau », avril 2004.

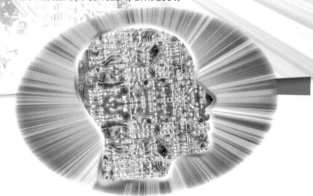

Parler des capacités intellectuelles

1. Lisez le premier paragraphe de l'article. D'après vous, cet article est adressé :

a. à des étudiants ?
b. à des personnes âgées ?
c. à des actifs ?
d. à tout le monde ?

 2. Travaillez par deux. Lisez le deuxième paragraphe.

a. Faites la liste des techniques proposées pour « muscler » son cerveau.

b. Choisissez une technique et mettez-la en pratique.
Exemple : évaluation de la mémoire
• *Faites une liste de dix mots français.*
• *Votre partenaire regarde la liste pendant trente secondes.*
• *Votre partenaire essaie de redire les mots qu'il a lus.*
Notez les mots qu'il a oubliés.

c. Dialoguez. Expliquez par quelle méthode vous avez mémorisé les mots.

3. Associez chaque capacité intellectuelle à un verbe et à une expression du tableau.

a. l'attention
b. la mémoire
c. l'intuition
d. le sens de l'organisation
e. la perspicacité
f. le raisonnement
g. l'esprit logique
h. le savoir

1. classer - **2.** déduire - **3.** démontrer - **4.** deviner - **5.** discerner - **6.** retenir - **7.** se concentrer - **8.** se cultiver

a. C'est prouvé par A+B.
b. Il a de la suite dans les idées.
c. Quelque chose me dit qu'il a raison.
d. C'est gravé comme dans du marbre.
e. C'est un puits de science.
f. Je vois clair dans son jeu.
g. C'est réglé comme du papier à musique.
h. Je suis tout yeux et tout oreilles.

Un schéma de carte mentale

Dans le cadre d'une recherche, la collecte d'informations permet de circonscrire un objet, d'organiser et de construire un plan.

La construction d'une carte peut constituer un support de relecture avec des couleurs, des images, des symboles qui facilitent la mémorisation des connaissances.

Collecter

Mémoriser

L'utilisation d'une carte rend les présentations plus dynamiques avec des repères visuels qui structurent l'expression orale.

Présenter ← **Les fonctions de la carte mentale** → **Synthétiser**

Une leçon peut être traduite sous forme de carte avec une sélection et une hiérarchisation des éléments.

Réfléchir

Organiser

Dans le cas d'un débat ou d'une réflexion collective autour d'une question, la consignation des idées et leur mise en relation favorisent la créativité.

Dans le cadre d'un projet, le travail peut être formalisé de manière visuelle ; cela rend plus dynamique et facile sa mise en œuvre par les participants.

www.eduscol.education.fr

Faire et présenter un schéma de connaissance

4. Lisez les deux derniers paragraphes de l'article. Complétez les informations suivantes.

a. Nom de la technique (trouvez une traduction en français)
b. Promoteur
c. Buts de la technique
d. Déroulement de la technique

5. Faites le travail de l'encadré « Réfléchissons ».

6. En petit groupe, préparez une présentation du schéma de la carte mentale. Répartissez-vous les six fonctions.

a. Expliquez les buts et les fonctions de la carte mentale.
b. Pour chaque fonction, trouvez des exemples d'application.
c. Mettez en commun votre réflexion.

7. Créez une carte mentale. Vous pouvez la construire à partir :

• d'un personnage (Shakespeare, Madonna...), d'une idée (la liberté...) ;
• d'une histoire réelle ou imaginaire (un épisode de l'histoire, un roman...) ;
• de vous-même (votre vie, vos souhaits pour l'avenir, votre personnalité).

8. Présentez votre carte mentale à la classe.

Réfléchissons... L'expression du but

• **Complétez les phrases avec les mots suivants :**
le but – l'intention – la finalité – l'objectif – l'objet – le projet
a. La formation des futurs citoyens est une des ... de l'école.
b. Ce lycée s'est donné pour ... 100 % de réussite au Bac.
c. Le ... de ce test est d'évaluer les progrès de l'élève.
d. Le lycée est trop petit mais son agrandissement est en ... .
e. En proposant des cours du soir, le collège a ... d'aider les élèves en difficulté.
f. La conférence a pour ... de présenter une nouvelle méthode.

• **Complétez les phrases suivantes en utilisant l'expression entre parenthèses.**
a. Clara prépare un doctorat. Elle donne des cours particuliers à des enfants... (*afin de + verbe à l'infinitif*)
b. Elle va à la bibliothèque... (*pour + verbe à l'infinitif*)
c. À la bibliothèque, elle fait des fiches... (*pour que + verbe au subjonctif*)
d. Elle rédige tous les jours deux pages... (*afin que + verbe au subjonctif*)
e. Elle veut soutenir sa thèse avant l'été... (*de sorte que + verbe au subjonctif*)

La séquence vidéo

L'école nationale supérieure Louis-Lumière

N° 7

Reportage dans une des grandes écoles spécialisées de l'Éducation nationale.

Décrire une école professionnelle

1. Travaillez par groupe de trois. Regardez la vidéo sans le son.

a. Faites la liste des objets et des indications écrites qui permettent d'identifier l'école.

b. Identifiez :
– le type d'établissement, son but ;
– ce qu'on y enseigne ;
– la méthode d'enseignement.

2. Regardez la vidéo avec le son. Complétez cette fiche de présentation de l'école

a. Nom de l'école
b. Date de création
c. Enseignements et formations
d. Autres activités de l'école
e. Mode d'admission
f. Nombre de places chaque année
g. Coût de la formation
h. Enseignants
i. Partenariats

3. Élizabeth est intéressée par l'École Louis Lumière. Renseignez-la.

a. C'est difficile d'entrer à l'École Louis Lumière ?
b. J'aimerais être scénariste. Ils ont cette formation ?
c. L'enseignement n'est pas trop théorique ?
d. J'espère qu'ils ont du matériel à la pointe du progrès technique.
e. Ils te mettent en contact avec des gens de la profession ?

4. a. Remettez dans l'ordre ces étapes de la réalisation d'un film.

a. On a une idée de film.
b. On écrit le scénario.
c. On fait la promotion du film.
d. On fait un casting des acteurs.
e. On fait un plan de tournage.
f. On finance le film.
g. On monte le film.
h. On projette le film dans les salles.
i. On réalise les décors et les costumes.
j. On repère les lieux extérieurs.
k. On tourne le film.

b. Dans les phrases ci-dessus, remplacez les « on » par un nom de profession.
Exemple : a. un réalisateur ou un producteur...

Céline Alvarez, enseignante dans une école maternelle de ZEP (zone difficile) a obtenu de bons résultats en mettant en pratique la pédagogie Montessori.

ⓘ Point infos

INNOVATIONS ET CONTRAINTES DANS L'ENSEIGNEMENT

Le système éducatif français est très centralisé. Le ministère de l'Éducation Nationale fixe les programmes, les horaires et les méthodes. Il assure la formation des enseignants. Ce contrôle porte non seulement sur **les écoles publiques** mais aussi sur **les écoles privées dites « sous contrat »** (15 % des établissements au niveau élémentaire et 20 % au niveau secondaire) car l'État leur verse des aides et rémunère les enseignants. Seulement environ 600 **établissements** scolarisant 50 000 élèves sont **« hors contrat »**. Ils ne reçoivent aucune aide de l'État, sont donc payants mais libres de leurs rythmes et de leurs programmes. Parmi ces derniers, on trouve des écoles religieuses et des écoles où on pratique des pédagogies alternatives.

Ces pédagogies dites « nouvelles » ou « alternatives » sont souvent inspirées de pédagogues de la première moitié du XXᵉ siècle. Qu'il s'agisse des méthodes de Maria Montessori pour les écoles maternelles ou de Célestin Freinet pour les écoles élémentaires, elles sont fondées sur l'autonomie de l'élève, son action dans le monde et la coopération entre les membres du groupe classe.

Ces pédagogies peuvent être partiellement mises en place dans les écoles publiques où privées sous contrat mais les impératifs de rythme, de programmes ainsi que les ressources matérielles empêchent souvent qu'elles le soient pleinement. Elles exigent, par ailleurs, un gros investissement des enseignants.

En mettant en œuvre une relation enseignant/élève basée sur l'écoute, la proximité et la confiance et en individualisant l'apprentissage, elles permettent souvent à des élèves en difficulté de s'en sortir.

Des écoles pas comme les autres

• Les classes orchestres

Pendant trois ans, sous la houlette d'un professeur de musique, des jeunes de 8 à 15 ans apprennent à jouer d'un instrument et forment un orchestre deux heures par semaine. L'objectif de la classe orchestre ? Réconcilier les élèves en difficulté à l'école. « En classe, le reste du programme ne change pas mais pourtant tout change », explique Marianne Blayau, déléguée générale de l'association Orchestre à l'école (il y a 1000 classes Orchestre en France). « Les élèves en difficulté reprennent confiance et leurs résultats s'améliorent. » Dans un orchestre, il n'y a plus de premier de la classe : tout le monde a sa place et toute la classe y arrive ensemble. Et vibre d'émotion et de trac pendant les quatre ou cinq représentations annuelles.

• La classe coopérative

Exit la compétition, vive l'entraide, le dialogue, l'échange d'informations dans une classe coopérative. Face à un exercice, l'élève cherche d'abord seul la solution ; puis il se regroupe avec deux autres élèves quelques minutes pour comparer les résultats et la manière dont chacun y est parvenu. À l'école élémentaire du Colibri, dans la Drôme, c'est sur ce principe qu'on aborde le programme scolaire. Mettre en mots a plusieurs atouts : clarifier son raisonnement, le reformuler auprès des autres et mieux l'intégrer. De spectateur, l'élève devient acteur de son apprentissage : s'il s'est trompé, « il a le droit de corriger son exercice à condition d'être capable d'expliquer pourquoi », précise Isabelle Peloux, fondatrice de l'école. Ensuite, chaque groupe répètera ce type d'exercice pour consolider l'apprentissage.

Anne Lamy, *Version Femina*, 23/02/2015.

• Les sociétés de compagnons

Ces associations dont l'origine remonte aux corporations des ouvriers qui construisirent les cathédrales du Moyen Âge forment des garçons et des filles de 16 ans et plus à des métiers manuels traditionnels (tailleurs de pierre, sculpteurs sur bois, tapissiers, cordonniers-bottiers, etc.).

La formation comprend trois niveaux et le passage à un niveau supérieur s'accompagne de rites traditionnels. L'apprenti suit une formation en alternance dans un établissement scolaire et dans un centre de compagnons où il loge avec d'autres apprentis. La formation se termine par un voyage en France ou dans le monde, au cours duquel il étudie les spécificités locales de son métier. Par exemple, le sculpteur sur bois ira en Savoie se perfectionner dans la sculpture au couteau. Il devra réaliser une œuvre originale, « le chef-d'œuvre ».

La philosophie des compagnons s'appuie sur des valeurs communes comme l'amour du travail bien fait, l'importance de l'expérience pratique et la transmission des savoir-faire.

Réfléchir à de nouvelles façons d'apprendre

5. Travaillez par deux. La classe se partage les trois parties de l'article « Des écoles pas comme les autres ».

a. Recherchez les informations suivantes
• À qui s'adresse cette école ou cette formation ?
• Quelle est son originalité principale ?
• Quel est son mode de fonctionnement ?
• Quels sont les buts de la pédagogie qu'elle met en œuvre ?
b. Donnez votre opinion sur l'efficacité de cette formation.
c. Présentez votre recherche à la classe. Discutez. Comparez avec des écoles ou des formations originales que vous connaissez.

6. Lisez le « Point Infos ».

a. Comparez les informations données dans le premier paragraphe avec l'organisation de l'enseignement dans votre pays.
b. Quelles sont les caractéristiques des pédagogies alternatives ?
c. Pourquoi sont-elles difficilement applicables dans l'enseignement public ?

7. Discutez. Que pensez-vous des pédagogies alternatives ? Auriez-vous aimé profiter d'un tel type d'enseignement ?

Vous réfléchirez à la façon d'améliorer un enseignement ou une formation de votre choix. Vous rédigerez vos remarques et vos propositions dans un article ou une lettre ouverte.

1 Choisissez un enseignement ou une formation.

1. Choisissez de travailler :
• sur le système éducatif de votre pays ou d'un pays que vous connaissez bien ;
• sur un niveau de la scolarité d'un enfant ou d'un adolescent : école maternelle, école primaire (élémentaire), collège, lycée ;
• sur un établissement d'enseignement supérieur : université, institut de formation, etc. ;
• sur un autre type de formation : stage professionnel, séjour linguistique, etc.

2. Regroupez-vous si vous travaillez sur le même sujet et si vous le souhaitez

2 Réfléchissez à l'évaluation.

3. Lisez le début du « Point infos » et l'article ci-dessous.
a. Comment sont évalués les élèves en France ?
b. Faites la liste des défauts de ce système dénoncé par les auteurs.
c. Que proposent les auteurs ? Comment justifient-ils cette proposition ?
d. Comparez le système d'évaluation français avec celui de votre pays.

4. Préparez et rédigez vos remarques sur l'évaluation.
a. Utilisez le plan de l'article pour réfléchir au moyen d'améliorer le système d'évaluation de l'enseignement ou de la formation que vous avez choisi.
b. Rédigez vos remarques et vos propositions.

Pour un autre système d'évaluation

Le système d'évaluation actuel vise à évaluer les progrès, le travail et le niveau de chaque élève. Pour autant, il est généralement vu comme une source d'anxiété et de découragement. En effet, il occupe une place centrale et incontestable : une note chiffrée reflète une performance et la moyenne trimestrielle tend à incarner le niveau de l'élève. Pourtant, les notes varient d'un professeur ou d'un lycée à l'autre. Cet outil, qui prend toute son importance dans les dossiers scolaires, n'est pas infaillible et ne reflète pas tout [...] Sous la pression de la société, les professeurs se sentent obligés pour être crédibles de mettre un certain pourcentage de mauvaises notes, même dans les classes de bon niveau. Avant même le passage d'un contrôle, on peut s'attendre à avoir 1/3 de bonnes notes, 1/3 de notes moyennes et 1/3 de mauvaises notes. D'où une défiance envers les professeurs, une perte de confiance en eux des élèves, un mal-être à l'école et un stress dans le milieu familial. [...] Au collège et au lycée, les nombreux outils pour évaluer les compétences

sont inutilisés [...] Avec des référentiels de compétences, les objectifs pourraient être matérialisés : savoir faire un croquis, rédiger une introduction de dissertation, maîtriser tel temps d'une langue étrangère… À « l'évaluation sanction » doit succéder « l'évaluation par contrat de confiance » pour reprendre les termes de André Antibi[1]. L'objectif étant que l'élève puisse connaître ses forces et sa marge de progression pour s'améliorer de façon linéaire dans un cadre établi.

Un tel système d'évaluation permettrait de valoriser davantage le savoir acquis, d'éviter les effets de comparaison entre élèves où les derniers de la classe sont souvent dévalorisés et entraînés vers l'échec. La notation porterait alors sur le progrès entre chaque devoir, augmentant la motivation de chacun et permettant de prendre en compte les acquis.

Arthur Moinet et Eliott Nouaille,
L'Alternative lycéenne, ESF Sciences humaines, 2016.

---

1. chercheur en didactique.

3 Donnez votre avis sur les bons rythmes scolaires.

5. Lisez la partie du « Point Infos » consacrée aux rythmes scolaire.
N° 27 Écoutez ce micro-trottoir sur le sujet.

a. Notez les remarques des personnes interrogées dans le tableau.

périodes \ niveaux	école maternelle ou primaire	collège	lycée
année scolaire			
semaine			
journée			

b. Comparez les rythmes scolaires français avec ceux de votre pays.

6. Préparez et rédigez vos remarques sur les rythmes scolaires.

a. Faites la liste des points positifs et négatifs de l'organisation dans le temps de l'enseignement ou de la formation que vous avez choisi.
b. Rédigez vos remarques et vos propositions.

4 Améliorez les programmes.

7. Écoutez. La présidente d'une association de parents d'élèves
N° 28 fait le compte rendu d'une réunion sur les programmes. Notez les remarques qui concernent :

a. les thèmes abordés dans les différentes matières.
b. le volume de connaissances qu'il faut acquérir.
c. la progression.
d. l'importance donnée à certaines matières.

8. Préparez et rédigez vos remarques sur le programme de l'enseignement ou de la formation que vous avez choisi.

5 Faites d'autres propositions.

D'autres sujets de réflexion peuvent être abordés.
• Faut-il faire redoubler les élèves qui n'ont pas atteint le niveau à la fin de l'année ?
• Les établissements scolaires doivent-ils être autonomes ?
• Etc.

6 Présentez vos réflexions à la classe.

(i) Point infos

ÉVALUATION ET RYTHMES SCOLAIRES

• L'évaluation

De l'école primaire jusqu'à l'enseignement supérieur, les élèves français sont généralement notés de 1 à 20. Il existe des référentiels de compétences mais ils ne sont utilisés que pour faire les bilans de fin d'année. Pour les enseignants, la notation de 1 à 20 permet de mieux différencier les progrès.

• Les rythmes scolaires

Jusqu'en 2014, **les enfants de 3 à 11 ans** allaient à l'école 4 jours par semaine de 8 h 30 à 11 h 30 et de 13 h 30 à 16 h 30. Sous le quinquennat de François Hollande (2012-2017), la journée d'école a été légèrement raccourcie au profit d'activités plus récréatives afin de tenir compte de la fatigue des élèves en fin de journée. Mais certaines écoles rurales se heurtent à des problèmes d'organisation. Le projet d'Emmanuel Macron prévoit de laisser une certaine liberté aux écoles dans la gestion du temps scolaire.

Au collège, les enfants travaillent en général 4 jours et demi par semaine avec des horaires variables de 8 h 30 à 11 h 30 et de 13 h 30 à 16 h 30.

Au lycée, les élèves travaillent au moins 27 heures par semaine. La multiplication des options aboutit quelquefois à des emplois du temps peu cohérents (sport à 8 h le matin et math à 17 h, trou de deux heures en milieu de matinée).

L'année scolaire commence le 1er septembre et se termine dans les premiers jours de juillet. Elle est coupée par 3 périodes de 15 jours de congés : vacances de Toussaint (début novembre), de Noël (autour du 25 décembre), d'hiver et de printemps (dites aussi « vacances de Pâques »). Ces deux dernières périodes sont étalées selon trois zones géographiques afin d'éviter que les stations de sports d'hiver soient saturées. Il en résulte, pour certaines zones, des départs en vacances seulement 4 semaines après la rentrée des congés de Noël.

Les trimestres sont déséquilibrés, notamment le dernier à cause des examens de fin d'année et du mois de mai. Le nombre de journées travaillées en mai peut être réduit à 16 en raison des différents jours fériés qui, lorsqu'ils sont proches d'un week-end, s'enchaînent avec ce dernier. On dit alors qu'on fait « le pont ».

Les universités et les écoles et instituts de formation ont leurs rythmes propres.

COMPARER

I. Exprimer la ressemblance, la similitude
– *Louise a l'esprit d'entreprise,* **comme (ainsi que... de même que...)** *Thomas.*
– *Ils ont* **la même** *formation. Leurs parcours professionnels sont* **pareils (identiques)**.
– *Louise est conciliante* **tel** *un diplomate.*
– *Ils* **se ressemblent**. **On dirait** *qu'ils sont frère et sœur.*

2. Exprimer l'égalité
• **Constructions comparatives**
– *Louise est* **aussi** *douée* **que** *Thomas.*
– *Elle parle* **aussi** *bien* **que** *lui.*
– *Elle a* **autant de** *diplômes* **que** *lui.*
– *Elle travaille* **autant que** *lui.*
– *Professionnellement, elle est l'***égale** *de Thomas.*
– *Elle prend des décisions* **au même titre que** *Thomas.*

3. Exprimer la différence
– *Louis et Rémi sont compétents mais ils sont* **différents.**
– *Louis a l'expérience* **en plus**. *Il a l'intuition* **en moins**.
– *Louis est à l'aise* **plutôt** *avec le public* **que** *dans la gestion du service.*

4. Exprimer la supériorité
• **Constructions comparatives**
– *Paul est* **plus** *sociable* **que** *Marianne.*
– *Il parle* **plus** *clairement.*
– *Il a* **plus de (davantage de)** *contacts* **qu'***elle.*
– *Il dialogue* **plus (davantage)** *avec le personnel.*

• **Comparatifs irréguliers**
– bon → **meilleur** – *Paul est un* **meilleur** *communicant.*
– mauvais → **pire** – *Marianne est une mauvaise communicante mais Sébastien est* **pire qu'***elle.*

• **Constructions superlatives**
– *Paul est* **le plus** *à l'aise en public. C'est* **le meilleur** *communicant de l'entreprise.*
– *Sébastien est* **le pire** *communicant de l'entreprise.*
– *Il est* **supérieur à (au-dessus de)** *Marianne face à la clientèle. Son influence est* **prédominante (prépondérante)**. *Il la* **dépasse**.

5. Exprimer l'infériorité
• **Constructions comparatives**
– *Paul est* **moins** *inventif* **que** *Marianne.*
– *Il réfléchit* **moins** *vite.*
– *Il a* **moins d'***idées originales* **qu'***elle.*
– *Il invente* **moins.**

• **Constructions superlatives**
– *Paul est* **le moins** *créatif de tous les employés.*
– *En matière de créativité, il est* **inférieur à (au-dessous de)** *Marianne. Sa participation aux créations est* **moindre**.

6. Exprimer des progressions parallèles
• **plus ... plus (meilleur) / moins**
***Plus** Agnès fait de conférences,* **plus** *elle y prend plaisir,* **moins** *elle a le trac.*

• **au fur et à mesure que**
***Au fur et à mesure que** la tournée de conférences se déroule, elle progresse.*

• **d'autant plus / moins que**
Elle s'exprime **d'autant mieux qu'***elle fait beaucoup de conférences.*

• **autant... autant...**
***Autant** Paul est bon communicant,* **autant** *Marianne n'a pas le sens des contacts.*

EXPRIMER LE BUT, LA FONCTION, LE MOYEN

1. Le but
• **Le but** d'un exercice – **la finalité** d'une politique – **l'objectif** d'une réunion – **l'objet** d'une visite – **le projet** du gouvernement – **l'intention** du ministre
• *Cette formation* **a pour but** *la gestion des conflits.* – *Elle* **vise à... (Elle cherche à...)** *apprendre aux dirigeants à faire face aux conflits.*
La direction **envisage (projette)** *plusieurs stages de ce type.*
• *L'entreprise organise ce stage pour* **(afin de... de façon à...)** *préparer les dirigeants.*
Le stage est conçu **pour que... (afin que... de façon à ce que...)** *les dirigeants soient préparés à affronter les conflits.*

2. la fonction
• **La fonction** du stage – **le rôle** de l'animateur – **l'intérêt** de l'exercice
• *La carte mentale* **sert** *à mémoriser les cours. Elle* **a pour fonction** *de clarifier un problème.*
Elle **aide** *à préparer un exposé.*

3. Le moyen
• **Le moyen** de s'améliorer – **la méthode** pour gérer les conflits – **la façon** de négocier – **la manière** d'aborder les questions difficiles – **la solution** pour réussir – **le truc** (fam.) pour briser la glace
• *On peut faire un exposé **à l'aide d'**... **(au moyen d'**... **grâce à...)** un Powerpoint.*
*Les étudiants ont préparé l'exposé **avec le concours d'**un spécialiste.*
• *Cet exercice **favorise (facilite)** la prise de parole. – Il **contribue à** améliorer la gestion des réunions.*

PARLER DES COMPÉTENCES

1. Les compétences intellectuelles et techniques
L'intelligence – être intelligent/bête – brillant/sans personnalité – doué/stupide – vif/lent
Le talent – avoir du talent
La réflexion – l'esprit critique – être réfléchi/distrait, étourdi – raisonnable/excentrique – être attentif – se concentrer sur un problème – réfléchir – raisonner
L'intuition – avoir une intuition – deviner – anticiper – prévoir
La méthode – être méthodique/brouillon – avoir le sens de l'organisation – être organisé
La créativité – être créatif, imaginatif, ingénieux, inventif – créer – imaginer – inventer – innover

2. Les compétences relationnelles
L'esprit d'équipe – avoir le sens des contacts – avoir de l'empathie – coopérer (être coopératif) – collaborer
Le management – savoir diriger, décider – avoir de l'autorité – être un bon gestionnaire
La négociation – savoir discuter – négocier – chercher un accord – être conciliant/dur, intraitable
Le sens du service – avoir le sens du service – être assidu – être dévoué – observer les règles – obéir – être loyal – être souple – savoir s'adapter

PRÉSENTER UN SYSTÈME ÉDUCATIF

1. Les établissements scolaires et le personnel
Le ministère de l'Éducation nationale – le ministre – les conseillers – les inspecteurs – les enseignants – les surveillants – les administratifs
un établissement public/privé (sous contrat)
• **L'enseignement primaire :** une école maternelle (la petite/moyenne/grande section) – une école élémentaire
le cours préparatoire (CP) – le cours élémentaire (CE) – le cours moyen (CM) – un professeur des écoles
(un instituteur/une institutrice)
• **L'enseignement secondaire :** un collège (les classes de 6e, 5e, 4e, 3e) – un lycée (les classes de seconde, première, terminale) – un lycée d'enseignement général/technique/professionnel – un professeur – le principal du collège – le proviseur du lycée
• **L'enseignement supérieur :** une université – une grande école (l'École polytechnique – l'École nationale d'administration (ENA) – l'École normale supérieure – l'École centrale) – un centre de formation – un institut

2. Les matières et les programmes
• **Les cours** – *Madame Dupont enseigne la géographie. – Elle donne les cours de géographie. – Elle fait cours aujourd'hui. – J'ai cours de géographie. – Je vais en cours.*
faire un devoir – rendre le devoir au professeur – *Le professeur rend les copies demain.* – noter (une note) – avoir une bonne/mauvaise note – avoir la moyenne – *J'ai un point de plus qu'au dernier devoir.*
un cours obligatoire/facultatif – une matière obligatoire/à option (optionnelle) – les travaux dirigés (TD) – les travaux pratiques (TP)
• **Un programme** chargé/léger/allégé – faire le programme de biologie
• **Les rythmes scolaires** – un emploi du temps adapté/trop chargé

1. COMPARER DES QUALITÉS, DES QUANTITÉS ET DES ACTIONS

Complétez avec une expression de comparaison (plus..., aussi/autant..., etc.).

Bilan de l'année en français	Malika	Thomas	Fanny
Dissertation	15	15	10
Nombre d'exposés	2	3	2
Note en exposé	12	18	15
Participation en classe	+	+	+++

a. Malika a eu une ... bonne note que Thomas en dissertation.
b. En dissertation, Thomas a eu une ... note que Fanny.
c. C'est Thomas qui a fait ... d'exposés. C'est lui qui a eu ... note en exposé.
d. Malika a fait ... d'exposés que Fanny mais elle a eu une ... bonne note.
e. Malika participe ... en classe ... Thomas. Mais c'est Fanny qui participe ... .

2. COMPARER AVEC UNE IDÉE DE PROGRESSION

Reformulez les phrases en utilisant l'expression entre parenthèses.

Une étudiante qui promet
a. Les années passent. Héloïse s'intéresse davantage à ses études. *(au fur et à mesure que...)*
b. Elle devrait réussir. Raison supplémentaire : ses parents l'aident. *(d'autant plus que...)*
c. La date du concours approche. Elle travaille davantage. *(plus... plus...)*
d. Elle passe beaucoup de temps à la bibliothèque. Elle voit moins ses amis. *(plus... moins...)*
e. Elle sort peu. Elle travaille beaucoup à l'approche du concours. *(d'autant moins que...)*
f. Avant, elle sortait tous les soirs. Aujourd'hui, elle reste dans sa chambre. *(autant... autant...)*

3. UTILISER LES EXPRESSIONS AVEC « « PLUS » ET « MOINS »

Complétez avec les expressions du tableau.

Anaïs, une jeune violoniste, a fait un stage de musique orchestrale.
Un ami : Alors, ce stage ?
Anaïs : Super ! ... on était dans une région magnifique et il a fait beau.
L'ami : Tu as toujours envie de jouer dans un orchestre ?
Anaïs : ... Je fais un autre stage dans trois mois.
L'ami : Vous étiez nombreux ?
Anaïs : Je n'ai pas compté mais je crois qu'on était ... 50.
L'ami : Tu as apprécié les autres violonistes ?
Anaïs : ... . Ils n'étaient pas très chaleureux. J'ai plutôt sympathisé avec les cuivres. Eux, ..., ils aimaient rire.
L'ami : Il a coûté cher, ce stage ?
Anaïs : Pas vraiment. J'ai dépensé ... 500 €.

> au moins – de plus en plus – en plus –
> plus ou moins – sans plus – tout au plus

4. EXPRIMER LE BUT

Un journaliste a visité une classe coopérative et a pris des notes. Rédigez chaque note en utilisant l'expression de but entre parenthèses.

a. classes coopératives → compréhension mutuelle entre les élèves *[le but]*
b. tables regroupées en carré → dialogue entre les élèves *[afin que]*
c. professeur non directif → élèves qui construisent eux-mêmes leurs connaissances *[de façon à]*
d. élèves autorisés à parler → échanges de conseils *[pour que]*
e. travail d'équipe → entraide *[favoriser]*
f. réalisations collectives → motivation *[contribuer à]*

5. LES CONSTRUCTIONS AVEC DEUX PRONOMS AUX TEMPS COMPOSÉS

Travaillez vos automatismes.

N° 29 *Coup de main entre étudiants*
a. « le, la, les » + « lui, leur »
• Tu as dit au professeur que Geoffrey était malade ?
– Je le lui ai dit.
• Tu as dit aux copains qu'il était malade ? ...

b. « me, te, nous, vous » + « le, la les, en »
• Geoffrey t'a prêté sa voiture pour déménager ?
– Il me l'a prêtée.
• Est-ce qu'on t'a donné des cartons ? ...

UNITÉ 8

S'INTÉGRER
DANS UNE RÉGION

1 **DÉCRIRE DES LIEUX ET LEUR HISTOIRE**
- Raconter l'histoire d'un lieu
- Faire une visite guidée
- Raconter une légende

3 **COMPRENDRE LA RÉGIONALISATION**
- Connaître l'histoire du territoire de la France
- Débattre sur la régionalisation
- Faire un compte rendu de débat

2 **DÉCOUVRIR LA GASTRONOMIE**
- S'informer sur les produits locaux
- Choisir un restaurant

4 **CONNAÎTRE L'IDENTITÉ D'UNE RÉGION**
- Présenter les caractéristiques d'une région
- Découvrir les pouvoirs locaux
- S'approprier les clichés et les idées reçues

PROJET

DÉFENDRE UN LIEU OU UN OBJET DU PATRIMOINE

Ici, s'est jouée l'histoire de France

L'Histoire est une passion hexagonale. Selon un récent sondage, 85 % des Français se déclarent intéressés, voire fascinés par le passé – ils plébiscitent les personnalités associées à « une certaine idée de la France », de Napoléon Ier à de Gaulle, de Jeanne d'Arc à Marie Curie. Autant d'heureux qui pourront assouvir leur soif de culture lors des prochaines Journées européennes du patrimoine, les 17 et 18 septembre. Dédiées cette année à la citoyenneté, elles offrent à découvrir (gratuitement, la plupart du temps) les trésors de notre patrimoine, habituellement fermés au public ou peu fréquentés [...]

Le château de Villers-Cotterêts, berceau de l'état civil (1539)

En août 1539, le roi de France François Ier (1494-1547) signe à Villers-Cotterêts (Aisne), à 80 kilomètres au nord de Paris, une ordonnance qui pose les premières pierres de la citoyenneté française. L'un de ses articles institue ce qui deviendra l'état civil, en exigeant des curés qu'ils enregistrent par écrit les baptêmes dans leur paroisse. Un autre établit que tous les actes légaux et notariés seront désormais rédigés en français et non plus en latin, afin d'être compris de tous.

François Ier séjourne régulièrement au château de Villers-Cotterêts, qu'il surnomme « Mon plaisir ». Il en a imaginé les plans de manière à pouvoir y pratiquer ses loisirs préférés : une vaste salle de réception, une autre pour le jeu de paume (l'ancêtre du tennis est alors très en vogue) et surtout, un accès direct à cette forêt « excédant en grandeur toutes celles de France » pour s'adonner aux joies de la chasse… Aux XVIIᵉ et XVIIIᵉ siècles, les ducs d'Orléans en deviennent propriétaires, y recevant Louis XIV ou Molière. Le château conserve aujourd'hui un bel ensemble de pierres sculptées et son parc, dessiné par Le Nôtre, a préservé les grandes lignes de sa composition d'époque.

Laurence Beauvais, *Le Parisien Magazine*, 09/09/2016.

Comprendre l'histoire d'un lieu

1. Lisez l'extrait de l'article du *Parisien*.

a. À quelle occasion cet article a-t-il été écrit ? En quoi consiste cette manifestation ?
b. Quel goût des Français révèle cette manifestation ?
c. Pourquoi le château de Villers-Cotterêts est-il une bonne illustration du titre de l'article ?
d. Quels autres lieux pourraient illustrer cet article ?
Mettez en commun vos connaissances.

2. Quelle information l'article nous donne-t-il sur :

a. la situation du château ?
b. son origine ?
c. son histoire ?
d. son architecture ?
e. l'événement important qui s'y est produit ?

Faire une visite guidée

3. Écoutez. Une guide vous fait visiter le château de Villers-Cotterêts. Retrouvez l'ordre du déroulement de la visite. Retrouvez le parcours sur la photo 1.

N° 30

a. la chapelle
b. la cour du jeu de paume
c. la façade du logis royal
d. la grande cour
e. la porte et le passage voûté
f. les communs
g. la salle de réception
h. le grand escalier
i. les appartements royaux
j. la salle de la signature de l'ordonnance

4. Réécoutez le début de la visite. Complétez l'histoire du château.

N° 30

a. Avant 1532...
b. De 1532 à 1539...
c. Au XVIe siècle...
d. Entre le XVIe et la Révolution de 1789...
e. Pendant la Révolution...
f. En 1806...
g. Jusqu'en 2014...
h. Aujourd'hui...

5. Réécoutez la suite de la visite. Notez les explications que le guide donne sur certains lieux.

N° 30

Exemple : *les communs → logement du personnel, écuries, etc.*

6. Rédigez un commentaire pour chaque photo.

RACONTER UNE LÉGENDE

La chapelle de Tell en Suisse

Au XIVe siècle, le seigneur Gessler avait fait planter sur la place du village un poteau surmonté de son chapeau, obligeant les **habitants à se prosterner** quand ils passaient devant.

Ayant refusé de se plier à cet ordre ridicule, Guillaume Tell est condamné par Gessler à couper en deux avec une flèche une pomme placée sur la tête de son fils.

Il réussit mais provoque la colère de Gessler **en lui disant** qu'en cas d'échec il se serait vengé.

Condamné par Gessler, Guillaume Tell est conduit vers une prison située de l'autre côté du lac des Quatre-Cantons.

Juste avant que la barque n'accoste, **profitant d'une tempête sur le lac,** il saute sur une pierre (la Tellsplatte) et repousse la barque qui est emportée par la tempête.

Édifiée en 1388 au bord du lac à l'emplacement de la célèbre pierre, une chapelle commémorait cet épisode légendaire. **Ayant été détruite,** elle a été reconstruite en 1880.

7. Lisez la légende de la chapelle de Tell. Faites le travail de l'encadré « Réfléchissons ».

8. Regroupez les phrases suivantes en utilisant des propositions participes et la forme « *en* + participe présent ».

La légende de la fontaine de Barenton en Bretagne

a. La fontaine de Barenton est située dans la forêt de Brocéliande. Elle est devenue célèbre. Elle a produit des miracles.

b. Viviane, la fille d'un petit seigneur se promenait dans la forêt. Elle rencontre le magicien Merlin.

c. Merlin est fasciné par la beauté de Viviane. Il tombe amoureux d'elle. Il lui révèle ses secrets de magie.

d. Merlin construit pour Viviane un château au fond d'un lac. Puis, il disparaît. Il rend Viviane malheureuse.

e. Viviane use de sa magie pour garder Merlin auprès d'elle. Elle l'emprisonne dans un arbre.

9. Présentez à la classe un lieu de légende. Racontez brièvement la légende qui y est rattachée.

Réfléchissons... Les propositions participes

• Dans la légende de la chapelle de Tell, observez les propositions en gras. Distinguez les propositions construites :
– avec un participe passé ;
  avec un participe présent ;
– avec « en » + participe présent.
Trouvez les deux propositions participes au passé. Observez leur construction.

• Donnez le sens de ces propositions.
  Elle caractérise une personne ou une chose.
– Elle donne les circonstances d'une action (cause, conséquence, simultanéité, etc.).

• Complétez les phrases suivantes selon l'instruction.
a. Guillaume Tell refuse d'obéir à Gessler... *(exprimez la conséquence)*
b. Il est devenu un symbole de liberté... *(exprimez la cause)*

La séquence radio

Au marché de Poitiers

Le journaliste Benjamin de Haut visite le marché de Poitiers et se fait présenter quelques spécialités régionales.

N° 31

S'informer sur les produits locaux

1. Faites une première écoute du reportage.

a. Dans quel ordre parle-t-on des produits ci-dessus ?
b. Quels produits mentionnés dans le reportage ne sont pas sur les photos ?

2. Réécoutez le début du reportage. Complétez ces informations sur la ville de Poitiers.

a. Situation en France
b. Nombre d'habitants
c. Caractéristiques et surnom
d. Situation du marché dans la ville

3. Approuvez ou corrigez ces informations sur les produits décrits dans le reportage.

a. Le broyé du Poitou
1. C'est une pâtisserie faite seulement avec de la farine et du sucre.
2. On la sert dans les grandes occasions.
3. On la coupe facilement.
4. On peut y ajouter de l'angélique confite ou de la framboise.

b. Le macaron de Montmorillon
1. C'est une pâtisserie dont la recette est très ancienne.
2. C'est à base de blanc d'œuf, de sucre et de poudre d'amande.
3. On en trouve avec d'autres ingrédients que l'amande.
4. On ne le mange qu'au dessert.

c. Le farci poitevin
1. C'est un pâté à base de viande de bœuf et d'herbes (salade verte, oseille).
2. On le mange chaud.
3. Il accompagne les plats de viande.
4. On ne le trouve qu'à Poitiers.

d. Le Chabichou
1. C'est un fromage au lait de vache.
2. Il a la forme d'une galette ronde.
3. On peut le consommer dès qu'il est fait ou le laisser s'affiner.

4. Complétez après avoir réécouté la fin du reportage.

Sur le stand de Marylène, on trouve :
a. des miels de fleurs, de...
b. des huiles de...
c. des vinaigres...

5. Testez votre connaissance des produits régionaux. Associez chaque région, ville ou village à sa spécialité.

a. Camembert
b. le Charolais
c. Évian
d. Le Mans

e. Le Puy
f. Montélimar
g. le Périgord
h. Roquefort

i. Saint-Emilion
j. Sauternes
k. Strasbourg
l. la Bresse

1. l'eau	**5.** le foie gras	**8.** le poulet
2. la saucisse	**6.** le fromage	**9.** le vin
3. la viande	**7.** le nougat	**10.** les lentilles
4. les rillettes (pâté de volailles)		

6. Présentez une spécialité de votre région en suivant les étapes de présentation de l'encadré.

Mieux s'exprimer

• Le moment du repas
C'est une entrée... un plat... un dessert...
On le sert (consomme... déguste...) cuit/cru/mi-cuit.
On le sert pour accompagner... .
On l'accompagne de... .

• Les ingrédients
C'est fait avec... C'est à base de... C'est composé de...

• La préparation
C'est cuisiné (fait... cuit... frit...) à la poêle, à la cocotte, au gril, à la plancha, à la broche, à la vapeur, au bain-marie...

Où manger à La Rochelle ?

• *Le P'tit Bleu : sur le port, quai des Sardiniers (cours des Dames). Tél : 05-46-28-32-65. Ouverture aléatoire, midi et/ou soir, parfois non stop, en saison, quand il fait beau !... Assiettes env. 7-11€.*

Certes, le cours des Dames ne brille pas par la qualité de ses restos, mais cette barque de pêcheur située sur le quai est convenable. On règle d'abord sa commande chez cet ostréiculteur-proprio, puis on attend face aux bateaux, assis à l'une des tables dignes d'une dînette, les pieds sur l'eau... Moules, huîtres, crevettes, couteaux, sardines *à la plancha* à prix abordable.

• *Le Comptoir Saoufé : 12 rue du Port. Tél : 05-46-29-58-69. lecomptoirsaoufe@gmail.com. Tlj 11h30–15h, 18h30–23h (service continu w-e). Assiettes et tapas charentais 5,50-25,90 € ; formules 14,50-20,80 €*

3 tables dans la rue piétonne qui dégringole vers le port et à peine plus à l'intérieur. Ni vraiment bar, ni vraiment resto, ce comptoir gourmand nous a séduits par la qualité des produits proposés et par la gentillesse de l'accueil. Les producteurs locaux ont été soigneusement sélectionnés, et l'on se prend l'envie de tout goûter, de tout partager. Parfait pour les petites et grandes fringales ou à l'heure de l'apéro. Fruits de mer, rillettes de sardines maison, soupes de poisson, de crustacé ou de salicorne, terrines d'escargot ou d'autruche, charcuterie, fromage, à arroser par exemple d'un bon petit chardonnay naturel de l'île d'Oléron...

• *Les Flots : 1 rue de la Chaîne. Tél : 05-46-41-32-51. contact@les-flots.com. Tte l'année, tlj. Menus 30,50-78 € ; carte 57-88 €*

La famille Coutanceau règne depuis quelques décennies sur la gastronomie rochelaise. C'est aujourd'hui le fils, Grégory, qui perpétue la tradition, avec talent et esprit créatif. Que ce soit ici, à l'adresse historique, familiale et gastronomique ou dans son bistrot *L'Entracte*. Spécialités de poisson bien maîtrisées et originales (turbot sauvage crousti-moelleux...). Cadre marin très agréable, au pied de la célèbre tour de la Chaîne. Terrasse avec vue imprenable sur les tours et le port. Le soir, c'est tout simplement magique ! Le chef propose, en outre, des cours de cuisine, avis aux amateurs !

Le Routard « Les Charentes 2017/2018 », Hachette.

Choisir un restaurant

7. Lisez l'extrait du guide touristique. Des amis qui vont à La Rochelle vous demandent de les aider. Conseillez-les.

a. C'est quoi, à La Rochelle, le restaurant connu où il faut avoir dîné ?
b. J'ai une envie terrible de coquillages. Tu ne connais pas un coin sympa ?
c. Il faut que je sois à la gare à 13 h. J'aimerais manger quelque chose avant.
d. Je voudrais emmener Alice au restaurant mais elle n'aime pas beaucoup les coquillages ni les poissons.
e. Pour l'anniversaire de Patrick, je voudrais lui offrir un bon dîner dans un super cadre.
f. J'aimerais bien déguster des huîtres chez un producteur local.

8. Travaillez par groupe de trois. Relevez et classez les aliments cités dans l'extrait du Guide du Routard. Complétez les listes en mettant en commun vos connaissances.

9. Ecrivez. Une amie française vous envoie ce courriel. Répondez-lui en donnant quelques informations sur :

– la situation du restaurant ;   – le cadre ;
  ce qu'on y mange ;   l'accueil.

Salut...
Je viens dans ta ville pour rencontrer un client. Je voudrais l'inviter au restaurant. Tu connaîtrais un endroit sympa, pas trop chic, pas trop banal non plus ?

Connaître l'histoire du territoire de la France

1. Lisez le « Point infos ». Approuvez ou corrigez les phrases suivantes.

a. La France s'est constituée au IVe siècle, après la chute de l'Empire romain.

b. Jusqu'en 1789, la France a été une monarchie.

c. Pendant la Révolution, la France a été administrativement divisée pour être mieux unifiée.

d. Les dirigeants de la France, qu'ils soient rois, empereurs, révolutionnaires ou présidents ont toujours poursuivi une œuvre commune, l'unification.

e. Jusqu'au début du XXe siècle, dans certaines régions, on communiquait couramment dans des langues différentes du français.

2. Présentez brièvement l'histoire du territoire de votre pays en utilisant le vocabulaire ci-dessous (voir aussi la page « Outils », page 128).

> • Le pays a été fondé...
> • Les territoires ont été annexés... rattachés... regroupés...
> • À la suite de la guerre, le pays a perdu...
>   Il a conquis (conquérir)... Il a reconquis...
> • Le pays a été unifié... Les pouvoirs ont été centralisés/décentralisés...
> • La région est dépendante de... /autonome...

Débattre sur la régionalisation

 3. Travaillez en petit groupe. Lisez les quatre extraits du débat organisé par *L'Express* page 123.

a. Associez chaque question à un extrait du débat.

1. Les Français sont-ils favorables à l'autonomie des régions ?
2. L'État n'est-il pas responsable des revendications régionalistes ?
3. Le régionalisme n'est-il pas un danger pour l'unité du pays ?
4. Si certaines régions ont leur indépendance, les autres ne risquent-elles pas d'en souffrir ?

b. Relevez les arguments :

1. expliquant le désir d'autonomie de certaines régions.
2. favorables à la régionalisation.
3. défavorables à la régionalisation.

 4. La classe organise un débat pour ou contre la régionalisation et l'autonomie des régions dans les pays connus des étudiants.

Au cours du débat, notez les arguments pour faire l'exercice 6.

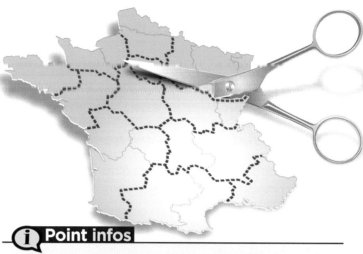

(i) Point infos

DES PROVINCES AUX RÉGIONS

• La France des provinces

Jusqu'au Xe siècle, le royaume de France n'était qu'un petit territoire autour de Paris. Par héritages, mariages, annexions ou achats, les rois qui se sont succédés ont agrandi leur domaine jusqu'à en faire, au XVIe siècle, un espace qui ressemble à la France actuelle. Toutefois, ces **provinces** qui entraient dans la couronne de France allaient longtemps garder leurs langues, leurs traditions et même une grande autonomie.

• La centralisation

À partir du XVIe siècle, les régimes successifs vont centraliser les pouvoirs pour unifier le pays. L'édit de Villers-Cotterêts est un premier acte d'unification linguistique. Les monarchies absolues des XVIIe et XVIIIe siècles brisent les pouvoirs des grands seigneurs. La Révolution de 1789 abolit la monarchie. Elle divise la France en 85 départements (aujourd'hui 101) et uniformise les lois pour l'ensemble du pays. Elle poursuit donc cette œuvre unificatrice qui nécessitera plus d'un siècle pour être totalement mise en œuvre.

• La régionalisation

Néanmoins, au XXe siècle, les identités régionales perdurent et revendiquent leur droit à s'affirmer. Elles peuvent avoir des raisons économiques ou culturelles. Elles peuvent être portées par des valeurs de droite (dans l'entre-deux-guerres) comme de gauche (mouvements pour les cultures régionales des années 1970).

En 1982, François Mitterrand fait voter une loi de décentralisation qui donne de nouvelles compétences et de nouveaux moyens aux 21 régions créées par la loi de régionalisation de 1972.

Aujourd'hui, les identités culturelles régionales ont tendance à s'effacer sous l'effet de la mobilité et de l'uniformisation médiatique. Le remodelage du pays en **13 régions**, effectué en 2015, a pour but de constituer de grands pôles économiques viables et compétitifs.

LE RÉGIONALISME, UNE CHANCE OU UN RISQUE

Dans certains pays d'Europe, des régions revendiquent plus d'autonomie, voire leur indépendance. Au même moment, la France, pays qui reste très centralisé, regroupe ses régions administratives pour en faire de grands ensembles économiques. N'y a-t-il pas un risque ? L'hebdomadaire L'Express a interrogé Laurent Davezies et Dominique Reynié, deux professeurs de sciences politiques. Extraits de leurs interventions.

• **D.R.** Pourquoi voir l'attachement régional comme un problème ? Jusque dans les années 70, ces sensibilités culturelles régionales pouvaient porter une revendication identitaire contestant des cultures nationales fortes, claires, triomphantes. Aujourd'hui, elles constituent l'une des réponses au grand malaise existentiel provoqué par la globalisation et la fragilisation des cultures nationales. N'y voyons pas une menace contre la culture nationale, mais plutôt un supplément d'identité bienvenu. L'histoire de notre pays est autant l'histoire de ses territoires, de ses cultures, de ses peuples, de ses langues, que l'histoire de la nation depuis qu'elle a été proclamée, beaucoup plus récemment.

• **L.D.** Les Français ne remettent pas fondamentalement en cause le cadre de l'État nation. Du moins pour le moment. Le pays a broyé, parfois violemment, les identités régionales. Il y a de bonnes raisons de s'en plaindre mais, d'un autre côté, cela a permis aux Français d'avoir aujourd'hui un usage assez indifférencié du territoire. Naître en Bretagne, étudier à Paris, travailler dans le Nord, cela ne pose pas de problème. Ce n'est pas le cas au Royaume-Uni, en Espagne ou en Allemagne.

• **L.D.** Les régions riches paient beaucoup pour les régions pauvres au travers des budgets publics et sociaux […] Les régions européennes les plus riches n'ont jamais été déficitaires. D'où la volonté, aujourd'hui, de nombreuses régions riches – l'Italie padane, la Catalogne, la Flandre – de ne plus contribuer, de ne plus payer. Voire de demander leur indépendance.

• **D.R.** Désormais, la dépense publique absorbe 57 % de la richesse nationale, tandis que nos concitoyens ont le sentiment que les services rendus par l'État sont moins performants que jamais. L'emprise croissante – voyez le niveau des prélèvements obligatoires ! – ne se réalise pas au bénéfice de l'Auvergne, du Languedoc-Roussillon, du Midi-Pyrénées ou de la Bourgogne, mais au profit de Paris. La société civile doute maintenant non seulement des capacités de l'État, mais aussi de sa bienveillance. Si l'égoïsme régional monte en Europe, il est d'abord le fait d'un appareil d'État de plus en plus défaillant.

Franck Dedieu, www.lexpress.fr, 27/06/2015.

Faire un compte rendu de débat

5. Lisez l'article ci-contre. Faites le travail de l'encadré « Réfléchissons ».

> **Réfléchissons... Rapporter des paroles prononcées dans le passé**
>
> • **Dans l'article ci-contre, retrouvez les phrases qui ont été prononcées au cours du débat.**
> **Observez l'emploi des temps des paroles rapportées.**
> **Exemple :** « ...certains participants ont dit qu'ils se sentaient plus proches de Marseille... »
> Phrase prononcée → « Je me sens plus proche de Marseille... »
> Phrase rapportée → à l'imparfait
>
> • **Les phrases suivantes ont été prononcées il y a un mois. Rapportez-les.**
> **Exemple :** Elle a dit qu'il faisait beau.
>
> **a.** Il fait beau.
> **b.** Hier, il pleuvait.
> **c.** Nous sommes restés à la maison.
> **d.** Nous allons sortir.
> **e.** Nous irons au parc.
> **f.** Est-ce que Paul vient ?
> **g.** Paul, prends ton chapeau !

6. Rédigez un compte rendu du débat organisé dans l'activité 4.

Villeneuve – Réunion sur le redécoupage des régions

La municipalité a organisé une réunion publique d'information sur notre insertion dans une nouvelle région englobant Languedoc-Roussillon et Midi-Pyrénées. Cette réunion a été suivie d'un débat. Au cours du débat, certains participants ont dit qu'ils se sentaient plus proches de Marseille que de Toulouse, que notre ville et sa région avaient été dans le passé sous l'influence de la Provence. Ils ont rappelé que nos arrière-grands-parents parlaient le provençal et qu'aujourd'hui encore nos traditions n'avaient rien à voir avec celles du Sud Ouest. Ils se sont par ailleurs demandé si l'administration ne serait pas plus lourde qu'auparavant.

La majorité des participants a cependant approuvé le regroupement. Ils ont souligné que la grande région constituerait un grand pôle économique. Ils ont affirmé que dans 10 ans, on verrait les avantages de la nouvelle région.

Le maire a demandé aux participants s'ils avaient choisi le nom de la nouvelle région. La plupart ont répondu qu'ils étaient favorables à « Occitanie »

La séquence vidéo

La Bretagne, une région française

N° 8

Un Breton, Brieuc Legoff présente sa région.

Présenter les caractéristiques d'une région

1. Regardez le reportage sans le son. Travaillez en petit groupe.

a. D'après les images, faites la liste des sujets abordés dans le reportage.

b. Répartissez-vous les sujets. Visionnez à nouveau le reportage sans le son. Faites la liste des images relatives au sujet que vous avez choisi.

c. Mettez en commun vos observations.

2. Regardez le reportage avec le son.

a. Que dit-on à propos des lieux suivants ?

1. Erquy
2. Loctudy
3. Concarneau
4. Plougastel
5. Lorient
6. Quimper

b. À quoi correspondent les noms suivants ?

1. Leclerc
2. Bolloré
3. Yves Rocher

c. Donnez une définition des mots suivants.

1. une coquille Saint-Jacques
2. une coiffe
3. un fest-noz
4. la bigoudène

3. Approuvez, corrigez ou précisez les phrases suivantes.

a. Les Bretons qui habitent le bord de mer sont différents des Bretons de l'intérieur de la région.

b. Il n'y a pas beaucoup d'habitants en Bretagne.

c. Lors des fêtes traditionnelles, les Bretonnes portent toutes la même coiffe.

d. La Bretagne est une région riche sur le plan économique.

e. La Bretagne accueille surtout des touristes étrangers.

f. Les Bretons sont très attachés à leur région.

Découvrir les pouvoirs locaux

4. Lisez le « Point infos ». Faites des comparaisons avec l'organisation de votre pays.

S'approprier les clichés et les idées reçues

5. Par petit groupe, faites le test de la page suivante. Mettez en commun vos connaissances.

ⓘ Point infos

LES POUVOIRS LOCAUX

Quiconque veut s'installer dans une région, y travailler ou y créer une entreprise doit connaître les services et les personnes qui peuvent l'aider ou le conseiller.

• **Les administrations**

Rappelons que le territoire de la France est découpé en communes (35 885 en comptant l'Outre-mer), en départements (101), eux-mêmes divisés en cantons (20 en moyenne par département) qui élisent les conseillers départementaux et en circonscriptions (3 à 5 par département) qui élisent les députés qui vont siéger à l'Assemblée Nationale. Les départements sont regroupés en 13 régions.

Les grandes administrations de l'État (l'économie, la culture, l'éducation, etc.) sont représentées à l'échelon local. Elles sont sous l'autorité du préfet nommé par le gouvernement.

Les mairies des grandes communes, les conseils départementaux, les préfectures et les régions disposent de nombreux services dans tous les domaines (urbanisme, éducation, sports, etc.). Les différents élus peuvent aussi être contactés. Il est préférable de s'adresser d'abord aux mairies.

• **Les associations**

Chaque ville compte de nombreuses associations (voir *Tendances* B1, page 81) qui peuvent apporter aides et conseils dans beaucoup de domaines. Les mairies en fournissent la liste par catégories (accueil des étrangers, cours de langues, culture, etc.).

6. Pour une grande occasion, vous devez créer des tee-shirts représentatifs d'une région de votre choix.

Choisissez trois images emblématiques (personne, lieu, objet). Présentez-les à la classe en expliquant votre choix.

TEST
Images et idées reçues sur les régions

Où que ce soit dans le monde, quand on dit « Paris », on pense « tour Eiffel », « Montmartre », mais aussi « jolies parisiennes chic » ou « serveur peu aimable ». Les Français aussi voient leurs régions à travers des clichés et des idées reçues. En voici quelques exemples. Associez-les à des lieux ou à leurs habitants.

1. Les vestiges du passé qu'il faut avoir photographiés.
a. les menhirs préhistoriques
b. le Pont du Gard
c. la grotte de Lascaux
d. la cathédrale de Reims
e. le château de Chenonceau

1. la Champagne
2. le Languedoc
3. la Touraine
4. le Périgord
5. la Bretagne

4. Les « must » pour faire du sport
a. le ski
b. le canoë
c. le surf
d. la voile
e. le char à voile

1. Les Glénans (Bretagne)
2. Les Arcs (Alpes)
3. Biarritz (côte basque)
4. les gorges du Verdon (Provence)
5. Le Touquet (Nord Pas-de-Calais)

2. Les festivals qu'il ne faut pas manquer.
a. le théâtre
b. le cinéma
c. la chanson
d. l'opéra
e. la BD

1. Angoulême
2. Aix-en-Provence
3. Cannes
4. Bourges
5. Avignon

5. Les lieux célèbres pour leur production
a. les pneus Michelin
b. le béret
c. les avions Airbus
d. le nougat
e. la choucroute

1. l'Alsace
2. Montélimar (vallée du Rhône)
3. le pays Basque
4. Toulouse
5. Clermont-Ferrand (Auvergne)

3. Les lieux où se sont déroulés les grands épisodes de l'histoire.
a. la conquête romaine (51 avant J.-C.)
b. l'affrontement avec l'armée arabe (732)
c. la mort de Jeanne d'Arc (1431)
d. la défaite de Napoléon (1815)
e. le débarquement des Alliés (1944)

1. Waterloo (Belgique wallonne)
2. Rouen (Normandie)
3. la côte normande
4. Alésia (Bourgogne)
5. Poitiers

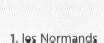

6. Ce que font les habitants.
a. Ils supportent l'OM.
b. Ils sont passionnés de rugby.
c. Ils se baignent dans la mer à 17°.
d. Ils mettent du beurre et de la crème dans tous les plats.
e. Ils ne sont jamais montés sur la tour Eiffel.

1. les Bretons
2. les Parisiens
3. les Toulousains
4. les Normands
5. les Marseillais

7. Ce que disent les habitants.
a. « Je monte à Paris » pour « Je vais à Paris ».
b. « Mais si, il fait souvent soleil ! » (alors qu'il pleut souvent).
c. « La province » pour parler du reste de la France.
d. « Peut-être bien que oui, peut-être bien que non. » (quand ils doivent prendre une décision).
e. « Je suis un ch'ti » pour se présenter.

1. les Normands
2. les gens du Nord
3. Les Parisiens
4. les Bretons
5. les Méridionaux

Vous rédigerez un article ou une pétition pour défendre un lieu, un bâtiment, une tradition qui vous paraît menacé.

1 Choisissez votre cause et votre but.

1. Choisissez votre cause à défendre.
Il peut s'agir :
– d'un bâtiment qui a une valeur historique : théâtre, édifice religieux, vieille maison, château, usine, etc. ;
– d'un objet : statue, horloge, orgue, etc. ;
– d'un élément du folklore : costume, danse, chanson, fête, tradition, etc. ;
– de l'œuvre d'une personne (écrivain, compositeur, artiste) qui est oubliée.

2. Choisissez le but de votre démarche.
Vous pouvez souhaiter :
– la sauvegarde du lieu ou de la chose (interdiction de la démolir, entretien, réparation) ;
– son achat par une institution publique ;
– son inscription au patrimoine mondial de l'UNESCO.

2 Faites un état des lieux.

3. Lisez L'article ci-contre. Expliquez quel est le but de cet article. Recherchez :
– ce qui existait avant ;
– l'état des lieux ;
– le projet.

4. Relevez les éléments de l'état des lieux. Recherchez le sens des mots nouveaux.
• le jardin → jonché de bouteilles – (jonché = couvert)
• l'entrée → ...

5. Rédigez un « état des lieux » pour ce que vous souhaitez sauvegarder.

Mieux s'exprimer

• faire un état des lieux – un bâtiment en bon / mauvais état
• les menaces : la démolition (démolir) – la destruction (détruire) – la disparition (disparaître)
• les dégradations : l'objet est endommagé (les dommages) – cassé – brisé – sali
• restaurer un bâtiment – rénover – réparer – remettre en état
• restaurer une tradition – faire renaître – ressusciter – rétablir – remettre au goût du jour

Pagode délabrée, le scandale continu

Au 57 bis rue de Babylone, dans le très chic quartier du VIIᵉ arrondissement de Paris, le sol de ce qui fut l'un des plus beaux jardins orientaux de la capitale est jonché de bouteilles de verre. « De la malveillance bête », soupire Benjamin Mouton, architecte en chef des Monuments Historiques.
La Pagode, l'un des plus beaux et plus vieux cinémas au monde est dans un triste état […] L'entrée est jonchée de feuilles mortes, les vitres sont cassées, la moquette tachée, les peintures écaillées. C'est particulièrement sale. « Il y a trente ans, j'ai confié le lieu refait à neuf. Regardez dans quel état, je le récupère », soupire Elisabeth Dauchy, la propriétaire « le pire, c'est la grande salle de cinéma. » L'écran a été démonté mais les fauteuils rouges sont toujours là. Comme des fantômes. Il fait froid. Dans la pénombre, Benjamin Mouton tapote les murs, se rapproche des décors, prends des photos. Comme Élisabeth Dauchy, il est scandalisé. Et triste […] Son idée ? Profiter de tous ces travaux pour remettre la Pagode dans son état originel. Dans la grande salle de cinéma, il rêve de déménager les panneaux intérieurs en papier chinois pour découvrir les vitraux cachés derrière et qui donnent sur le jardin. Il a aussi l'idée d'inverser la salle pour mettre en valeur la scène. Pour l'instant, elle est dans le dos du public.

Léna Lutaud, www.lefigaro.fr, 14/04/2016.

3 Faites un historique.

6. Lisez l'article ci-contre. Observez les indications de temps. Faites la chronologie de l'histoire du manoir Maplewood.
1860 : ...
1864 : construction d'une résidence

7. Notez les moments importants de l'histoire de ce que vous voulez sauvegarder :
– son origine ;
– les moments forts de son histoire ou de son utilisation ;
– les étapes de la dégradation ou de la disparition.

8. Rédigez votre historique.

4 Donnez des arguments pour la sauvegarde.

9. Observez les moments de l'argumentation de la pétition ci-dessous :
– la présentation de la chose à sauvegarder ;
– l'exposé du problème ;
– la succession des arguments ;
– la demande.

5 10. Rédigez votre argumentation.

Présentez votre projet à la classe.

Heureux dénouement pour le manoir Maplewood

C'est en 1864 qu'Asa Belknap Foster, un riche homme d'affaires et sénateur canadien, se fait construire une imposante résidence à Waterloo, dans la région des Quatre-Cantons à 60 km de Montréal. Foster était un enfant de la région qui avait fait fortune dans la construction des chemins de fer. Quatre ans auparavant, il avait acheté de vastes terres au sud du village. Pour édifier sa maison il a choisi le sommet d'une colline recouverte d'érables.

Mais 18 ans plus tard, il est impliqué dans un scandale financier et ne peut plus entretenir sa magnifique maison. Il la cède pour une somme symbolique à la Congrégation religieuse des Saints-Noms-de-Jésus-et-de-Marie qui en fait un pensionnat pour jeunes filles.

En 1960, le pensionnat est transformé en maison de villégiature et de retraite pour la congrégation. En 1989, le nombre de religieuses diminuant, il est mis en vente. Pendant quatre ans, deux propriétaires vont se succéder. Puis, le manoir est laissé à l'abandon et les lieux se dégradent considérablement.

Heureusement, en 2012, de nouveaux propriétaires entreprennent la restauration de la demeure pour en faire un hôtel de luxe qui ouvrira deux ans plus tard.

PÉTITION
Défense de la culture du carillon en Belgique

Le carillon est un instrument de musique composé d'au moins 23 cloches actionnées à partir d'un clavier. Il peut jouer différents airs de musique. Cet instrument est né dans notre région, au XVe siècle. Il a toujours fait partie des clochers et des beffrois. Cependant, l'entretien de cet instrument coûte cher et certaines municipalités sont tentées de les négliger.

Nous souhaitons l'inscription du carillon et de sa culture au patrimoine mondial de l'UNESCO pour plusieurs raisons.

D'abord, les carillons sont des témoins de l'histoire de notre pays. Depuis le Moyen Âge, ils rythment la vie publique, les moments de la journée et participent aux fêtes et aux événements exceptionnels.

Ensuite, il s'agit d'un véritable instrument de musique pour lequel de nombreux musiciens ont composé – et composent encore aujourd'hui – des œuvres originales.

Ajoutons que des dizaines de carillonneurs professionnels, ou amateurs, continuent de pratiquer cet instrument. Il existe aussi des écoles de carillonneurs et des concours pour sélectionner les meilleurs.

Enfin, c'est un objet d'intérêt pour les touristes.

Le carillon et les traditions qui s'y rattachent sont donc un élément essentiel de la culture de notre pays. Il convient de les sauvegarder.

CARACTÉRISER PAR UNE PROPOSITION PARTICIPE

1. La proposition participe passé
Elle permet de caractériser un nom en rassemblant plusieurs informations en une seule phrase.
*Le château des Tuileries a été une résidence des rois et des empereurs de France. Il a été construit au XVIᵉ siècle.
Il a été détruit en 1870.*
> **Construit au XVIᵉ siècle** et **détruit en 1870**, le palais des Tuileries a été une résidence des rois et des empereurs de France.

2. La proposition participe présent
Elle apporte une information à propos d'un nom ou d'un verbe. Elle rassemble plusieurs informations
en une seule phrase.
Abandonnant le château du Louvre, le roi Louis XIV s'est installé à Versailles.
Louis XIV ayant délaissé le Louvre, le palais est devenu le siège de différentes Académies.

3. La forme « *en* + participe présent »
– **La simultanéité :** *Tout **en organisant** des fêtes à Versailles, le roi dirigeait fermement le pays.*
– **La cause : En faisant** *venir la noblesse de France à Versailles, Louis XIV pouvait la contrôler plus facilement.*
– **La condition : En allant** *à Versailles, vous verrez le hameau de la reine Marie-Antoinette.*
– **Le moyen ou la manière : En s'installant** *à Versailles, Louis XIV voulait s'éloigner de Paris.*

4. Distinguer le participe présent (invariable) et l'adjectif verbal (qui s'accorde avec le nom)
La forme du participe présent peut avoir aussi une valeur d'adjectif. Dans ce cas, il s'accorde avec le nom qu'il qualifie.
En intéressant ses élèves, le professeur motive sa classe. Il raconte des anecdotes **intéressantes** de l'Histoire.
NB : L'adjectif verbal et le participe présent ont quelquefois une orthographe différente.
*Ce guide touristique est **fatigant**. Il donne trop de détails, **fatiguant** tout le monde.*

RAPPORTER DES PAROLES PRONONCÉES DANS LE PASSÉ

Quand on rapporte des paroles prononcées dans le passé, le temps des verbes est modifié.

Paroles prononcées	Paroles rapportées quand elles sont prononcées dans le passé
Le château est ouvert. [présent]	*Elle m'a dit que le château était ouvert.* [imparfait]
Il a été restauré. [passé composé]	*Elle m'a dit qu'il avait été restauré.* [plus-que-parfait]
François Iᵉʳ l'aimait. [imparfait]	*Elle m'a dit que François Iᵉʳ l'aimait.* [imparfait]
On organisera des visites. [futur]	*Elle m'a dit qu'on organiserait des visites.* [conditionnel]
On va le visiter. [futur proche]	*Elle m'a dit qu'on allait le visiter.* [aller à l'imparfait + infinitif]
Allons le voir ! [impératif présent]	*Elle m'a demandé (dit) d'aller le voir.* [infinitif]
Vous le connaissez ? *Avec qui venez-vous ?* *Que faites-vous dimanche ?* *Où allez-vous ?* } [présent]	*Elle m'a demandé **si** je le connaissais.* [imparfait] *Elle m'a demandé **avec qui** je venais, **ce que** je faisais ce dimanche, **où** j'allais.*

RACONTER UN ÉPISODE DE L'HISTOIRE

• **Situer l'événement**
avoir lieu (*Le couronnement du roi a eu lieu...*) – se passer, se produire (*Des événements tragiques se sont produits dans ce château.*) – se dérouler (*La Révolution s'est déroulée de 1789 au sacre de Napoléon Iᵉʳ.*)

• **Une monarchie, un empire**
le couronnement (couronner) – le sacre (sacrer) – monter sur le trône – le règne (régner) – l'abdication (abdiquer) – la succession (succéder) – la régence – la destitution d'un roi (destituer)

le roi – la reine – l'héritier (le dauphin) – l'empereur – l'impératrice – le régent – la régente – le courtisan – la courtisane – le favori – la favorite

• **Une république**
proclamer (instaurer) la république – les assemblées (voir « La politique », *Tendances B1*, p. 33 et p. 145)

• **Les événements**
une révolution – un soulèvement – une révolte – une rébellion – un attentat – une exécution (exécuter – décapiter – la guillotine)
un coup d'État – prendre le pouvoir – un dictateur (une dictature) – une junte militaire – s'emparer des centres de communication et de décision
la guerre (voir niveau B1, p. 117)

RACONTER UNE LÉGENDE

• **Les personnages** : un magicien – une magicienne – un devin – un sorcier – une sorcière – une fée – un mage – un enchanteur – un dragon – un chevalier – un prince – une princesse – un ogre – un géant/un nain – un fantôme – un revenant – un vampire
• **Les objets** : une baguette magique – une poudre – un filtre d'amour – une potion – un poison (empoisonner) – une formule magique
• **Les actions** : jeter un sort - envoûter (un envoûtement) – ensorceler – endormir – transformer (une transformation) – deviner – apparaître/disparaître

PARLER DE GASTRONOMIE

• **Les établissements** : un restaurant – une brasserie – un bistrot – une auberge – une cafétéria – un self (la salle, la terrasse)
un restaurant étoilé – une bonne table – un petit resto – apprécier un plat – déguster – savourer
• **Les préparations** : un poisson frit, un œuf poché, une saucisse grillée, une tomate farcie, une brochette de poulet – un gratin de pomme de terre, un sauté de veau, un poisson en papillote, des crevettes marinées
la cuisson de la viande : bleue, saignante, à point, bien cuite – un steak tartare
• **Le vin** : un vin doux/sec/fruité – refuser un vin bouchonné, madérisé

DÉCRIRE UNE ORGANISATION ADMINISTRATIVE ET POLITIQUE

• **Les divisions administratives** (voir *Tendances B1*, p. 33)
• **Les administrations locales** : la mairie, la préfecture, le conseil départemental, le conseil régional
les services de la mairie (l'état civil, l'urbanisme, la culture, les services techniques) – s'adresser à un service – faire une demande – remplir un formulaire – adresser une requête au médiateur
• **La justice** : un tribunal – un juge – un avocat – porter plainte – faire un procès – faire un recours en justice – accuser/se défendre – un verdict – une condamnation

FAIRE UN ÉTAT DES LIEUX

• **L'état** : un bâtiment en bon/mauvais état – un bâtiment vétuste, délabré, en ruine – un objet bien conservé, intact
• **Les dégradations** : endommager (une peinture endommagée) – dégrader (un plafond dégradé) – détériorer (un mécanisme d'horloge détérioré) – casser (un bras de statue cassé) – détraquer (une serrure détraquée) – arracher (une poignée arrachée) – démolir, détruire (un vieil immeuble démoli par les promoteurs) – dévaster (un château dévasté par un incendie)
• **Les réparations** : réparer un volet – arranger une fenêtre – reconstruire un bâtiment – restaurer un vieux château – recoller une tapisserie – recoudre un vêtement déchiré – replanter un parc dévasté par une tempête
• **Les transformations** : transformer un couvent en hôtel – rénover (réhabiliter) un vieux bâtiment – modifier, détourner une tradition

1. UTILISER LES PROPOSITIONS PARTICIPES

Combinez les phrases en utilisant des propositions participes.

Match décisif

a. Le stade de France a été inauguré en 1998.
Il peut accueillir 80 000 spectateurs.
b. Il domine l'autoroute du Nord. On le remarque quand on arrive à Paris.
c. L'équipe du PSG (Paris Saint-Germain) sera encouragée par son public. Elle devrait gagner le match contre Lyon.
d. 40 000 Lyonnais ont fait le déplacement à Paris. L'équipe de Lyon sera soutenue.
e. Le PSG a été mené par 2 buts à 0 à la mi-temps. Un joueur de Paris a été blessé. Le PSG a perdu.

2. COMPRENDRE UNE LÉGENDE AU PASSÉ SIMPLE

Racontez l'histoire en utilisant le passé composé.

La légende de la Tarasque

a. Il y a très longtemps, la région de Tarascon, en Provence, fut terrorisée par un animal fabuleux.
b. À la même époque, des femmes originaires du Moyen-Orient arrivèrent en Provence. Elles commencèrent à évangéliser la région.
c. Elles vinrent à Tarascon où elles apprirent l'existence de la Tarasque.
d. L'une d'elles, Marthe, voulut débarrasser le pays de cette plaie.
e. Quand elle eut noué sa ceinture autour du cou de la bête, celle-ci devint docile. Elle fut conduite jusqu'aux habitants qui la tuèrent.

3. UTILISER LES ARTICLES POUR PARLER DE GASTRONOMIE

Complétez avec un article.

Quatre amis à l'entrée d'un restaurant

a. Dans ce restaurant, ils font ... excellent cassoulet.

b. C'est vrai. Ils y mettent ... confit d'oie.
c. Et ils ont ... de ces foies gras ! Divin !
d. Il est meilleur que ... foie gras du restaurant à côté.
e. J'y suis allé la semaine dernière. J'ai pris ... magret de canard dont ... cuisson était parfaite.
En plus, ils ont ... très bon vin.
f. Oui, leur Cahors est délicieux. Mais sur le foie gras, prends ... Jurançon. Ça se marie mieux.

4. COMPRENDRE DES PAROLES RAPPORTÉES

Retrouvez le dialogue entre le journaliste et la députée.

Un journaliste rapporte la conversation qu'il a eue, un soir d'élection, avec une députée victorieuse.

« Elle m'a dit qu'elle était très heureuse de cette victoire et que ses soutiens avaient été formidables. Je lui ai demandé si elle était fatiguée. Elle m'a répondu que non, qu'elle allait dîner avec son équipe. Puis, qu'ils iraient faire la fête. Elle m'a demandé de les accompagner. »

5. RAPPORTER DES PAROLES PRONONCÉES AU PASSÉ

Rapportez cet extrait de la conférence à une amie.

Le musée du Havre est fermé pour travaux.
Le directeur tient une conférence de presse.
Une journaliste : Quand le musée va-t-il rouvrir ?
Le directeur : Il rouvrira en janvier. Nous avons programmé quatre expositions.
La journaliste : Est-ce qu'il y aura une exposition prestigieuse ?
Le directeur : Le musée présentera un panorama des peintres de Pont-Aven.
La journaliste : Quand ?
Le directeur : Probablement en mai. Mais ne l'annoncez pas encore. Je vous recontacterai bientôt.

6. LES CONSTRUCTIONS « CE + PRONOM RELATIF »

Travaillez vos automatismes.

N° 32 **a. Confirmez comme dans l'exemple.**

Des touristes aux goûts différents

• Les vieux châteaux m'intéressent.
– Ce qui vous intéresse, ce sont les vieux châteaux.
• Les paysages me plaisent...

b. Répondez comme dans l'exemple.

Une indécise

• Qu'est-ce qu'elle veut ?
– Elle ne sait pas ce qu'elle veut.
• Qu'est-ce qui lui plaît ?.....

UNITÉ 9

EXERCER
UNE PROFESSION

1 GÉRER LES RELATIONS AVEC LES AUTRES
- Contrôler ses émotions
- Coopérer
- Assumer ses responsabilités

3 ORGANISER SON TEMPS
- Gérer son emploi du temps
- Décrire le déroulement d'une activité
- Faire face à un problème d'horaire ou d'échéance

2 RÉFLÉCHIR AUX PROBLÈMES DE L'EMPLOI
- Rechercher des solutions au chômage
- Découvrir un mode d'apprentissage

4 DÉBATTRE DES RÉALITÉS DE L'ENTREPRISE
- Comprendre la gestion d'une entreprise
- Discuter des questions de rémunération

PROJET

FAIRE UNE DEMANDE D'EMPLOI

Mettre à distance ses émotions

Les Anciens appelaient « tempérance » le fait d'avoir une pleine conscience de ce que l'on éprouve – colère, allégresse, tristesse, honte, enthousiasme – afin de mettre à bonne distance ses sensations. Ancien cadre supérieur devenu conseiller financier, Thierry Brunel suggère ainsi d'accueillir et de réguler ses émotions en les observant de la façon la plus neutre possible. Cela afin d'éviter tout débordement affectif qui aboutit, parfois, à une perte de contrôle, préjudiciable à son image au sein de l'entreprise. « Chacun d'entre nous peut être emporté par des émotions négatives, alors mieux vaut aller pratiquer quelques respirations profondes hors du bureau, plutôt que de craquer », relève Thierry Brunel, qui recommande un « travail personnel » d'identification de ce qui, à la maison, faisait office de norme comportementale tacite. Un exemple : « Quelqu'un ayant grandi dans une famille où l'on ne pleure jamais et où l'on n'a pas le droit de manifester ses émotions va être si corseté émotionnellement qu'il risque d'exploser de colère en cas de tension au travail. »

Vincent Olivier, *L'Express*, 18/02/2015. ■

Contrôler ses émotions

1. Lisez l'article ci-dessus.

a. Dans la liste ci-dessous, notez les sujets abordés.
Cet article parle...
1. d'un risque pour les employés des entreprises.
2. de la façon d'éviter ce risque.
3. de la façon de ne ressentir aucune émotion.
4. d'une vertu conseillée par les philosophes de l'Antiquité.
5. des conseils donnés par un spécialiste.
6. des différences de comportement dans la vie privée et dans l'entreprise.

b. Relevez les informations correspondant à chaque sujet traité.
Cet article parle...

 2. Travaillez par deux. Classez leurs réactions de la plus négative à la plus positive.
Exemple : a. → 6. – 4. ...
a. Un commercial a raté un marché par incompétence. Réactions du directeur :
1. Il est irrité.
2. Il s'énerve.
3. Il reste calme.
4. Il se met en colère.
5. Il est serein.
6. Il entre dans une rage folle.

b. La collègue nouvellement recrutée est hyper diplômée. Réactions des collègues :
1. Ce sera une orgueilleuse.
2. Un prétentieuse !
3. Elle va nous mépriser.
4. Il est possible qu'elle nous respecte.
5. Ça peut être quelqu'un de simple.
6. Je crois qu'elle sait faire preuve d'humilité.

c. L'administration a eu la visite d'un inspecteur. Réactions du personnel :
1. Il est dur.
2. Il est compréhensif.
3. C'est un pervers.
4. Il est plein d'empathie.
5. Il a été cruel.
6. Il est simple et direct.

d. Louis était en congé de maladie. Sa collègue a traité avec succès un de ses dossiers urgents. Réactions de Louis :
1. Il est satisfait.
2. Il en veut à sa collègue.
3. Il trouve cela normal.
4. Il éprouve de la gratitude.
5. Il est jaloux.

3. Faites le travail de l'encadré « Réfléchissons ».

4. Quels sentiments peuvent-ils éprouver dans les situations suivantes ? Que peuvent éprouver les autres membres de l'entreprise ?
a. Flore a eu une promotion.
b. Baptiste a été relégué à un poste sans importance.
c. Fanny a commis une erreur, elle a oublié de transmettre un dossier. Une collègue l'a su et a twitté l'information.
d. Romain va devenir l'assistant d'une personne célèbre et médiatique.

5. Lisez la bande dessinée de la page suivante.
a. Faites la liste des problèmes rencontrés par le projet « Orion 2015 ».
b. Commentez l'attitude des personnages.

 6. Jeu de rôles à faire à deux. Choisissez une situation de l'exercice 4. Vous mettez au courant votre partenaire de cette situation. Il/Elle réagit.

*MOA : la maîtrise d'ouvrage.

Fix, *À la recherche du projet perdu*, Éditions Diateino, 2016.

Réfléchissons... L'expression des émotions

• **Expression des émotions par un nom**
Classez les phrases selon les cas suivants.
a. Le sujet ressent un sentiment : phrase (1).
b. Le sujet exprime un sentiment...
Réactions des membres d'une start-up après un échec
1. Anne a honte.
2. Bastien exprime sa tristesse.
3. Corinne ressent de l'indignation.
4. Damien manifeste sa colère.
5. Estelle éprouve une grande déception.
6. François montre sa mauvaise humeur.

• **Expression des émotions par un verbe**
Classez les phrases selon les cas suivants.
a. Le sujet de la phrase éprouve un sentiment
b. Le sujet de la phrase cause un sentiment.
1. Cet échec m'attriste.
2. J'ai honte d'avoir été nulle.
3. Notre manque d'implication m'irrite.
4. Je suis deçue que ça n'ait pas marché.
5. Je regrette que nous ayons perdu le marché
6. Ce résultat me déçoit.
7. Je suis triste d'avoir échoué.

• **Dans l'activité précédente, observez les phrases 2., 4., 5. et 7.**
Dans quel cas utilise-t-on les constructions :
a. verbe exprimant un sentiment + verbe au subjonctif ?
b. verbe exprimant un sentiment + infinitif ?

Coopérer

7. Écoutez cette conversation entre Bérangère et Adrien, N° 33 **employés dans une société qui commercialise des produits pour les agriculteurs.**
a. Quel est le souci de Bérangère ?
b. Que propose Adrien ?
c. Quelle est la réaction de Bérangère ?
d. Faites la liste des réticences de Bérangère.
e. Caractérisez les relations humaines et professionnelles dans l'entreprise de Bérangère.

Assumer ses responsabilités

8. Lisez le courriel ci-dessous.
a. Quel est son objet ?
b. Faites la chronologie des faits qui se sont produits :
1. Corentin part en mission en Allemagne.
2. ...

c. Trouvez dans le courriel les expressions correspondant à ces expressions orales. Associez ces phrases orales à des passages du courriel.
1. C'est de ma faute.
2. Je ne l'ai pas fait exprès.
3. J'ai porté tort à l'entreprise.
4. Je m'en veux.
5. Tu n'y es pour rien.

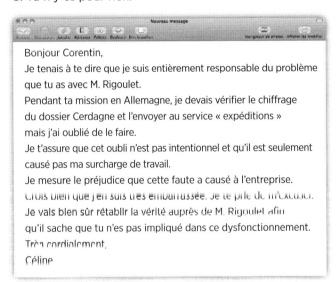

Bonjour Corentin,
Je tenais à te dire que je suis entièrement responsable du problème que tu as avec M. Rigoulet.
Pendant ta mission en Allemagne, je devais vérifier le chiffrage du dossier Cerdagne et l'envoyer au service « expéditions » mais j'ai oublié de le faire.
Je t'assure que cet oubli n'est pas intentionnel et qu'il est seulement causé pas ma surcharge de travail.
Je mesure le préjudice que cette faute a causé à l'entreprise.
Crois bien que j'en suis très embarrassée. Je te prie de m'excuser.
Je vais bien sûr rétablir la vérité auprès de M. Rigoulet afin qu'il sache que tu n'es pas impliqué dans ce dysfonctionnement.
Très cordialement.
Céline

9. Écrivez un courriel d'excuse pour l'une des situations suivantes. Assumez votre responsabilité.
a. Vous avez présenté un travail qui a été effectué en groupe. Quand vous avez cité les membres du groupe, vous avez oublié d'en citer un. Il est fâché.

b. Vous avez pris une décision alors que votre collaboratrice vous la déconseillait. Elle avait raison. Votre décision a eu des conséquences négatives.

LE CHÔMAGE, UNE EXCEPTION FRANÇAISE

pôle emploi

• 10 % de la population active est au chômage en France alors que plusieurs pays européens sont en situation de plein emploi, ou s'en approche comme l'Allemagne. Si le chômage de masse persiste plus en France que chez les voisins, c'est d'abord pour des raisons démographiques. Entre 2001 et 2015, la population française est passée de 61 à 66 millions d'habitants pendant qu'elle ne croissait que de 1 million en Allemagne. Chaque année 30 % de jeunes de plus que de l'autre côté du Rhin cherchent un emploi tandis que les seniors partent de plus en plus tard à la retraite.

• L'économie française s'est révélée incapable de créer les jobs à la hauteur de sa vitalité démographique. Pendant ces 15 ans de boum démographique, le nombre d'emplois marchands est resté stable : il y a aujourd'hui 15 millions d'emplois privés, quasiment le même chiffre qu'en 2001. En revanche, le nombre de fonctionnaires a augmenté. Plus 400 000. On touche du doigt le problème français : au coup de pouce à la création de l'emploi privé, les gouvernants ont de tout temps donné la préférence à l'emploi public, aidé, pour colmater l'hémorragie du chômage. Or, c'est bien le privé qui crée du travail sur la durée. En témoignent les emplois d'avenir de François Hollande[1] destinés aux jeunes non diplômés. 80 % de ces emplois ont été fournis par le secteur non marchand. Mais d'après les premières évaluations, cet emploi aidé public débouche moins d'une fois sur 2 sur un CDI. Tandis que les 20% créés dans le privé fournissent à une large majorité un emploi stable. Entre 2013 et 2015, seulement 60 000 emplois privés ont été créés en France, contre 480 000 en Allemagne et 650 000 en Espagne.

• L'Allemagne a longtemps contenu les salaires pour permettre à son industrie d'investir dans l'avenir. L'Espagne s'est adaptée dans l'urgence, elle a libéralisé son marché de l'emploi pour lutter contre le chômage de masse engendré par la crise de la dette. Faute d'avoir opéré une montée en gamme de son industrie, la France est aujourd'hui rattrapée par la concurrence de ses partenaires européens, d'où les plans sociaux successifs qui aggravent le chômage. Le SMIC est l'un des plus élevés d'Europe, après celui du Luxembourg. Pour certains économistes, c'est un handicap sérieux pour les entreprises exportatrices. Mais cela a peu d'incidences pour les emplois non soumis à la concurrence internationale. Pour tous les emplois, les charges, les contraintes administratives sont régulièrement dénoncées par les chefs d'entreprise comme des freins à l'embauche.

• La formation a été l'une des cartes majeures utilisées dans les pays du nord de l'Europe pour lutter contre le chômage. La France n'est pas en reste, elle y consacre déjà chaque année 30 milliards d'euros. Mais pour quoi faire ? Jusqu'à maintenant les enseignements proposés correspondaient souvent aux vœux des chômeurs, mais pas nécessairement aux besoins des entreprises. [...] Aux États-Unis, on laisse le soin aux entreprises d'organiser la formation professionnelle.

Dominique Baillard, RFI, lundi 18 janvier 2016.

---

1. François Hollande a été président de la République de 2012 à 2017. Les « emplois d'avenir » sont des emplois pour lesquels l'État accorde une aide à l'employeur. Cette aide était de 75 % pour le secteur public et 35 % pour le privé.

Rechercher des solutions au chômage

1. Travaillez en petit groupe. Lisez l'article.

a. Associez les expressions suivantes à une expression de l'encadré.

a. persister
b. croître
c. toucher du doigt
d. colmater
e. fournir
f. contenir les salaires.
g. engendrer
h. donner un coup de pouce
i. ne pas être en reste

1. aider	6. durer
2. augmenter	7. participer
3. boucher (arrêter)	8. se rendre compte
4. causer	9. stopper une augmentation
5. donner (procurer)	

b. Relevez et notez les causes de l'importance et de la persistance du chômage en France

1. L'augmentation importante de la population
2. ...

2. Faites des comparaisons entre la France et les autres pays cités sur les sujets suivants :

a. la démographie
b. la création d'emploi
c. les salaires
d. la liberté d'embaucher et de licencier
e. la formation

3. **Dans une conversation, les phrases suivantes sont prononcées. Réagissez d'après les informations données dans le texte. Approuvez, corrigez, nuancez, développez.**

a. En matière de lutte contre le chômage, l'Allemagne se débrouille beaucoup mieux.
b. Les créations d'emplois initiées par le gouvernement sont inefficaces.
c. Les entreprises françaises sont handicapées par les salaires élevés et un code du travail contraignant.
d. Les entreprises françaises devraient être satisfaites car le gouvernement consacre beaucoup d'argent à la formation.

4. Organisez un débat.

a. Partagez-vous les causes du chômage que vous avez trouvées avec l'exercice 1.
b. Recherchez des solutions possibles.
c. Présentez vos solutions à la classe. Discutez. Ces solutions sont-elles justes, équitables, réalistes, etc. ?

La séquence radio

N° 34

Un service militaire pour trouver du travail

Le journaliste Pierre Olivier enquête sur une nouvelle façon de former les jeunes en recherche d'emploi.

Jeunes volontaires en Martinique.

Découvrir un mode d'apprentissage

5. Regardez la photo et écoutez le reportage. Notez les bonnes réponses.

a. Le reportage a lieu :
1. dans une école.	2. dans une caserne.

b. Le reportage traite :
1. de l'accueil de jeunes.	2. d'un cours donné à des jeunes.

c. Ces jeunes sont :
1. de futurs soldats.
2. en formation.
3. en échec scolaire.
4. opposés aux règles de la société.

d. Dans le reportage, on entend :
1. le sergent-chef Powel.	5. une mère
2. une femme militaire.	6. un père.
3. un jeune homme.	7. le journaliste (Pierre Olivier).
4. une jeune femme.

e. Les militaires :
1. donnent des instructions sur la vie en communauté.
2. font visiter la caserne.
3. procèdent à l'installation des jeunes.

6. Complétez ces informations quand c'est possible.

	la jeune femme	le jeune homme
a. âge		
b. situation de famille		
c. situation professionnelle		
d. motivation pour la formation		
e. attentes particulières		

7. Répondez à ces questions sur le service militaire volontaire.

a. On est bien logé ?
b. Combien de temps dure la formation ?
c. Quel est l'emploi du temps ?
d. Est-ce qu'on est assez libre ?
e. Les instructeurs sont sympa ?
f. À quoi sert cette formation ?
g. Est-ce que ça peut déboucher sur un emploi ?

8. Discutez. Quelles sont, d'après vous, les conditions d'une formation réussie ?

Évaluez les différents types de formation que vous connaissez : dans une école, une entreprise, une caserne…

Présentateur de « La Matinale » de RTL et de l'émission « C dans l'air » sur France 5, Yves Calvi nous livre ses trucs pour rester maître de son temps.

→ « J'ai un emploi du temps parfaitement minuté: mon réveil sonne à 3 heures, j'enfourche mon scooter pour me rendre à RTL et préparer la tranche d'informations 7 heures-9 h 30, je retourne chez moi faire un peu de sport (vélo, exercices physiques ou marche dans les bois) et dormir deux heures, puis direction France 5 où je présente « C dans l'air » entre 18 heures et 19 heures, avant de repartir à RTL préparer la matinale du lendemain ! Extinction des feux à 22 h 30.

Rien ne doit me faire sortir de mon couloir quotidien. Le moindre grain de sable – impératif professionnel ou aléa personnel – met en péril cette organisation bien rodée. J'ai la chance incroyable d'exercer un métier que j'ai choisi et que j'adore. Mais cette passion a un prix: ce manque de liberté. Pour être honnête, cela me convient plutôt bien. J'y trouve même un certain confort. Et puis je me rattrape le week-end ou pendant les vacances, durant lesquelles j'ai une certaine faculté à décrocher de l'actualité. Ma façon de nettoyer le pont. Il sera bien temps de se remettre à jour le moment venu. L'expérience et la maturité aidant, j'arrive mieux à tenir le stress et l'anxiété à distance. Je tente de cultiver une certaine sérénité, persuadé que celle-ci transparaît à l'antenne. »

À la tête de deux établissements, *Hélène Darroze* à Paris et *The Connaught* à Londres, la chef étoilée Hélène Darroze nous confie sa recette pour garder le contrôle de son temps.

→ « Ma carte de fidélité Eurostar est bien amortie ! Mes responsabilités professionnelles m'obligent à partager mon temps entre la France et l'Angleterre. Dans le train, pas question de travailler, je préfère me ressourcer en me plongeant dans un bon bouquin ou en feuilletant des magazines. Ma petite bulle de tranquillité.

Le reste du temps, mon planning, planifié trois à six mois à l'avance, est plutôt chargé. Entre les enregistrements de l'émission « Top Chef », l'élaboration et l'écriture de mes livres, les restaurants que je dirige, je cours beaucoup. Évidemment, je n'ai pas une vie de famille très classique. Le soir, je ne suis pas chez moi avant 23 heures, donc, pour le bain et les histoires du soir, c'est raté ! Mais je me rattrape durant les week-ends et les vacances. Comme je travaille aussi le samedi midi, mes filles de 6 et 8 ans me rejoignent au restaurant pour déjeuner en cuisine avec moi. Elles adorent me voir dans mon univers professionnel et moi ça me permet de profiter d'elles. Il nous arrive aussi toutes les trois de faire des journées pyjama qui consistent à traîner toute la journée à la maison. Le bonheur. »

Claire Chartie, Amandine Hirou, Matthieu Scherrer,
www.lexpress.fr, 19/01/2016.

Gérer son emploi du temps

1. La classe se partage les deux témoignages de l'article. Pour le témoignage que vous avez choisi, recherchez :

a. Yves Calvi

1. le déroulement de sa journée.
2. l'importance donnée au travail, aux loisirs, aux sports, à la vie familiale.
3. les causes de la difficulté de son emploi du temps.
4. comment il gère cette difficulté.

b. Hélène Darroze

1. ses différentes activités.
2. les raisons pour lesquelles il est difficile de les gérer.
3. comment elle gère cette difficulté.
4. l'importance donnée au travail, aux loisirs, aux sports, à la vie familiale.

 2. Présentez vos notes à la classe. Débattez sur votre propre organisation du temps.

3. Répondez à la question du forum ci-dessous.

Comment gérez-vous votre emploi du temps ?
Comment répartissez-vous dans la journée, dans la semaine, dans l'année : le travail, les loisirs, les activités physiques, la vie de famille, etc. ?
Avez-vous un emploi du temps plutôt organisé ou plutôt improvisé ?

Décrire le déroulement d'une activité

4. Faites le travail de l'encadré « Réfléchissons ».

 5. Dialoguez avec votre partenaire. Racontez le déroulement d'une activité qui vous a pris du temps (stage, exposé, concours à passer, compétition sportive, etc.). Utilisez les expressions de l'encadré « Réfléchissons ».

• Quand tu as préparé le championnat, tu t'es mis quand à l'entraînement ? Tu t'entraînais à quel rythme ?...

Faire face à un problème d'horaire ou d'échéance

 6. Écoutez les trois scènes et complétez le tableau.

N° 35 **a.** Dans l'appartement que des ouvriers sont en train de rénover

b. Dans le bureau de l'éditeur

c. Dans les bureaux d'une entreprise

	Scène a	...
Objet de la demande	*date de fin des travaux*	
Problème ou obstacle		
Explication ou argumentation		
Vocabulaire en relation avec l'idée de temps		

 7. Jeu de rôles à faire par groupe de trois. Choisissez une scène, préparez-la et jouez-la.

Utilisez le vocabulaire de la page « Outils », « Gérer son temps », page 143.

a. Vous travaillez. (Si vous êtes encore étudiant, vous pouvez travailler à la bibliothèque de votre université). À tour de rôle, vous devez assurer la permanence pour les soirées du vendredi et les week-ends. Répartissez-vous le travail.

b. Vous faites un travail en équipe. Vous vous êtes réparti le travail mais l'un d'entre vous prend beaucoup de retard et fait perdre du temps aux autres.

Réfléchissons... Le déroulement des actions

Conférence de rédaction dans un journal

1. Les journalistes sont **encore** dans la salle de réunion.
2. On a **déjà** abordé le sujet de la grève.
3. La conférence **n'**a **pas encore** commencé.
4. On **ne** parle **plus** des élections.
5. La conférence **va** commencer.
6. Le rédacteur en chef parle **toujours**.
7. Le journaliste **est en train de** parler.
8. Le rédacteur en chef **est sur le point** d'arriver.
9. Le rédacteur en chef **vient de** s'exprimer.
10. On aborde **encore une fois** le sujet des élections.
11. On **continue à** parler des élections.
12. Une journaliste **a présenté** son reportage.

• **Lisez les phrases de l'encadré ci-dessus.**
Classez les phrases de l'encadré selon le moment de l'action qu'elles expriment.

Moments de l'action :
a. L'action est imminente.
b. L'action commence.
c. L'action se déroule.
d. L'action s'est terminée récemment.
e. L'action est terminée.
f. L'action recommence.

• **Classez les verbes selon le moment de l'action qu'ils expriment.**

a. attaquer – **b.** cesser – **c.** commencer – **d.** continuer – **e.** débuter – **f.** démarrer – **g.** finir – **h.** recommencer – **i.** reprendre – **j.** s'achever – **k.** s'arrêter – **l.** se dérouler – **m.** se mettre à – **n.** se poursuivre – **o.** se prolonger – **p.** se terminer

• **Réécrivez les phrases en supposant que la conférence a eu lieu il y a un mois.**
***Exemple : 1.** Les journalistes étaient encore dans la salle de rédaction.*

ⓘ Point infos

LE TEMPS DE TRAVAIL

Les discussions sur le temps de travail sont permanentes en France et mettent en jeu différentes idées qui peuvent être contradictoires.
• Jusqu'à une époque récente, la durée du travail n'a cessé de diminuer. Pour beaucoup de salariés, il n'y a pas de raison que cette tendance s'inverse. La semaine de travail est aujourd'hui de 35 heures. Certains voudraient la réduire à 32.
• La robotisation et la numérisation vont de plus en plus soulager l'homme des tâches matérielles ce qui allègera sa charge de travail.

• La mondialisation de l'économie oblige les entreprises françaises à être compétitives. L'augmentation de la durée du travail fait partie des moyens qui permettraient d'atteindre ce but.
• La demande des consommateurs qui est devenue plus instable et plus imprévisible nécessite plus de souplesse dans l'organisation du temps de travail (travail intensif pour une commande urgente, ouverture des magasins le dimanche).

La séquence vidéo

L'entreprise FOREM

N° 9

Nicolas Meyer, chef d'une petite entreprise, présente son activité.

Comprendre la gestion d'une entreprise

1. Regardez la vidéo sans le son. Quelle est l'activité de l'entreprise FOREM ?

a. Elle installe l'eau dans les secteurs de montagne.
b. Elle cherche du pétrole.
c. Elle recherche l'eau dans le sous-sol.

2. Notez ce que vous avez vu à l'extérieur.

a. un baril
b. un camion
c. une camionnette
d. un compteur
e. une foreuse
f. une grue
g. un puits
h. un tonneau
i. un tuyau

3. Regardez la vidéo avec le son. Complétez la fiche de l'entreprise.

a. Nom : ...
b. Date de création : ...
c. Activités : ...
d. Domaines d'expertise : ...
e. Personnel : ...
– dirigeants
– ouvriers
f. Clients : ...
g. Situation économique de l'entreprise : ...

4. Approuvez, corrigez ou précisez les phrases suivantes.

a. FOREM est une entreprise familiale.
b. FOREM a un carnet de commandes constamment rempli.
c. L'entreprise doit être à la pointe du progrès technique.
d. Avec FOREM, les banques sont très coopératives.
e. FOREM garde ses ouvriers jusqu'à la retraite.
f. Les clients sont toujours satisfaits des employés de FOREM.
g. Nicolas Meyer est très proche de son personnel.
h. Il est optimiste sur l'avenir de son entreprise.

5. Trouvez le sens des expressions en gras. Associez.

a. L'activité est **en dents de scie**.
b. Nous avons **tiré notre épingle du jeu**.
c. Il y a un **taux élevé de rotation** des employés.
d. Il y a des **frictions** entre le chef et les employés.
e. Le lien de subordination est **ténu**.

1. qui change fréquemment
2. très fin, très faible
3. qui connaît des hauts et des bas
4. tensions
5. réussir malgré les difficultés

Discuter des questions de rémunération

6. Lisez ci-contre l'article sur le salaire des grands patrons.

a. De qui parle-t-on ?
b. Quelle décision a été prise ?
c. Qui n'était pas d'accord ?
d. Quel problème général soulève cette information ?
Quelles autres personnes sont concernées par ce problème ?

 7. La classe se partage les arguments pour et les arguments contre. Pour chaque argument, trouvez des exemples.

Exemple : *réduire un écart avec la base → Des employés ne touchent que le SMIC (1 200 € net), le PDG 1, 250 million donc mille fois plus. La situation peut devenir explosive...*

Organisez un débat en présentant vos arguments et vos exemples.

Faut-il limiter le salaire des grands patrons ?

Les 15 millions d'euros empochés par le patron de l'alliance Renault-Nissan, Carlos Ghosn, ne passent décidément pas. En décidant d'ignorer le vote des actionnaires, qui contestaient ce montant, la direction du constructeur automobile s'est placée dans l'œil du cyclone. Même le président de la République s'est exprimé sur le sujet, mardi sur Europe 1, estimant que le choix des actionnaires aurait dû être respecté. Mais certains veulent aller encore plus loin : une quarantaine de personnalités ont signé un appel publié jeudi dans *Libération*. Son objectif : « légiférer pour qu'un patron ne perçoive pas plus de 100 Smic ». Mais quelles en seraient les conséquences ?

Extraits de Gabriel Vedrenne, www.europe1.fr/économie, 19 mai 2016.

Les arguments en faveur d'une limitation des salaires
- Réduire un écart avec la base devenu abyssal.
- Les gros salaires nuisent à la collectivité.
- L'autorégulation a ses limites.
- Mettre fin aux polémiques à répétition.

Les arguments en défaveur d'une limitation des salaires
- Ne plus pouvoir attirer les meilleurs.
- Une moindre incitation à viser toujours plus haut.
- Le salaire du patron pèse peu à l'échelle d'une entreprise.
- C'est une affaire privée, l'État n'a pas à tout réglementer.

 8. En petit groupe, lisez l'article du *Huffington Post*, ci-dessous. Donnez un titre à l'article.

9. Rédigez un commentaire de cet article pour un forum d'actualités.

a. Annoncez l'information : *Je viens de lire dans le* Huffington Post *qu'un patron...*
b. Expliquez la décision : *La décision de ce patron s'explique par...*
c. Donnez votre avis : *Je trouve que... Cette décision...*

Thomas Piketty

Voilà un patron qui a pris au pied de la lettre les recommandations de l'économiste Thomas Piketty : il a décidé de donner une augmentation à plusieurs milliers de ses salariés. Mark Bertolini a annoncé lundi qu'Aetna, une grande société d'assurance-santé américaine, allait relever le plafond pour ses employés les moins bien rémunérés. À partir d'avril, le tarif horaire minimum sera relevé à 16 dollars, selon un communiqué de la compagnie.

Le *Wall Street Journal* rappelle que Mark Bertolini avait récemment recommandé aux dirigeants d'Aetna de lire *Le Capital au XXIe siècle*, l'ouvrage mondialement plébiscité du Français Thomas Piketty. Le livre, qui a été salué comme « l'ouvrage le plus important du siècle », décrit les lois mécaniques et les causes conjoncturelles de la répartition inégale des richesses entre personnes, sur trois siècles et à l'échelle mondiale.

Chez Aetna, 5700 salariés seront concernés par cette mesure et verront leur rémunération augmenter en moyenne de 11 %. Pour les moins bien payés, actuellement à 12 dollars de l'heure, l'augmentation sera même de 33 %. Aux États-Unis, le salaire minimum est fixé à 7,25 dollars depuis 2009 et il n'a jamais été envisagé de relever ce seuil. Avec l'initiative d'Aetna, on entrevoit la possibilité que les entreprises parviennent à empêcher le creusement des inégalités.

« Ce n'est pas juste une histoire d'augmenter les gens, il s'agit d'un nouveau pacte social », a expliqué Mark Bertonili au *Wall Street Journal*. « Pourquoi les entreprises privées n'imagineraient pas des solutions innovantes pour améliorer les choses ? » Selon Aetna, le coût de ces mesures se chiffrera à 14 millions de dollars en 2014, puis 25,5 millions en 2018 [...]

Un comportement qui rappelle celui d'Henry Ford en 1914, qui avait augmenté les salaires de ses employés pour établir une solide classe moyenne capable d'acheter ses voitures. Qualifié à l'époque de « grand humaniste » ou de « socialiste fou », Ford ne pensait pourtant qu'au bien de son entreprise.

Le HuffPost, Grégory Raymond , 15/01/2015.

Vous recherchez un emploi. Vous répondez à une offre d'emploi ou vous présentez votre candidature spontanée.
Vous rédigerez un curriculum vitae européen. Vous écrirez une lettre de motivation et préparerez un entretien avec les recruteurs.

1 CHOISISSEZ L'EMPLOI QUE VOUS SOUHAITEZ.

Vous pouvez choisir :
– une offre réelle d'emploi ;
– un emploi que vous souhaiteriez avoir dans une entreprise que vous connaissez (candidature spontanée) ;
– un emploi que vous imaginez.

2 PRÉPAREZ VOTRE CV.

1. Lisez ci-contre les rubriques du CV européen. Quelles rubriques remplissez-vous dans les cas suivants ?
a. Vous souhaitez être contacté sur votre blog.
b. Vous répondez à une offre d'emploi publiée dans un quotidien.
c. Vous faites une candidature spontanée auprès d'une entreprise.
d. Vous avez exercé plusieurs emplois dans différentes entreprises.
e. Vous avez acquis le sens des contacts en étant entraîneur sportif bénévole dans un club de jeunes.
f. Vous demandez un poste de chargé de communication. Votre conjoint est étranger. Vous utilisez deux langues à la maison.
g. Vous avez écrit des articles dans la revue de référence de votre profession.
h. Vous êtes bénévole dans l'équipe dirigeante des « Resto du cœur » de votre ville.
i. Vous avez été interviewé par le journal *Le Monde*.
j. Vous voulez joindre une copie de votre diplôme.

2. Si vous souhaitez faire votre cv européen, téléchargez et remplissez « Curriculum Vitae Europass ». Montrez-le à votre professeur.

3 FAITES UNE LETTRE DE MOTIVATION.

3. Lisez la lettre de motivation de la page suivante. Répondez.
a. Quel est le poste demandé par la candidate ?
b. Comment a-t-elle eu connaissance de ce poste ?
c. Quelles études a-t-elle faites ?
d. Quelle est son expérience professionnelle ?
e. Quelles sont les qualités qu'elle met en avant ?

(i) Point infos

LES RUBRIQUES DU CV EUROPÉEN

• **Informations personnelles :** nom et prénom – adresse – téléphone – courriel – site web personnel – sexe – date de naissance – nationalité
• **Poste visé – Profession – Emploi recherché – Études recherchées – Profil**
• **Expérience professionnelle**
• **Éducation et formation**
• **Compétences personnelles :** langue maternelle – autres langues – compétences en communication – compétences organisationnelles/managériales – compétences liées à l'emploi – compétence numérique – autres compétences – permis de conduire
• **Informations complémentaires :** publications – présentations – projets – conférences – séminaires – distinctions – affiliations – références – citations – cours – certifications
• **Annexes**

4. Voici des conseils pour rédiger une bonne lettre de motivation. La candidate a-t-elle suivi ces conseils ? Justifiez.
a. Montrer que vous vous intéressez à l'entreprise.
b. Montrer que vous adhérez au projet de l'entreprise.
c. Mettre en valeur la relation entre vos études et le poste demandé.
d. Prouver vos qualités et vos compétences en citant des expériences concrètes.
e. Ne donner que les informations nécessaires.
f. N'être ni trop direct, ni agressif, ni insistant. Rester poli.

5. Observez l'organisation de la lettre. Comment sont organisées les informations suivantes ?
1. la demande – 2. la formation – 3. l'expérience – 4. les qualités personnelles et professionnelles
Sont-elles réunies dans un seul paragraphe ou réparties à différents endroits ?

6. Rédigez votre lettre de motivation.

Nom et prénom
Adresse
Courriel
Téléphone

Madame Florence FOURNIER
Château du Petit Védelin

Grenoble, le....

Objet : candidature spontanée à un emploi de chargée de programmation et d'animation

Madame,

J'ai particulièrement apprécié l'émission que France 3 a consacrée récemment au château du Petit Védelin et au cours de laquelle vous avez présenté la politique d'animation que vous souhaitiez développer dans cette demeure historique. Dans la réalisation de ce projet, je serais très heureuse de mettre mes compétences à votre service.

Titulaire d'une licence « Métiers de la communication » de l'université de Grenoble et d'un mastère « Transmédia » du CITIA d'Annecy, j'ai toujours eu à cœur, au cours de ces études de rechercher des expériences pratiques. J'ai ainsi pu animer les visites de la grotte de Clamouse et le circuit des églises romanes organisé par l'office du tourisme des Hautes-Alpes. Pour cet organisme, j'ai également réalisé un dépliant sur les cadrans solaires de la région. Je suis persuadée qu'un apport culturel adapté est un atout important pour le tourisme d'aujourd'hui.

C'est avec cette préoccupation que j'ai abordé ma récente expérience professionnelle de chargée de programmation et d'animation au château d'Avignon. J'ai pu y mettre à l'épreuve mes capacités d'organisatrice dans la préparation d'expositions, de concerts, de conférences ou de séminaires, mon sens des contacts dans les relations avec la presse et avec les intervenants, ma maîtrise des aspects techniques et budgétaires ainsi que mon savoir-faire pédagogique. J'ai vécu là des moments passionnants jusqu'à la fermeture du château pour travaux et pour une durée indéterminée.

Je souhaiterais donc mettre cette polyvalence, cette rigueur et ce désir de transmission de la culture au service de votre entreprise d'animation du Petit Védelin.
Je vous remercie par avance de l'attention que vous voudrez bien porter à ma demande et me tiens à votre disposition pour un éventuel entretien.

Je vous prie d'agréer, Madame, l'expression de mes meilleures salutations.

Signature

4 PRÉPAREZ UN ENTRETIEN

 7. Travaillez par deux. Voici les cinq questions les plus fréquemment posées par un recruteur. Préparez-les. Jouez à tour de rôle l'entretien avec votre partenaire.
a. Présentez-vous, parlez-nous de votre parcours.
b. Pourquoi voulez-vous travailler dans notre entreprise ?
c. Comment vous imaginez-vous dans cinq ans ?
d. Quelles sont les réalisations dont vous êtes le plus satisfait(e) ?
e. Pourquoi aurions-nous intérêt à vous embaucher plutôt qu'un autre ?

L'entretien d'embauche peut prendre différentes formes que l'entreprise peut cumuler : entretien collectif ou individuel, devant un seul recruteur ou devant un jury, entretien vidéo.

EXPRIMER DES ÉMOTIONS ET DES SENTIMENTS

1. Le sujet de la phrase éprouve le sentiment
a. Construction « être + adjectif »
Je suis triste, content, déçu.

b. Forme « avoir + nom sans article » (dans quelques expressions seulement)
J'ai honte, peur, pitié.

c. Verbe « avoir – éprouver – ressentir » + nom de sentiment
Cas général : le sentiment est introduit par « du », « de la » ou « des ».
*J'ai **de la** pitié pour cet homme. J'éprouve **des** regrets.*

Quand le sentiment est caractérisé, il est précédé d'un article indéfini.
*J'éprouve **une** joie profonde. J'ai ressenti **un** grand bonheur.*

Dans quelques expressions familières, le sentiment est précédé de l'article défini.
*J'ai **la** honte. J'ai **la** haine.*

d. Construction « verbe exprimant un sentiment » + proposition
• Quand les deux verbes ont le même sujet, le verbe de la proposition est à l'infinitif.
*Je regrette de ne pas **venir**.*
• Quand les deux verbes ont des sujets différents, le verbe de la proposition est au subjonctif ou à l'indicatif
(selon le sentiment exprimé).
*Je regrette que tu ne **viennes** pas. J'espère qu'elle **viendra**.*

2. Le sujet de la phrase est la cause du sentiment
a. Expression avec un verbe
*Cette idée **m'inquiète, me surprend, m'attriste, m'enthousiasme**, etc.*

b. Construction « rendre + adjectif »
*Cette nouvelle m'**a rendu triste**.*

c. Construction « donner » ou « causer » + nom précédé de « du », « de la » ou « des »
*Son comportement me **cause du souci**. Ses encouragements m'**ont donné du courage**.*
Quand le sentiment est caractérisé, on utilise l'article indéfini.
*Ses conseils me donnent **un** petit espoir.*

d. Construction « faire » + nom (sans article)
*Cette idée me **fait peur** (honte, pitié, plaisir, etc.).*

DÉCRIRE LE DÉROULEMENT D'UNE ACTION

1. Avant le début de l'action
• aller (être sur le point de) + verbe à l'infinitif :
*Marie **va** (bientôt) **changer** de poste. Elle **est sur le point de** changer de service.*
• ne... pas encore : *Elle **n'est pas encore** nommée.*
• s'apprêter à quitter le service – se préparer à rencontrer de nouveaux collègues

2. Au moment où l'action commence
• se mettre à + verbe : *Elle **s'est mise à** utiliser le nouveau logiciel.*
• commencer à travailler – démarrer une formation – attaquer un dossier difficile – débuter son discours par un mot
de bienvenue – entreprendre une démarche

3. Pendant le déroulement de l'action
• être en train de + verbe : *Louis **est en train d'étudier** le russe.*
• encore – toujours : *Il est 11 h. Le directeur parle **encore (toujours)**.*
• se dérouler en trois mois – durer trois jours – se poursuivre jusqu'à l'été – se prolonger jusqu'à 18 h – continuer
à rechercher des marché – *Les questions se succèdent après la conférence.*

4. Au moment où l'action finit
• La réunion **finit** à 12 h. – Les congés **se terminent** demain. – L'usine **s'arrête** par manque de commandes. –
Les ouvriers **cessent** le travail. – La période des soldes **s'achève**.

5. L'action est terminée
• venir de + verbe : Le chef de service **vient de** partir.
• verbe au passé : L'entreprise **a changé** de nom.
• ne... plus : Romain **ne** travaille **plus** dans cette entreprise.

6. Au moment où l'action reprend
• se remettre à – recommencer à + verbe : Après la pause, il **se remet** au travail.
• Le travail **reprend** après la grève. – L'usine **repart** grâce à de nouvelles commandes.

PARLER DU TRAVAIL

• **Les conditions de travail** ▪ le code du travail ▪ un inspecteur du travail ▪ une organisation professionnelle/syndicale
un syndicat – un délégué syndical – un représentant du personnel – la pénibilité – la mobilité – la flexibilité

• **L'emploi**
le plein emploi/le chômage (un chômeur, un demandeur d'emploi) – un emploi à temps plein/à temps partiel,
un emploi temporaire – le travail au noir – un boulot, le taf (fam.) – un job – le marché de l'emploi
être en activité – partir à la retraite – être à la retraite (un retraité)
embaucher – recruter – un entretien d'embauche – licencier (un licenciement pour raison économique) –
un plan social – être reclassé – renvoyer (mettre à la porte) un employé pour faute grave – démissionner.

• **Le temps de travail**
travailler 35 heures par semaine – la charge (la surcharge) de travail – le rythme de travail – le travail de nuit –
les heures supplémentaires – prendre un congé (de maladie, de maternité, parental, formation, pour convenance
personnelle) – se faire remplacer – prendre ses RTT (heures supplémentaires converties en congés)

• **La rémunération**
un salaire (pour les salariés) – un traitement (pour les fonctionnaires) – les honoraires (pour les professions
libérales) – une prime – le treizième mois
les charges (payées par l'entreprise) – les cotisations (payées par l'employé)
la feuille de paye – le bulletin de salaire – recevoir (toucher) un salaire – les inégalités de salaire –
une augmentation/une diminution de salaire
un salaire brut/net – les prélèvements sociaux (la CSG : contribution sociale généralisée. Elle inclut la cotisation
pour la retraite, l'assurance maladie, l'assurance chômage)

GÉRER SON TEMPS

• **Le temps et l'activité**
avoir le temps de faire quelque chose – avoir tout son temps – prendre son temps/être pressé, débordé, stressé –
l'heure tourne (le temps passe)
perdre/gagner du temps – perdre son temps – rattraper le temps perdu
faire quelque chose à ses moments perdus

• **L'organisation**
répartir la charge de travail – échelonner les échéances – faire une pause

• **La ponctualité (l'exactitude)**
respecter l'heure – arriver à temps (à l'heure) – arriver à l'improviste
retarder une décision – remettre à plus tard (à une date ultérieure) un rendez-vous – se décommander – annuler

• **L'attente**
La réunion dure, se prolonge, traîne en longueur, n'en finit pas – un discours interminable/bref
trouver le temps long – s'attarder sur des détails – temporiser

1. EXPRIMER DES SENTIMENTS

Combinez les phrases en commençant par la phrase en gras.

Les impressions d'une nouvelle employée
a. J'ai obtenu ce poste à la SPEN. **J'en suis fière.**
b. Mes collègues sont sympas. **Je suis contente.**
c. Je ne serai peut-être pas à la hauteur. **J'en ai un peu peur.**
d. Le directeur m'a reçue. Il me fait confiance. **J'en suis heureuse.**
e. Le travail me plaira. **Je l'espère.**
f. Ma première mission réussira. **Je le souhaite.**
g. Je reste dans ma région. **J'en suis ravie.**

2. EXPRIMER LA CAUSE D'UN SENTIMENT

Reformulez les phrases en commençant par l'expression en gras.

Une mauvaise présentation
a. J'ai été déçu par **le power point de Jules**.
b. Les collègues ont été ennuyés par **ses commentaires interminables**.
c. J'ai eu pitié **de lui**.
d. Il a repris confiance grâce à **mes questions**.
e. Les collègues ont été enthousiasmés par **ses réponses intelligentes**.
f. Jules a été heureux **des applaudissements**.

3. UTILISER LES EXPRESSIONS IMPERSONNELLES

Combinez les phrases en utilisant une expression impersonnelle comme dans l'exemple.

En grève
Exemple : a. Il était indispensable que nous déclenchions cette grève.
a. Nous avons déclenché cette grève. C'était indispensable.
b. Notre action perturbe le trafic. C'est dommage.
c. La direction n'a pas voulu nous recevoir. C'est triste.
d. Les gens nous soutiennent. C'est sympathique.
e. Les médias sont avec nous. C'est satisfaisant.
f. Nous obtiendrons satisfaction. C'est à espérer.

4. PRÉCISER LE DÉROULEMENT DE L'ACTION

Complétez avec une expression de la page « Outils », « Décrire le déroulement d'une action », page 142.
Madame Langlois est toujours ponctuelle. Elle arrive au bureau à 9 h. Elle déjeune entre 13 h et 14 h. Elle quitte le bureau à 18 h.
a. Il est 8 h 55. Madame Langlois … arriver au bureau.
b. Il est 9 h 05. Elle … arriver.
c. Il est 13 h 30. Elle … déjeuner.
d. Il est 17 h 45. Elle n'est … partie.
e. Il est 17 h 55. Elle … bientôt rentrer chez elle.
f. Il est 18 h 10. Elle … au bureau. Elle est … partie.

5. DONNER DES PRÉCISIONS DE TEMPS

Complétez avec une expression de temps.

Préparation de la collection printemps-été
a. Le défilé de mode aura lieu … trois jours.
b. … la période des collections, la directrice artistique ne vit plus.
c. Les stylistes travaillent … deux mois.
d. … huit jours que la pression monte.
e. … hier, c'est l'angoisse.
f. Les ouvrières se dépêchent. Elles travaillent … minuit.
g. Elles ont même fait une robe … une nuit.

6. CONSTRUCTION DES PRONOMS AVEC L'IMPÉRATIF

Travaillez vos automatismes.
N° 36 **a. Conseillez-le comme dans l'exemple.**
Retour de congés
• Je n'ai pas ouvert ma boîte mail.
– Ouvre-la !
• Je ne suis pas allé saluer le directeur !
…

b. Conseillez-la comme dans l'exemple
Méfiance à l'égard du stagiaire
• Est-ce que je confie le dossier Alma au stagiaire ?
– Ne le lui confie pas !
• Est-ce que je dis au directeur qu'il arrive en retard ?
…

ANNEXES

Index des points de grammaire

On trouvera ci-dessous les points de grammaire introduits dans les niveaux précédents de *Tendances*. Les points repris et développés dans ce niveau B2 font l'objet de renvois aux pages « Outils » où ils sont traités.

Abréviation : m. (masculin), f. (féminin), p. (pluriel), s. (singulier)

NOMMER LES PERSONNES ET LES CHOSES

Les articles indéfinis *un – une – des*	Pour introduire une personne ou une chose non définie	*J'ai acheté **un** livre*
	Pour nommer une catégorie	*Qu'est-ce que c'est ? – C'est **un** livre.*
	Pour généraliser	***Un** livre de Modiano me plaît toujours.*
les articles définis • *le – l'* (devant voyelle ou « h ») – *la – les* • Contracté avec « à » : *au* (m.s.) – *aux* (p.) • Contracté avec « de » : *du* (m.s.) *des* (p.)	Pour introduire une personne ou une chose déterminée	*J'ai acheté **le** dernier roman de Modiano.*
	Pour présenter des personnes ou des choses uniques	***le** Portugal – **la** Terre*
	Pour généraliser	***Les** romans d'anticipation me passionnent.*
	Pour introduire une partie du corps avec une idée de possession	*Paul a **les** cheveux longs.*
Les articles partitifs *du – de la*	Pour présenter un ensemble indifférencié (pour donner une vision globale d'une chose)	*J'ai acheté **du** pain.*
	Pour introduire la partie d'un tout	*J'ai mangé **du** gâteau fait par Paul.*
	Pour identifier une matière, une couleur, une activité	*Cette chemise est légère. C'est **du** coton.* *Avec un pantalon gris, il faut **du** bleu.* *Je fais **du** sport tous les matins.*
	Pour parler d'un phénomène climatique	*Il fait **du** vent.*
	Pour présenter certaines notions	*J'ai **de la** chance. – Il faut **du** courage.*
L'absence d'article	Devant un nom de personne ou de ville	*Pierre Martin – Amsterdam*
	Dans une liste, une énumération	*À acheter pour dîner : salade, rôti de bœuf, pommes de terre.*
	Dans un titre, une enseigne	*Victoire du PSG* *Pierre Martin, avocat*
	Après la préposition « de » pour introduire un complément de nom à valeur générale	*une tasse de thé* (valeur générale) *une tasse du thé que Céline m'a rapporté* d'Inde (valeur particulière)

MONTRER

1. Les adjectifs et les pronoms démonstratifs

		Pronoms démonstratifs		
	Adjectifs démonstratifs	**Proche dans la réalité ou dans la pensée**	**Éloigné ou pour distinguer du précédent**	**Suivi d'un complément de nom ou d'une proposition relative**
m. s.	**ce** *Je voudrais **ce** tee-shirt.* **cet** (devant voyelle et « h ») *Je mets **cet** habit.*	*celui-ci*	*celui-là*	*celui à rayures* *celui qui est rouge*
f. s.	**cette** *J'ai choisi **cette** robe.*	*celle-ci*	*celle-là*	*celle à rayures* *celle que j'ai achetée hier*
m. p.	**ces** *Je mets **ces** pulls.*	*ceux-ci*	*ceux-là*	*ceux en laine* *ceux qui tiennent chaud*
f. p.	*Je mets **ces** chaussures pour randonner.*	*celles-ci*	*celles-là*	*celles qui sont à manches courtes*
neutre		*ceci*	*cela – ça*	*Mets **ce** que tu veux, **ce** qui te plaît.*

2. Les adjectifs et les pronoms interrogatifs

Tu aimes le cinéma ? **Quel** est le dernier film que tu as vu ? **Lequel** tu as préféré ?

Il y a de bonnes pièces de théâtre en ce moment. **Quelle** pièce tu préfères ? **Laquelle** tu veux voir ?

Tu as lu des livres ? **Lesquels ? Quel** auteur tu aimes?

Tu as écouté des chansons ? **Lesquelles ? Quel** chanteur tu aimes ?

EXPRIMER L'APPARTENANCE

1. Le complément de nom
C'est le manteau **de** Mélanie.

2. La forme « être à + moi, toi, lui/elle, nous, vous, eux/elles » (uniquement pour l'appartenance à des personnes)
Cette voiture **est à Pierre ?** – Oui, elle **est à lui**.

3. Les adjectifs et les pronoms possessifs

la chose possédée est...	masculin singulier	féminin singulier[1]	masculin pluriel	féminin pluriel
à moi	**mon** livre **le mien**	**ma** voiture **la mienne**	**mes** stylos **les miens**	**mes** clés **les miennes**
à toi	**ton** frère **le tien**	**ta** sœur **la tienne**	**tes** cousins **les tiens**	**tes** cousines **les tiennes**
à lui / à elle	**son** ami **le sien**	**sa** copine **la sienne**	**ses** amis **les siens**	**ses** copines **les siennes**
à nous	**notre** appartement **le nôtre**	**notre** voiture **la nôtre**	**nos** amis **les nôtres**	**nos** copines **les nôtres**
à vous	**votre** jardin **le vôtre**	**votre** maison **la vôtre**	**vos** arbres **les vôtres**	**vos** fleurs **les vôtres**
à eux / à elles	**leur** appartement **le leur**	**leur** voiture **la leur**	**leurs** fils **les leurs**	**leurs** filles **les leurs**

1. Quand le nom féminin commence par une voyelle, on utilise l'adjectif masculin : mon amie – son idée.

4. Les verbes exprimant l'appartenance
posséder – appartenir – être propriétaire de

Pierre **possède** un appartement. – L'appartement du 3ᵉ étage **appartient à** Pierre. – Pierre **est propriétaire d'**un appartement.

EXPRIMER UNE QUANTITÉ INDÉFINIE

Emplois	Adjectifs indéfinis	Pronoms indéfinis
Indéfinis employés pour des quantités non comptables (indifférenciées)	Il prend **un peu de** repos. J'ai **peu de** temps. Elle a **beaucoup d'**argent. Il fait **tout** le travail.	Il en prend **un peu**. J'en ai **peu**. Elle en a **beaucoup**. Il fait **tout**.
Indéfinis employés pour des quantités comptables (différenciées)	• Il invite **peu d'**amis... **certains** amis... **plusieurs** amis... **la plupart de** ses amis... **tous** ses amis **Aucun(e)** collègue **n'**a été invité(e) • **Peu d'**amis, **certains** amis, **quelques** amis ... sont venus Il **n'**a invité **aucun(e)** collègue.	• Il en invite **peu, certain(e)s, plusieurs, beaucoup, la plupart**. • Il invite **certains d'entre eux (elles), quelques-unes d'entre elles**... • **Peu d'entre eux, certaines d'entre elles**... sont venu(e)s. • Il **n'**en a invité **aucun (e) / aucun(e) d'entre eux (elles)**. • **Aucun(e) n'**est venu(e).
Indéfinis qui n'expriment pas la quantité	• Il a envoyé une invitation à **chaque** ami(e). • Il a pris **n'importe quel** traiteur.	• Il a envoyé une invitation à **chacun (chacune) d'entre eux (elles)**. • Il a pris **n'importe lequel**.

REMPLACER UN NOM

1. Les pronoms qui représentent les personnes

	je	tu	il/elle	nous	vous	ils/elles
Le nom remplacé est un complément direct défini. Le pronom se place avant le verbe.	me	te	le/la/l'	nous	vous	les
	*Tu as vu Valérie et François ? – Je **les** ai vus.*					
Le nom remplacé est un complément direct précédé : – d'un article partitif ou d'un mot de quantité ; – d'un article indéfini.	**en** *Il y avait beaucoup d'étrangers au cocktail ? – Il y **en** avait beaucoup.* *Tu as un frère ? – J'**en** ai un*					
Le nom remplacé est un complément indirect introduit par « à ». Le pronom se place avant le verbe.	me	te	lui	nous	vous	leur
	*Tu as parlé à Margot ? – Je **lui** ai parlé.*					
Le nom remplacé est un complément indirect introduit par une autre préposition. Le pronom se place après la préposition.	moi	toi	lui/elle	nous	vous	eux/elles
	*Vous avez parlé de Louise ? – Nous avons parlé **d'elle**.* *Tu t'es promené avec Louis ? – Je me suis promené **avec lui**.* *Tu as besoin de Paul pour tes travaux ? – J'ai besoin **de lui**.*					

2. les pronoms qui représentent les choses ou les idées

	le (l')	la (l')	les
Le nom remplacé est un complément direct défini. Le pronom se place avant le verbe.			
	*Tu regardes les émissions politiques ? – Je **les** regarde.*		
Le nom remplacé est un complément direct précédé : – d'un article partitif ou d'un mot de quantité ; – d'un article indéfini.	**en** *Tu as mangé du gâteau ? – J'**en** ai mangé.* *Tu as un dictionnaire ? – J'**en** ai un.*		
Le nom remplacé est un complément indirect introduit par « à ». Le pronom se place avant le verbe.	**y** *Vous avez réfléchi au problème ? – J'**y** ai réfléchi.*		
Le nom remplacé est un complément indirect introduit par « de ». Le pronom se place avant le verbe.	**en** *Tu as besoin de mon aide ? – J'**en** ai besoin.*		
Le nom remplacé est un complément indirect introduit par une autre préposition. Le pronom se place après le verbe.	**ceci – cela (ça)** *Tu as oublié **ça**.*		

3. Constructions avec deux pronoms
Voir les pages « Outils » de l'unité 6

CARACTÉRISER UNE PERSONNE OU UNE CHOSE

1. l'adjectif qualificatif
• Il se place en général après le nom : *un film fantastique*.
• Quelques adjectifs courts et très fréquents se placent souvent avant le nom : *beau (belle) – bon – grand – petit – vieux – jeune – joli*.
un beau bouquet – un bon repas – un grand restaurant – une petite maison
• Selon qu'ils sont placés après ou avant le nom, certains adjectifs peuvent avoir des sens différents :
Louis est un garçon grand. (de grande taille)   *C'est un grand garçon.* (raisonnable)

2. la construction avec préposition
Elle permet d'exprimer :
• l'origine, la propriété : *un tableau **de** Renoir – la maison **de** madame Dumas*
• la matière, le contenu : *un pull **de (en)** laine – une tasse **de** café*
• la fonction : *une cuillère **à** café – une machine **à** laver*

3. la proposition relative
Voir les pages « Outils » de l'unité 5

CARACTÉRISER UNE ACTION

1. Les adverbes de manière

• Place de l'adverbe

– L'adverbe qui caractérise un adjectif ou un autre adverbe se place devant ce mot : *Il est **très** courageux.*

– L'adverbe qui caractérise un verbe se place généralement après le verbe :
*Elle travaille **énormément**. Hier, elle a travaillé **courageusement**.*

– Aux temps composés, les adjectifs de manière et de quantité ainsi que certains adverbes de temps se place entre l'auxiliaire et le participe passé.
*Elle a **bien** travaillé. Elle a **toujours bien** travaillé.*

• Formation des adverbes en -(e)ment

– adjectif terminé par « e » : *simple* → *simplement*

– adjectif terminé par une voyelle autre que « e » : *joli* → *joliment*

– adjectif terminé par une consonne : *pur* → *purement*

– adjectif terminé par « ent » ou « ant » : *prudent* → *prudemment ; suffisant* → *suffisamment*

2. la forme « en » + participe présent
Voir les pages « Outils » de l'unité 8

3. La proposition participe présent
Voir les pages « Outils » de l'unité 8

COMPARER ET APPRÉCIER

1. Comparer des qualités, des quantités ou des actions
Voir les pages « Outils » de l'unité 7

2. Apprécier

	ne... pas assez (de)...	assez (de...)	trop (de...)
Noms	Je n'ai **pas assez d'**argent. (pour acheter cette voiture).	Il a **assez d'**argent (pour acheter cette voiture).	Elle a **trop de** travail.
Verbes	Je n'économise **pas assez**.	Elle travaille **assez**.	Elle travaille **trop**.
Adjectifs et adverbes	La voiture n'est **pas assez** équipée.	Ce plat est **assez** salé.	C'est **trop** cher.

DONNER UNE INFORMATION DE TEMPS

1. Préciser le moment

a. sans relation avec un autre moment

• Date : *Je l'ai rencontré **le** 3 mars, **à** 10h, **en** mars, **au** mois de mars, **en** 2001.*

• Point de départ de l'action : *Je le reverrai **à partir de...**, **dès (que)...***

• Point d'arrivée : *Il sera à Paris **de... à...**, **jusqu'à...***

• Situation imprécise : *Nous nous retrouverons **au cours du** mois de mars, **dans le courant de...**, **vers...**, **aux environs du** 10 mars, **autour de...***

b. en relation avec un autre moment

	Par rapport au moment où l'on parle	Par rapport à un autre moment
Présent	aujourd'hui – maintenant	ce jour-là – à ce moment-là
Passé	hier – avant-hier la semaine dernière – il y a dix jours	la veille – l'avant-veille la semaine précédente – dix jours avant (auparavant)
Futur	demain – après-demain la semaine prochaine – dans dix jours	le lendemain – le surlendemain la semaine suivante – la semaine d'après – dix jours après – dix jours plus tard

2. Indiquer la fréquence

tous les jours, *toutes les* semaines,...
une fois par jour, deux fois, ...
Je fais *toujours* du sport le samedi matin.
souvent – très souvent
de temps en temps – quelquefois
rarement
Je *ne* fais *jamais* de sport.

3. Préciser le déroulement de l'action
Voir les pages « Outils » de l'unité 9

4. Préciser la durée
Voir page 26

5. Exprimer l'antériorité, la simultanéité, la postériorité
Voir les pages « Outils » de l'unité 3

NIER

Cas général	Elle *ne* sort *pas*. Elle *n'*aime *pas* la pluie.
La négation porte sur un complément introduit par un article indéfini, par un article partitif ou par un mot de quantité	Il *n'*a *pas de* voiture. Il *ne* boit *pas de* vin. Il *ne* mange *pas* beaucoup *de* viande.
Comme dans le cas précédent, la négation porte sur un complément précédé d'un article indéfini, d'un article partitif ou d'un mot de quantité mais elle introduit une opposition	– Est-ce qu'il a une voiture ? – Il *n'*a *pas une* voiture il en a deux.
Cas des constructions « verbe + verbe » et « auxiliaire + verbe »	Elle *ne* veut *pas* sortir. Elle *n'*a *pas* vu le dernier film d'Anne Fontaine.
Cas des constructions avec un pronom complément placé avant le verbe	Il *ne* les connaît *pas*. Il *ne* lui en a *pas* parlé.
La négation porte sur plusieurs sujets ou plusieurs compléments (voir pages « Outils » unité 5)	*Ni* le cinéma, *ni* le théâtre *ne* l'intéressent. Il *n'*aime *ni* le théâtre *ni* le cinéma

INTERROGER

Voir la page « outils » de l'unité 4

EXPRIMER DES RELATIONS LOGIQUES

1. La cause
Voir les pages « Outils » de l'unité 1

2. La conséquence
Voir les pages « Outils » de l'unité 6

3. Le but
Voir les pages « Outils » de l'unité 7

4. La condition
Voir les pages « Outils », unité 2

5. La concession
Voir les pages « Outils » unité 2

6. L'hypothèse et la déduction
Voir les pages « Outils » de l'unité 4

7. La succession des arguments
Voir les pages « Outils » de l'unité 6

8. La restriction
• **ne... que... – seulement**
*Dans ce petit marché, on **ne** trouve **que** des produits d'origine France. J'achète **seulement** des produits bio.*

• **à moins que** (+ verbe au subjonctif)   **à moins de** (+ verbe à l'infinitif)
*Elle dîne toujours chez elle **à moins qu'elle** soit invitée ou **à moins de** n'avoir pas eu le temps de faire ses courses.*

NB : Comme avec la construction « avant que + verbe au subjonctif », on peut ajouter un « ne » expressif qui n'a pas de valeur négative : « ...**à moins qu'elle ne soit invitée** ». Ce « ne » n'est pas obligatoire.

• **sauf si** (+ verbe à l'indicatif)
*Je voyage toujours avec des compagnies low cost **sauf si** la compagnie est sur liste noire.*

RAPPORTER DES PAROLES

Voir les page « Outils » de l'unité 8

PRÉSENTER UNE INFORMATION

1. La construction passive
Voir les pages « Outils » de l'unité 5

2. La construction (se) faire + infinitif
Voir les pages « Outils » de l'unité 5

3. La construction impersonnelle
Elle permet de mettre en valeur un adjectif. Elle est utilisée dans l'expression des opinions, des jugements et des sentiments.
***Il est dommage** que vous ne veniez pas à la fête.*
***Il est probable** qu'il y aura beaucoup de monde.*
***Il est triste** que vous soyez retenu.*

LA CONJUGAISON D'UN VERBES RÉGULIER : PARLER

Le présent	Le passé				
présent	passé composé	imparfait	plus-que-parfait	passé simple	passé antérieur
je parle	j'ai parlé	je parlais	j'avais parlé	je parlai	j'eus parlé
tu parles	tu as parlé	tu parlais	tu avais parlé	tu parlas	tu eus parlé
il/elle parle	il/elle a parlé	il/elle parlait	il/elle avait parlé	il/elle parla	il/elle eut parlé
nous parlons	nous avons parlé	nous parlions	nous avions parlé	nous parlâmes	nous eûmes parlé
vous parlez	vous avez parlé	vous parliez	vous aviez parlé	vous parlâtes	vous eûtes parlé
ils/elles parlent	ils/elles ont parlé	ils/elles parlaient	ils/elles avaient parlé	ils/elles parlèrent	ils/elles eurent parlé

Le futur	
futur	futur antérieur
je parlerai	j'aurai parlé
tu parleras	tu auras parlé
il/elle parlera	il/elle aura parlé
nous parlerons	nous aurons parlé
vous parlerez	vous aurez parlé
ils/elles parleront	ils/elles auront parlé

L'hypothèse		La subjectivité	
conditionnel présent	conditionnel passé	subjonctif présent	subjonctif passé
je parlerais	j'aurais parlé	... que je parle	... que j'aie parlé
tu parlerais	tu aurais parlé	... que tu parles	... que tu aies parlé
il/elle parlerait	il/elle aurait parlé	... qu'il/elle parle	... qu'il/elle ait parlé
nous parlerions	nous aurions parlé	... que nous parlions	... que nous ayons parlé
vous parleriez	vous auriez parlé	... que vous parliez	... que vous ayez parlé
ils/elles parleraient	ils/elles auraient parlé	... qu'ils/elles parlent	... qu'ils/elles aient parlé

PRINCIPES DE CONJUGAISON

Emploi des modes et temps	Principes de conjugaison
Présent	• Les verbes en **-er** se conjuguent comme **parler** sauf : – le verbe *aller* ; – les verbes en **-yer, -ger, -eler, -eter**, qui présentent quelques différences. • Pour les autres verbes, la seule règle générale est la terminaison **-s, -s, -t, -ons, -ez, -ent**. Mais il y a des exceptions (*vouloir, pouvoir*, etc.). Il faut donc apprendre les conjugaisons de ces verbes.
Imparfait	• Il se forme à partir de la 1re personne du pluriel du présent : nous faisons → *je faisais, tu faisais,* etc. Ensuite, la conjugaison est la même pour tous les verbes : **-ais, -ais, -ait, -ions, -iez, -aient.**
Futur	• Les verbes en **-er** (sauf *aller*) se conjuguent comme **parler**. • Pour les autres verbes, il faut connaître la 1re personne. Ensuite, seule la terminaison change : *je ferai, tu feras, il/elle fera, nous ferons, vous ferez, ils/elles feront*
Passé composé	• Il se forme avec les auxiliaires **avoir** ou **être** + participe passé. • Les verbes utilisant l'auxiliaire *être* sont : – les verbes pronominaux ; – les verbes suivants : **aller – arriver – décéder – descendre – devenir – entrer – monter – mourir – naître – partir – rentrer – retourner – rester – sortir – tomber – venir**, ainsi que leur composés en –re : **redescendre – redevenir** – etc.
Plus-que-parfait	*avoir* ou *être* à l'imparfait + participe passé
Futur antérieur	*avoir* ou *être* au futur + participe passé
Le passé simple	• Les verbes en **-er** se conjuguent comme **parler**. • Pour les autres verbes, il faut connaître la 1re personne. Ensuite, seule la terminaison change. *je partis, tu partis, il/elle partit, nous partîmes, vous partîtes, ils/elles partirent* NB : le passé simple et le passé antérieur ne se rencontrent aujourd'hui qu'aux troisièmes personnes du singulier et du pluriel. Plus rarement aux premières personnes.

Emploi des modes et temps	Principes de conjugaison
Le passé antérieur	*avoir* ou *être* au passé simple + participe passé
Conditionnel présent	• Il se forme à partir de la 1re personne du singulier du futur : *je ferai → je ferais.* • Ensuite, la terminaison est la même pour tous les verbes : *je fer**ais**, tu fer**ais**, il/elle fer**ait**, nous fer**ions**, vous fer**iez**, ils/elles fer**aient***
Conditionnel passé	avoir ou être au conditionnel + participe passé
Subjonctif présent	• Pour beaucoup de verbes, partir de la 3e personne du pluriel du présent de l'indicatif. ***Ils finissent** → **il faut que je finisse** ; **ils regardent** → **que je regarde** ; **ils prennent** → **que je prenne** ; **ils peignent** → **que je peigne**.* Mais il y a des exceptions : **savoir** → **que je sache**, etc. • Ensuite, la terminaison est la même pour tous les verbes : *que je regard**e**, que tu regard**es**, qu'il/elle regard**e**, que nous regard**ions**, que vous regard**iez**, qu'ils/elles regard**ent***
Subjonctif passé	**« avoir » ou « être » au présent du subjonctif + participe passé**
Impératif présent	• Pour la plupart des verbes, on utilise les formes de l'indicatif. Le « s » de la deuxième personne du singulier à l'indicatif présent des verbes en **-er** et du verbe *aller* disparaît sauf quand une liaison est nécessaire : ***Parle !** – **Parles-en !** – **Va !** – **Vas-y !*** • Les verbes *être*, *avoir* et *savoir* utilisent les formes du subjonctif : ***Sois** gentil ! – **Aie** du courage ! – **Sache** que je t'observe !*
Impératif passé	**Formes du subjonctif passé**
Participe présent et gérondif	• Ils se forment généralement à partir de la 1re personne du pluriel du présent de l'indicatif : ***nous allons** → **allant** - **nous pouvons** → **pouvant*** • Exceptions : *être* → *étant* ; *avoir* → *ayant* ; *savoir* → *sachant*

ACCORD DES PARTICIPES PASSÉS

• **Accord du participe passé après l'auxiliaire « être »**
Le participe passé s'accorde avec le sujet du verbe.
*Pierre est **parti**. Marie est **restée**. Pierre et Louise sont **sortis**. Les amies de Pierre sont **venues**.*

• **Cas du participe passé des verbes pronominaux**
Le participe passé s'accorde avec le sujet quand l'action porte directement sur ce sujet.
*Marie s'est **lavée**.*
*Marie s'est **lavé** les mains.* (L'action porte sur « les mains ».)
*Marie et Pauline se sont **parlé**.* (La construction de « parler » est indirecte.)

• **Accord du participe passé après l'auxiliaire « avoir »**
Le participe passé s'accorde avec le complément d'objet direct quand celui-ci est placé avant le verbe.
*J'ai **vu** les amies de Pierre.* (Le complément est placé après le verbe.)
*Je les ai **invitées** au restaurant.* (« les » remplace les amies)
*Sabine, que j'ai **invitée**, est l'amie de Marie.*

Les principes généraux que nous venons de présenter et les tableaux suivants vous permettront de trouver la conjugaison de tous les verbes introduits dans cette méthode.
Exemples : Verbe *donner* : c'est un verbe en *-er* régulier. Il suit les principes généraux et ne figure donc pas dans les listes suivantes. **Verbe « lire » :** si on trouve ci-dessous « je lis … nous lisons » c'est que les autres formes correspondent aux principes généraux : « tu lis, il/elle lit… vous lisez, ils/elles lisent ».

Infinitif	Présent de l'indicatif	Passé composé	Passé simple	Futur	Subjonctif présent
Accueillir	j'accueille, … nous accueillons, …	j'ai accueilli	j'accueillis	j'accueillerai	que j'accueille
Aller	je vais, tu vas, il / elle va, nous allons, … ils / elles vont	je suis allé(e)	j'allai	j'irai	que j'aille
Appartenir	j'appartiens, … nous appartenons, …	j'ai appartenu	j'appartins	j'appartiendrai	que j'appartienne
Applaudir	j'applaudis, … nous applaudissons, …	j'ai applaudi	j'applaudis	j'applaudirai	que j'applaudisse
Apprendre	j'apprends, nous apprenons, … ils / elles apprennent	j'ai appris	j'appris	j'apprendrai	que j'apprenne
Asseoir (s')	je m'assieds, … nous nous asseyons, … ils / elles s'asseyent	je me suis assis(e)	je m'assis	je m'assiérai	que je m'assoie (que je m'asseye)
Attendre	j'attends, … nous attendons, …	j'ai attendu	j'attendis	j'attendrai	que j'attende
Atterrir	j'atterris, … nous atterrissons, …	j'ai atterri	j'atterris	j'atterrirai	que j'atterrisse
Avoir	j'ai, tu as, il / elle a, nous avons, … ils / elles ont	j'ai eu	j'eus	j'aurai	que j'aie… que nous ayons… qu'ils / elles aient
Battre	je bats, … nous battons, …	j'ai battu	je battis	je battrai	que je batte
Bénir	je bénis, … nous bénissons, …	j'ai béni	je bénis	je bénirai	que je bénisse
Boire	je bois, … nous buvons, … ils / elles boivent	j'ai bu	je bus	je boirai	que je boive
Choisir	je choisis, … nous choisissons, …	j'ai choisi	je choisis	je choisirai	que je choisisse
Comprendre	je comprends, … nous comprenons, … ils / elles comprennent	j'ai compris	je compris	je comprendrai	que je comprenne
Connaître	je connais, … il / elle connaît nous connaissons, …	j'ai connu	je connus	je connaîtrai	que je connaisse
Construire	je construis, … nous construisons, …	j'ai construit	je construisis	je construirai	que je construise
Couvrir	je couvre … nous couvrons …	j'ai couvert	je couvris	je couvrirai	que je couvre
Croire	je crois, … nous croyons, … ils / elles croient	j'ai cru	je crus	je croirai	que je croie
Découvrir	je découvre, … nous découvrons, …	j'ai découvert	je découvris	je découvrirai	que je découvre
Défendre	je défends, … nous défendons, …	j'ai défendu	je défendis	je défendrai	que je défende
Démolir	je démolis, … nous démolissons, …	j'ai démoli	je démolis	je démolirai	que je démolisse
Dépendre	je dépends, … nous dépendons, …	j'ai dépendu	je dépendis	je dépendrai	que je dépende
Descendre	je descends, … nous descendons, …	j'ai descendu	je descendis	je descendrai	que je descende
Devenir	je deviens, … nous devenons, … ils / elles deviennent	je suis devenu(e)	je devins	je deviendrai	que je devienne
Devoir	je dois, … nous devons, … ils / elles doivent	j'ai dû	je dus	je devrai	que je doive

Infinitif	Présent de l'indicatif	Passé composé	Passé simple	Futur	Subjonctif présent
Dire	je dis, ... nous disons, ... vous dites, ... ils / elles disent	j'ai dit	je dis	je dirai	que je dise
Disparaître	je disparais, ... nous disparaissons, ...	j'ai disparu	je disparus	je disparaîtrai	que je disparaisse
Dormir	je dors, ... nous dormons, ...	j'ai dormi	je dormis	je dormirai	que je dorme
Écrire	j'écris, ... nous écrivons, ...	j'ai écrit	j'écrivis	j'écrirai	que j'écrive
Élire	j'élis, ... nous élisons, ...	j'ai élu	j'élus	j'élirai	que j'élise
Ennuyer (s')	je m'ennuie... nous nous ennuyons... ils/elles s'ennuient	je me suis ennuyé(e)	je m'ennuyai	je m'ennuierai	que je m'ennuie
Entendre	j'entends, ... nous entendons, ...	j'ai entendu	j'entendis	j'entendrai	que j'entende
Envoyer	j'envoie, ... nous envoyons, ... ils / elles envoient	j'ai envoyé	j'envoyai	j'enverrai	que j'envoie
Essayer	j'essaie, ... nous essayons, ... ils / elles essaient	j'ai essayé	j'essayai	j'essaierai	que j'essaie
Être	je suis, tu es, il / elle est, nous sommes, vous êtes, ils / elles sont	j'ai été	je fus	je serai	que je sois
Faire	je fais, ... nous faisons, vous faites, ils / elles font	j'ai fait	je fis	je ferai	que je fasse
Falloir	il faut	il a fallu	il fallut	il faudra	qu'il faille
Finir	je finis, ... nous finissons, ...	j'ai fini	je finis	je finirai	que je finisse
Guérir	je guéris, ...nous guérissons, ...	j'ai guéri	je guéris	je guérirai	que je guérisse
Inscrire (s')	je m'inscris, ... il / elle s'inscrit, nous nous inscrivons, ...	je me suis inscrit(e)	je m'inscrivis	je m'inscrirai	que je m'inscrive
Interdire	j'interdis, ... nous interdisons, ...	j'ai interdit	j'interdis	j'interdirai	que j'interdise
Lire	je lis, ... nous lisons, ...	j'ai lu	je lus	je lirai	que je lise
Mettre	je mets, ... nous mettons, ...	j'ai mis	je mis	je mettrai	que je mette
Mourir	je meurs, ... nous mourons, ... ils / elles meurent	je suis mort(e)	je mourus	je mourrai	que je meure
Offrir	j'offre, ... nous offrons, ...	j'ai offert	j'offris	j'offrirai	que j'offre
Ouvrir	j'ouvre, ... nous ouvrons, ...	j'ai ouvert	j'ouvris	j'ouvrirai	que j'ouvre
Partir	je pars, ... nous partons, ...	je suis parti(e)	je partis	je partirai	que je parte
Payer	je paie, ... il / elle paie, nous payons, ... ils / elles paient	j'ai payé	je payai	je paierai	que je paie
Peindre	je peins, ... nous peignons, ...	j'ai peint	je peignis	je peindrai	que je peigne
Perdre	je perds, ... nous perdons, ...	j'ai perdu	je perdis	je perdrai	que je perde
Permettre	je permets, ... nous permettons, ...	j'ai permis	je permis	je permettrai	que je permette
Plaindre	je plains, ... nous plaignons, ...	j'ai plaint	je plaignis	je plaindrai	que je plaigne
Plaire	je plais, ... il / elle plaît, nous plaisons, ...	j'ai plu	je plus	je plairai	que je plaise

Infinitif	Présent de l'indicatif	Passé composé	Passé simple	Futur	Subjonctif présent
Pleuvoir	il pleut	il a plu	il plut	il pleuvra	qu'il pleuve
Pouvoir	je peux, tu peux, il / elle peut, nous pouvons, vous pouvez, ils / elles peuvent	j'ai pu	je pus	je pourrai	que je puisse
Prendre	je prends, ... nous prenons, ... ils / elles prennent	j'ai pris	je pris	je prendrai	que je prenne
Produire	je produis, ... nous produisons, ...	j'ai produit	je produisis	je produirai	que je produise
Promettre	je promets, ... nous promettons, ...	j'ai promis	je promis	je promettrai	que je promette
Punir	je punis, ... nous punissons, ...	j'ai puni	je punis	je punirai	que je punisse
Recevoir	je reçois, ... il / elle reçoit, nous recevons, ... ils / elles reçoivent	j'ai reçu	je reçus	je recevrai	que je reçoive
Recueillir	je recueille, ... nous recueillons, ...	j'ai recueilli	je recueillis	je recueillerai	que je recueille
Réduire	je réduis, ... nous réduisons, ...	j'ai réduit	je réduisis	je réduirai	que je réduise
Réfléchir	je réfléchis, ... nous réfléchissons, ...	j'ai réfléchi	je réfléchis	je réfléchirai	que je réfléchisse
Remplir	je remplis, ... nous remplissons, ...	j'ai rempli	je remplis	je remplirai	que je remplisse
Rendre	je rends, ... nous rendons, ...	j'ai rendu	je rendis	je rendrai	que je rende
Répondre	je réponds, ... nous répondons, ...	j'ai répondu	je répondis	je répondrai	que je réponde
Résoudre	je résous, ... nous résolvons, ...	j'ai résolu	je résolus	je résoudrai	que je résolve
Réussir	je réussis, ... nous réussissons, ...	j'ai réussi	je réussis	je réussirai	que je réussisse
Rire	je ris, ... nous rions, ...	j'ai ri	je ris	je rirai	que je rie
Savoir	je sais, ... nous savons, ...	j'ai su	je sus	je saurai	que je sache
Sentir	je sens, ... nous sentons, ...	j'ai senti	je sentis	je sentirai	que je sente
Servir	je sers, ... nous servons, ...	j'ai servi	je servis	je servirai	que je serve
Sortir	je sors, ... nous sortons, ...	je suis sorti(e)	je sortis	je sortirai	que je sorte
Suivre	je suis, ... nous suivons, ...	j'ai suivi	je suivis	je suivrai	que je suive
Tenir	je tiens, ... nous tenons, ... ils / elles tiennent	j'ai tenu	je tins	je tiendrai	que je tienne
Traduire	je traduis, ... nous traduisons, ...	j'ai traduit	je traduisis	je traduirai	que je traduise
Vendre	je vends, ... nous vendons, ...	j'ai vendu	je vendis	je vendrai	que je vende
Venir	je viens, ... nous venons, ... ils / elles viennent	je suis venu(e)	je vins	je viendrai	que je vienne
Vivre	je vis, ... nous vivons, ...	j'ai vécu	je vécus	je vivrai	que je vive
Voir	je vois, ... nous voyons, ... ils / elles voient	j'ai vu	je vis	je verrai	que je voie
Vouloir	je veux, ... il / elle veut nous voulons, ... ils / elles veulent	j'ai voulu	je voulus	je voudrai	que je veuille

Unité 0

Leçon 1

🔊 **p. 13, Exercice 5**
N° 1

– Il y a une histoire qui m'a marquée. C'était quand j'étais au lycée… J'ai fait un séjour d'une semaine en Allemagne chez ma correspondante. Donc, j'avais prévu d'apporter un cadeau pour les parents. J'avais voulu faire un cadeau original et représentatif de ma région, le sud de la France. J'avais apporté une belle boîte avec des produits de toutes sortes faits avec des amandes. Il y avait du sucré et du salé. Alors je l'ai offert, juste avant le repas, en pensant que la mère de ma correspondante allait l'ouvrir et qu'on allait goûter les produits. J'ai même fait un petit discours pour dire ce que c'était… Mais, à ma grande surprise, elle m'a juste dit merci, elle a mis le paquet sur un buffet et on ne l'a plus jamais revu. J'étais vraiment déçue et même un peu fâchée. C'est plus tard qu'ai appris que dans certaines familles et dans certains pays, on n'ouvre pas le cadeau pour ne pas risquer de montrer sa déception.

– Moi, j'ai eu une mésaventure comme ça en Angleterre. J'allais faire une conférence en français à la faculté de médecine et sur le mail que j'avais reçu, on me disait qu'une dame viendrait me chercher à la gare et que je la reconnaîtrais parce que – et là je cite : « She has got red hair ». Je m'attendais donc à voir une sorte de jeune fille punk aux cheveux rouges. Et je cherchais partout dans le hall de la gare. Finalement, une petite dame d'une cinquantaine d'années est venue vers moi et a dit mon nom et comme un imbécile je lui ai dit en souriant « Vous n'avez plus vos cheveux rouge ? ». Elle m'a regardé, stupéfaite… Et puis elle a compris et m'a expliqué que « red hair » c'était les cheveux « roux ». Autant te dire que je me suis trouvé un peu stupide.

– Moi c'est en Espagne. Je préparais un concert avec un orchestre international mais beaucoup de musiciens étaient espagnols… Et il y avait un musicien qui mettait toujours de l'ambiance comme savent faire les Espagnols… et surtout il débrouillait tous les problèmes techniques. Un jour qu'il avait réussi je ne sais plus quoi, j'ai dit : « C'est la mascotte de notre groupe ». Autrement dit, « celui qui nous porte bonheur ». Mais j'ai vu les regards des Espagnols étonnés. D'autres qui avaient l'air de se moquer du musicien en répétant : « la mascota ! ». À la fin de la répétition, une violoniste que je connaissais mieux que les autres m'a dit qu'en espagnol « la mascota » c'était l´animal domestique que l'on a chez soi : le chien, le chat, le hamster… Alors je suis allée m'excuser auprès du gars et je lui ai promis d'apprendre l'espagnol. Mais je me sentais un peu ridicule.

Unité 1

Leçon 1

🔊 **p. 21, Exercice 7**
N° 2

a. Si je pouvais changer de vie… revenir en arrière, j'aurais envie de faire un métier proche de la nature. Agriculteur… garde forestier… quelque chose comme ça.

b. Moi aussi, je réfléchirais à deux fois avant de choisir un métier. Je m'en veux d'être entrée dans l'administration. Je regrette de ne pas avoir choisi un métier où on voyage.

c. Si je peux changer de vie ? Alors là, je demande le divorce. J'exige qu'on vende la maison. J'achète un bateau et je pars faire le tour du monde. Finis les problèmes. Ma femme et mes enfants ont un bon métier. Je pars tranquille.

d. Si je pouvais changer de vie, je serais archéologue. J'espère que je réussirais… que j'arriverais à vivre de ce métier.

e. Changer de vie à maintenant… à 40 ans, c'est pas facile. J'ai toujours hésité à me lancer dans ce que j'ai toujours eu envie de faire : de la musique… Mais je n'ai jamais osé. Je suis toujours aussi indécis.

f. Justement je compte bien me remettre en question. Je fais des économies pour ça. J'ai l'intention de monter ma petite entreprise de création de bijoux sur Internet.

Leçon 2

🔊 **p. 23, Exercice 7**
N° 3

Armelle : Qu'est-ce qu'il y a ? Tu marches bien vite tout à coup.

Jordan : Tu as vu le type derrière nous ? Il nous suit depuis un bon moment.

Armelle : Tu as peur de ce type ?! Et d'abord, il nous suit peut-être pas. Il rentre chez lui.

Jordan : Non, non, non… Tout à l'heure, il était devant un immeuble comme s'il attendait quelqu'un. Et quand on est passé devant lui, j'ai croisé son regard : un regard qui te file la trouille.

Armelle : Et c'est là qu'il a commencé à nous suivre ?

Jordan : Oui, c'est bizarre, non ?

Armelle : Pourquoi veux-tu qu'il nous suive ? Je te trouve bien nerveux. C'est le film qu'on vient de voir… Eh ! Ne va pas si vite !

Jordan : Regarde, j'accélère, il accélère.

Armelle : Tu te fais des idées. Arrête de paniquer !

Jordan : Je ne panique pas.

Armelle : Si, tu paniques. Tu as une voix bizarre. Calme-toi ! Tu le connais, ce type ?

Jordan : Non, je ne crois pas.

Armelle : Bon, écoute, si c'est pour te mettre dans cet état, on prend un taxi.

Leçon 3

🔊 **p. 24, La séquence radio**
N° 4 *Rebondir après un échec*

Ils avaient un bon métier. Ils gagnaient bien leur vie. Ils étaient installés dans la société. Et pourtant, ils ont décidé de tout quitter pour faire quelque chose qu'ils avaient envie de faire et qui correspondait plus à leurs valeurs. La journaliste Emmanuelle Bastide interroge Stéphanie Rivoal, une de ces personnes qui, un beau jour, a décidé de changer de vie.

Emmanuelle Bastide : […] Comment a germé cette idée de changer de vie professionnelle, disons jusqu'à devenir une nécessité ?

Stéphanie Rivoal : Alors, moi, c'est vraiment des histoires de moments-clés dans la vie qui ont déclenché des réflexions. Donc, c'est une petite graine qui a mûri et qui a poussé sur une période de dix ans…

Emmanuelle Bastide : Dix ans dans la finance.

Stéphanie Rivoal : Dix ans dans la finance. J'avais une vie programmée, complètement programmée par la manière dont j'avais mené mes études en France… Des écoles prestigieuses, des hauts diplômes… Je faisais tout comme il fallait pour plaire à ma famille, correspondre à la reconnaissance sociale qui est une grosse pression, en France. Donc moi, j'ai été programmée, téléguidée, pour faire ce type de carrière. Et puis, j'ai été licenciée de mon premier emploi. Alors ça, c'était vraiment pas du tout du programme.

Emmanuelle Bastide : À Londres ?

Stéphanie Rivoal : À Londres. En plus, bon, ils font ça bien, hein. Donc, ça se passe en deux heures… le petit carton… dehors. Donc, avec sa dose d'humiliation. Être donc licenciée, alors là franchement, socialement parlant, comme on disait tout à l'heure, c'est très stigmatisant. Bon ça, c'était le premier réveil qui a commencé à déclencher chez moi des questionnements et puis ensuite, la question…

Emmanuelle Bastide : Vous avez continué, vous avez retrouvé du boulot.

Stéphanie Rivoal : Oui, je suis retournée à un monde d'affaires. C'était quand même pas gagné parce que j'étais vraiment humiliée… j'étais blessée, j'étais… c'était très dur. C'était vraiment une cassure dans une trajectoire qui était toute tracée.

Emmanuelle Bastide : Mais elle a duré dix ans cette trajectoire.

Stéphanie Rivoal : Oui. C'est un des moments les plus importants de ma vie, décisif.

Emmanuelle Bastide : Alors, à quel moment, vous vous dites : « Non, ben, c'est plus possible. Ça ne peut pas continuer comme ça. » parce que c'est vous qui êtes partie.

Stéphanie Rivoal : C'est moi qui suis partie. Donc, cette blessure-là, elle a commencé à… je me suis dit : « Allez, j'en fais dix ans et puis après je ferai autre chose »… […] Et puis, est arrivé le moment où plein de choses sont arrivées en même temps. Ma mère est tombée malade. J'ai divorcé. Et professionnellement, c'était... j'étais sur un produit, un segment qui se portait pas très bien. Donc, il y a eu le château de cartes, un peu, qui s'est effondré... une remise à plat. Et c'est là que je me suis dit : « Au fait, ça fait combien de temps... et je me suis dit, « Ah, ben tiens, ça fait dix ans. Ben, c'est le moment, en fait. » Mais, c'est un moment de crise.

Emmanuelle Bastide : L'humanitaire, c'est apparu comme une évidence ou pas tout de suite ?

Stéphanie Rivoal : Ah non, c'était un fantasme. C'est tellement romantique de partir en mission humanitaire. Donc, je me suis dit : « C'est ça que je veux faire... que ma vie ait du sens... que je sois utile... changer le monde... tout ça ». Donc, je suis rentrée dans l'humanitaire avec une vision très romancée, voire fantasmée du monde humanitaire.

Emmanuelle Bastide : Et ça a été un petit peu plus compliqué que cela [ ]

Leçon 4

 p. 26, vidéo
N° 1

Les bâtisseurs du château de Guédelon

Alors, moi j'ai commencé l'aventure, c'était il y a 3 ans. Je travaille en tant que maçon-animateur, sur le chantier. J'ai fait plutôt des études de biologie, et puis après je suis parti dans la restauration du patrimoine.

Et donc, en fait, j'ai fait un stage à Guédelon. J'ai adoré le projet, puisque... qui n'a pas rêvé, étant jeune de venir construire un château ? C'est vraiment très rare que je me dise « J'ai pas envie d'aller au boulot aujourd'hui. »

On monte les murs comme au XIII⁰ siècle. Avec les outils du XIII⁰, et puis on a beaucoup de retaille à faire. Ce que j'adore c'est assembler les pierres. Trouver celle qui va aller parfaitement avec celle d'à côté. Enfin, quand je trouve celle qui va parfaitement !

La maçonnerie, c'est un jeu de puzzle. C'est comme si on réalisait un tableau, en fait, si vous voulez. Un beau mur, pour moi, ça vaut largement une belle peinture.

On a ouvert le chantier en 98, donc un an plus tard ou très vite en fait, le chantier s'est autofinancé. C'est les entrées des visiteurs qui financent, en fait, l'apport des matériaux et puis les salaires de tous les ouvriers.

On est 70 salariés sur Guédelon. Et puis après, effectivement, on a ce qu'on appelle les bâtisseurs, donc c'est des gens qui viennent en tant que bénévoles, pour une petite durée, ça peut aller de quatre jours à une semaine, et qui viennent nous aider, donc donner un peu de leur temps. Ils tournent sur les différents postes. Et le but, nous, c'est de leur montrer un petit peu ce qu'on sait faire, qu'ils posent leurs pierres, qu'ils participent à ce projet-là, quoi.

Passer ses vacances à bosser, casser des pierres, ça peut paraître bizarre mais... je pense qu'ils sont contents de revenir. Parce que, oui, ils sont passionnés par le projet aussi. Ils ont pris le virus Guédelon, quoi, entre guillemets.

Au-delà de la construction, qui est déjà très chouette, on a vraiment l'aspect... on va dire « partage », quoi. Donc, partage avec les visiteurs, avec tous les bâtisseurs qui viennent nous aider. Ça donne au travail, en fait, une autre dimension. Et c'est vraiment très agréable comme boulot.

C'est un projet qui est vivant, qui est passionnant, qui passionne beaucoup de gens. C'est quand même 300 000 visiteurs par an qui viennent nous voir. C'est 700 bâtisseurs, pour une équipe d'à peu près 70 salariés, donc... c'est un mouvement, vraiment.

Et on va faire en sorte que ce mouvement continue, oui. On peut tout imaginer. Pourquoi pas créer un village, créer une église, créer... Tout est possible, quoi. Tant que les gens seront intéressés et tant qu'il y aura cette passion, je pense que ce projet y durera. Il n'y a vraiment pas de raison qu'il s'arrête aujourd'hui, quoi. Et je l'espère vraiment pas !

Projet

 p. 28, Exercice 3
N° 5

– J'ai vécu quelque temps aux Comores. Vous voyez où c'est ? Ce sont des îles, à côté de Madagascar, dans l'océan Indien. Eh bien, là-bas, ce sont les femmes qui sont propriétaires des maisons. Dès qu'une fille naît, sa famille commence à lui construire sa maison de sorte que les femmes ne sont jamais à la rue, même si elles sont abandonnées par leur mari. C'est curieux, non ? Ça leur assure une certaine sécurité.

– Quand je suis allée en Inde, j'ai visité Auroville, à côté de Pondichéry, c'est dans le sud. C'est une communauté très particulière, idéaliste. La communauté est elle-même divisée en petites communautés. À l'intérieur d'une communauté, les gens travaillent, les enfants vont à l'école, mais tout est mis en commun. Ce qu'on gagne, ce qu'on possède, tout ça appartient à tout le monde et c'est géré par la communauté. Ainsi, il n'y a pas de jalousie, de conflit de propriété ou d'exploitation des ouvriers par les patrons. Et ça marche depuis 1968.

– Alors, c'est mieux que dans le quartier de Christiania, au Danemark, à Copenhague. Là aussi, ils ont décidé de vivre autrement. Ils veulent être libres et ne pas obéir à certaines lois du pays. C'est un quartier où il n'y a pas de police, pas de caméras de surveillance. Les voitures et les motos y sont interdites. Les drogues douces comme le cannabis sont en vente libre. Chacun est libre de faire ce qu'il veut, de travailler ou de ne pas travailler, de s'habiller comme il veut, d'entretenir son logement ou pas. Il y a une seule règle : pas de violence ! Mais bon, c'est un quartier qui a assez mal tourné, beaucoup d'alcoolisme, beaucoup de drogues. C'est une utopie qui n'a pas vraiment réussi...

Bilan grammatical

 p. 32, Exercice 5
N° 6

a. Un étudiant paresseux
- – Votre ami a réussi ?
- – Non, il n'a pas réussi.
- – Il avait beaucoup travaillé ?
- – Non, il n'avait pas beaucoup travaillé.
- – Il était allé en cours ?
- – Non, il n'était pas allé en cours.
- – Il avait participé aux travaux pratiques ?
- – Non, il n'avait pas participé aux travaux pratiques.
- – Il avait révisé ?
- – Non, il n'avait pas révisé.
- – Il avait fait ses devoirs ?
- – Non, il n'avait pas fait ses devoirs.

b. Vous êtes très difficile
- – Vous vous intéressez à l'opéra ?
- – Non, je ne m'y intéresse pas.
- – Vous vous passionnez pour le théâtre ?
- – Non, je ne me passionne pas pour le théâtre.
- – Vous vous enthousiasmez pour l'art moderne ?
- – Non, je ne m'enthousiasme pas pour l'art moderne.
- – Vous vous attachez aux personnages des séries télévisées ?
- – Non, je ne m'y attache pas.
- – Vous vous intéressez aux romans de science-fiction ?
- – Non, je ne m'y intéresse pas.

c. Le rendez-vous manqué
- – Tu t'es levé tôt ?
- – Non, je ne me suis pas levé tôt.
- – Tu t'es réveillé à 7 h ?
- – Non, je ne me suis pas réveillé à 7 h.
- – Tu t'es rendu compte de l'heure ?
- – Non, je ne me suis pas rendu compte de l'heure.
- – Ton amie s'est préparée ?
- – Non, elle ne s'est pas préparée.
- – Vous vous êtes trompés de jour ?
- – Non, nous ne nous sommes pas trompés de jour.

Unité 2

Leçon 2

 p. 36, La séquence radio
N° 7

Les enfants de couples mixtes

Ingrid Pohu : Comment les enfants de couples mixtes parviennent-ils à se construire leur identité quand leurs parents leur proposent deux nationalités, deux langues et deux religions différentes ? La sociologue Anne Unterreiner nous explique que l'adolescence est un moment clé dans leur recherche identitaire.

Anne Unterreiner : Alors, à l'adolescence... c'est un moment de questionnement identitaire.

Ce qui est particulier pour les enfants de couples mixtes, c'est qu'ils ont des parents qui sont nés dans des pays différents. Et donc auparavant, ils s'identifient en référence à leurs parents. Et à l'adolescence, les amis vont prendre une place de plus en plus importante, ce qui va compter ce n'est plus le regard de la famille et des parents, c'est le regard des amis, le regard des futurs partenaires amoureux. Et donc là, ils vont se positionner par rapport à ces amis, avoir envie d'être reconnus par ces amis et donc se poser de nombreuses questions en se disant : « Mais finalement, je ne suis pas que l'enfant de mes parents, je suis un individu à part entière, je fais partie d'un groupe et j'ai envie d'être reconnu comme tel. »

Ingrid Pohu : Et en cas de conflit entre les parents ?

Anne Unterreiner : Alors... il peut y avoir conflit entre les parents. Il peut y avoir conflit au sens même plus large. Et on peut ne pas être reconnu par les autres comme étant ce qu'on est. Je suis par exemple franco-italien, je me sens franco-italien, je me définis comme étant les deux et on me demande de choisir, on me dit : « heu... attends, y a un match entre la France et l'Italie, tu es pour qui ? Il faut que tu choisisses ! » Et c'est là qu'il y a problème, c'est quand, au niveau familial ou extra-familial, on demande à l'enfant de choisir.

Ingrid Pohu : Est-ce que parfois il arrive qu'un enfant dise : « Je ne veux pas choisir » ?

Anne Unterreiner : Disons qu'il y a plusieurs logiques dans le non choix, on peut se dire « Je ne suis pas français, je ne suis pas italien. Je suis franco-italien. Je suis les deux ! » Il y a une autre manière de ne pas choisir, c'est de dire : « Moi, je ne suis pas français, je ne suis pas italien, je suis européen, je suis cette identité qui englobe le tout. Ou je suis citoyen du monde ou je suis parisien. » ou encore de renvoyer à des identités qui n'ont rien avoir avec l'endroit dans lequel on vit mais à sa profession ou à son statut au sein de la famille. De dire : « Moi je ne suis pas française ou sénégalaise ou autre... Moi je suis journaliste, je suis maman, je suis parisien, etc., etc. »

Ingrid Pohu : Est-ce que la culture du pays dans lequel ces enfants de couples mixtes vivent est déterminante ?

Anne Unterreiner : Alors... disons que... il y a deux choses qui sont déterminantes. Le parcours migratoire familial et individuel sont déterminants dans le sens où, si votre parent portugais est arrivé en France à l'âge de deux ans et ne parle pas bien portugais, il sera en difficulté et n'aura peut-être pas du tout envie de vous transmettre par exemple la langue portugaise. Si vos parents ont fait le choix de faire des allers-retours entre les différents pays, vous parlerez plus une langue, vous connaîtrez mieux les deux cultures que si vous avez uniquement vécu dans un pays.

Leçon 3

p. 39, Exercice 2
N° 8

Aurélien : Ah !... Je voulais te dire... Avec Yseline, on va se marier.
La mère : Ah ben voilà une bonne nouvelle ! Ça fait combien ? Trois ans que vous êtes ensemble ?
Aurélien : Oui et donc on en a marre de faire le trajet entre Lyon et Grenoble. Yseline est fonctionnaire. Elle peut demander sa mutation à Grenoble mais pour ça il est indispensable qu'on se marie !
La mère : Toi, tu pourrais pas aller à Lyon ?
Aurélien : Ben non. J'ai à finir mon projet. Il faut que je reste à Grenoble au moins cinq ans.
La mère : Et... vous faites quelque chose pour ce mariage ?
Aurélien : Ah oui ! C'est important. On pensait faire le mariage dans un chalet de montagne, dans la Chartreuse.
La mère : Tu veux dire la fête.
Aurélien : Non, non, tout ! Un adjoint au maire viendra nous marier puis un prêtre.
La mère : Mais Aurélien, ça ne se fait pas ! Ils ne voudront jamais. Un mariage civil se fait à la mairie et le mariage religieux dans une église ou une chapelle. Ça s'impose !
Aurélien : Maman !... Tu penses bien qu'on a tout prévu. J'ai un copain adjoint au maire. Un mariage civil peut se faire en dehors de la mairie si le maire donne l'autorisation. Ce qui est impératif, c'est d'aller le lendemain signer le registre d'état civil... Quant au mariage religieux, il y a une chapelle dans la montagne. On a vu le prêtre, il est d'accord.
La mère : Et vous comptez inviter beaucoup de monde ?
Aurélien : Oui, on sera à peu près 150. Et je te rassure... papa et toi, vous serez invités !
La mère : 150 ! Tu te rends compte ? Il va falloir casser la tirelire.
Aurélien : Mais non maman. Le mariage ne va pas te coûter un centime. Ni à toi, ni à moi.
La mère : Tu te fiches de moi ?
Aurélien : Non. On va faire un mariage participatif.
La mère : Qu'est-ce que c'est cette histoire ?
Aurélien : Ça se fait de plus en plus. Bon, en règle générale, les invités au mariage offrent un cadeau. Là, nous, on n'a pas besoin de cadeaux. On a tout ce qu'il faut ! Alors, ils offriront une somme d'argent. On compte sur 100 euros en moyenne par personne.
La mère : Alors, tout le monde est censé donner 100 euros. Il y en a qui vont trouver ça bizarre.
Aurélien : Mais non maman. Ils donneront ce qu'ils voudront...
La mère : Et comment on va y aller à ce chalet ?
Aurélien : Avec le télésiège. Il fonctionne même en été.
La mère : Ton oncle Nicolas sera forcé de prendre un télésiège !
Aurélien : Mais non maman ! Il y a aussi une route.

Leçon 4

p. 40, vidéo
N° 2

Chez les Guigo

Jean-Claude : On a déménagé, ici, au mois de décembre, l'année dernière.
Edwige : On est bien, on est à la campagne. On profite de la vie en province. On a de l'espace, on a un grand jardin.
Jean-Claude : On aménage petit à petit, à notre goût. Dans cette maison, nous vivons en continu à trois personnes, nous deux, plus notre enfant qui a 5 ans. J'ai également deux enfants un peu plus grands, un de 9 ans et une qui va avoir 15 ans, qui vivent chez leur mère et qui viennent les week-ends et vacances scolaires, ici. Même si ce sont des demi-frères, des demi-sœurs, ils se considèrent comme des frères et sœurs avec toute la joie qu'ils peuvent avoir... quand ils sont ensemble.
Edwige : ...quand ils se retrouvent.
Jean-Claude : Tout le monde a ses emplois du temps, aussi bien professionnels que scolaires pour les enfants. Maintenant, le repas de famille est primordial et là toute la famille se retrouve autour de la table.
Edwige : On ne dîne pas devant la télé, parce que justement on considère que le repas c'est un moment où on ne doit pas être court-circuité par autre chose, et où, vraiment, on se retrouve ensemble, pour échanger et parler.
Jean-Claude : Le repas familial est un moment convivial, mais en plus c'est un lieu de vie, un lieu d'échange, en plus de plaisir culinaire. Sur les tâches ménagères, en général, on essaye de se répartir les tâches.
Edwige : ... de se répartir les tâches.
Jean-Claude : Il n'y a pas vraiment de rôles bien définis. C'est plus en fonction des...
Edwige : ... en fonction du planning de chacun, et voilà ! C'est important que les enfants participent aux tâches ménagères parce que, un jour, ils vont être amenés à avoir leur propre chez eux, et il faudra bien qu'ils se prennent en charge, qu'ils fassent... qu'ils sachent en quoi ça consiste.
Jean-Claude : Ça fait partie d'une manière éducative pour participer à la vie collective.
Edwige : Et pour les mener, en fait, sur le chemin, effectivement, de l'autonomie et de leur propre prise en charge. C'est vrai que la vie avec les enfants est assez prenante et on n'a pas beaucoup de moments pour la vie de couple, vraiment à deux.
Jean-Claude : C'est pour ça que, tous les ans, on se fait une semaine de vacances tous les deux, sans enfants. C'est vraiment notre semaine de vacances tous les deux où l'on est un couple à part entière, et pas des parents.
Edwige : Vingt-quatre heures dans une journée, c'est... Je sais pas, il en faudrait... Trente, ce serait pas mal ! J'aurais le temps de faire mes activités, de gérer les enfants, d'avoir un petit peu plus de temps pour nous. Oui, ce serait bien !
Jean-Claude : Oui.

Bilan grammatical

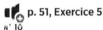

p. 46, Exercice 5
N° 9

Dialogues au cours d'un mariage

a. • – Tu connais la fille en bleu ?
– Je la connais.
• – Elle a un petit copain ?
– Elle en a un.
• – Elle parle le russe ?
– Elle le parle.
• – Il y a des Russes à la soirée ?
– Il y a en a.
• – Tu trouves cette fille sympa ?
– Je la trouve sympa.

b. – Tu connais le garçon avec la moustache ?
– Je ne le connais pas.
• – On sait qui il est ?
– On ne le sait pas.
• – Quelqu'un le connaît ici ?
Personne ne le connaît.
• – Il a une copine ?
– Il n'en a pas.
• – Marie l'invite souvent ?
– Elle ne l'invite pas souvent.

c. – Tu as bu du champagne ?
– J'en ai bu.
• – Tu as apprécié le gâteau ?
– Je l'ai apprécié.
• – Tu as apporté un cadeau ?
– J'en ai apporté un.
• – Tu as rencontré les amis de Marie ?
– Je les ai rencontrés.
• – Ils t'ont invité à leur soirée ?
– Ils m'ont invité.

d. – Tarek a invité Laura à danser ?
– Il ne l'a pas invitée.
• – Tu as vu tes amis ?
– Je ne les ai pas vus.
• – Tu as vu Leila ?
– Je ne l'ai pas vue.
• – Tu as bu de la vodka ?
– Je n'en ai pas bu.
• – Tu as goûté les macarons ?
– Je ne les ai pas goûtés.

Unité 1

Leçon 2

p. 51, Exercice 5
N° 10

Moi, ma scène culte, c'est dans *Les Bronzés font du ski*, la scène où Michel Blanc passe une partie de la soirée bloqué sur le télésiège.
– Attends, rappelle-moi, pourquoi il est bloqué sur ce télésiège ?
– Parce qu'il a pris le télésiège en fin de journée alors qu'il n'y avait plus personne. Et l'homme qui a arrêté le télésiège ne l'a pas vu. Il se retrouve bloqué, la nuit tombe, il fait de plus en plus froid et il essaie de se réchauffer en chantant « Étoiles des neiges » et finalement, il décide de se laisser tomber dans le vide... C'est

marrant, cette scène, on en parlait l'autre jour, au ski, avec les enfants. C'est une scène que tout le monde connaît. Il y en a même qui chantent la chanson quand ils sont sur le télésiège...
– Ah oui, ça me revient ! Moi, il y a une scène que j'aime bien. C'est dans *Nos jours heureux*. Il est repassé récemment à la télé.
– Je l'ai jamais vu, ce film.
– Ben, ça se passe dans une colonie de vacances et il y a une monitrice qui n'a pas d'autorité. En particulier avec un gamin qui est vraiment très désagréable avec elle. Il n'obéit jamais, il se moque d'elle. Alors pendant plusieurs jours, la fille fait preuve de beaucoup de patience et puis, un jour, à la piscine, juste parce que le gamin ne veut pas se baigner, elle explose ! Mais, alors, il faut voir la crise !... Elle crie, elle insulte le garçon et ça continue et ça continue... et on se demande quand ça va s'arrêter. Et du coup, le gamin qui l'a embêtée pendant toute la durée du séjour, il se retrouve complètement perdu. Il faut voir leur tête à tous les deux ! À partir de là, d'ailleurs, il devient obéissant. C'est bizarre, tu n'as jamais vu cette scène ?
– Ben non !
– Ah, il faut que tu la voies sur YouTube. En fait, si elle reste dans les mémoires c'est parce que c'est quelqu'un de brimé qui prend sa revanche... Au fond les scènes cultes, c'est souvent des scènes qui surprennent.
– Un peu comme la scène de *Bienvenue chez les Ch'tis*, quand Kad Merad arrive dans le Nord-Pas-de-Calais...
– C'est quand il est employé de la poste ?
– Oui, il a toujours vécu à Marseille et il se retrouve muté dans le Nord. Et pour lui, le Nord c'est un peu comme aller en Sibérie. Tout le monde lui dit que les conditions de vie y sont épouvantables...
– Oui, oui, je me rappelle ! Il part en voiture. Il fait un temps magnifique. Il reprend confiance. Il se dit que peut-être le Nord ce n'est pas si terrible que ça. Mais juste au moment où il passe le panneau au bord de la route « Nord-Pas-de-Calais », surprise, la nuit tombe, un orage éclate... et un rideau de pluie s'abat sur le pare-brise...
– Et là Kad Merad fait une tête !

Leçon 4

p. 52, La séquence radio
N° 11

La Nuit des Musées

Pour sa neuvième édition, la Nuit des Musées qui s'est déroulée le 10 mai dernier a rassemblé plus de 2 millions de visiteurs en France : une fréquentation plutôt stable par rapport à l'an passé. Pour la circonstance, 1 300 musées de l'Hexagone se sont mobilisés avec un objectif : attirer des publics qui ne fréquentent jamais ou pas souvent les musées. Reportage à travers la France d'Isabel Pasquier.
Isabel Pasquier : Plus de 21 000 visiteurs au Centre Pompidou, plus de 17 000 au musée d'Orsay et à l'Orangerie et 14 000 au Quai Branly... Pas de doute : la Nuit des Musées

exerce toujours un effet très attractif sur tous les publics, avec des animations artistiques, théâtrales et musicales, souvent très originales, et qui donnent aux musées un nouveau visage, beaucoup plus facile d'accès. En province, à Mulhouse, la Nuit des Mystères, par exemple, a rassemblé 25 000 visiteurs. À Marseille, Christine Poullain, conservateur du musée Cantini.
Christine Poullain : On est dans une ambiance totalement différente de l'ambiance habituelle des musées. C'est en ça que cette idée de Nuit des Musées, c'est quand même quelque chose d'absolument génial pour amener des publics nouveaux au musée. Ce qui est notre but. Je crois que c'est surtout un événement exceptionnel : à la fois c'est gratuit, à la fois c'est le soir et ça amène énormément, énormément de monde, et on sent bien au niveau des musées une attente énorme... et la foule que vous voyez là en est la preuve irréfutable.
Isabel Pasquier : La preuve avec cette foule en effervescence dans le musée Cantini.
Une visiteuse : C'est un moment où en principe où on n'y va pas et c'est agréable... de changer d'heure. Beaucoup plus de monde, des enfants qui font beaucoup de bruit. Donc c'est... on est un peu bousculé. Mais, enfin, bon, c'est pas grave.
Une visiteuse : Ça fait avancer les gens de se perdre dans la contemplation d'une œuvre. Ça fait rêver, et le rêve, c'est ce qui fait avancer dans la vie.
Un visiteur : La nuit est assez souvent associée au sommeil et donc ben... je dis pas à la mort mais on pourrait dire en quelque sorte... Là, c'est effectivement... il y a de l'effervescence, il y a de la vie... le contact humain et le contact avec les autres qui se mélangent et c'est ça qui est fort.
Isabel Pasquier : Au musée d'Aquitaine à Bordeaux, les enfants ne sont pas les derniers à vouloir passer une partie de leur nuit au musée.
Une mère : On amène nos enfants qui habituellement ne sont pas du tout ravis d'aller dans les musées, et à partir du moment où c'est le soir il y a eu un enthousiasme général.
Un enfant : Moi, j'ai bien aimé les chansons. Ça a parlé de l'esclavage... Ils sont allés là-bas obligés pour aller travailler.
Isabel Pasquier : Plus de 5 000 animations ont été proposées durant cette Nuit des Musées. Au musée du Pramnd on aula ta ta hitin afin Moyen Âge : ambiance électro avec Smokey Joe.
Une visiteuse : Nous, on le connaissait calme, etc. Là, il y a un disc jockey. Tout le cloître arrête pas de briller, d'être illuminé. C'est un peu psychédélique en fait, hein... mais c'est bien.
Un visiteur : Ce que j'aurais préféré, c'est avoir de la musique classique éventuellement.
Une visiteuse : Ça change un peu, du bruit dans un musée... la momie... ça va faire du bien à la momie un peu.
Un visiteur : C'est une autre manière de faire vivre la culture et de la rendre vivante parce que peut-être que des petits jeunes n'iraient pas au musée s'il n'y avait pas de la musique. Et peut-être que les gens plus âgés n'iraient pas écouter ce genre de musique si elle n'était pas diffusée dans un musée comme ça.

Isabel Pasquier : En Europe, plus de 3 000 musées ont offert à leurs trésors une magique nuit d'insomnie.

Leçon 4

 p. 54, vidéo
N° 3

Gatha : interview d'une chanteuse

J'ai commencé à faire de la musique au conservatoire de Bordeaux. J'avais sept ans. J'ai entendu quelqu'un jouer du violoncelle et j'ai trouvé ça hyper beau. Donc j'ai fait ce cursus vraiment hyper académique, mais au bout de ce cursus-là, j'avais pas vraiment envie de faire de la musique classique parce que c'était pas mon univers et... la façon de partager la musique me correspondait pas. Du coup, j'ai décidé de prendre mon instrument, qui était classique, mais de l'emmener dans la pop, en fait. Aujourd'hui mon métier se compose de quatre parties. Je suis auteur, compositeur, chanteuse et violoncelliste. Ce que je crée, c'est toujours à partir d'une mélodie, et ensuite j'écris le texte sur la mélodie que j'ai trouvée. Mais moi, la mélodie, c'est vrai que c'est hyper important pour moi. J'écris en anglais et en français. Mais, mes chansons à moi, que je défends sous le nom de Gatha, j'ai plus choisi le français. Et je trouve que c'est une langue qui permet de communiquer vraiment ce qu'on ressent. Quand on la maîtrise en tous cas, je trouve que c'est une langue qui a beaucoup de subtilité, où il y a beaucoup de mots, donc ça permet de pouvoir exprimer vraiment ses émotions de façon très précise. Mes sources d'inspirations viennent de beaucoup d'artistes, qui ont mélangé des univers qui m'ont beaucoup plu, comme CocoRosie, Je suis très influencée par Tricky, par Björk... Donc qui viennent du trip-hop mais je fais pas du trip-hop non plus. Il y a plein d'artistes que j'aime mais je m'inspire plus de ce que je vis, de ce qui me marque. Je parle beaucoup, dans mes chansons, des faiblesses qu'on peut transformer en force ou des blessures qu'on peut transformer en réparation ou en transformation de vie. C'est pour ça que mon album s'appelle *Renaissance*. Ça me fait pas peur de parler de choses qui sont personnelles, ou qui sont intimes, ou que les gens vivent ou... Voilà. Pour moi, la scène c'est la raison pour laquelle je fais ce métier. C'est l'aboutissement de tout, c'est un moment de création avec les gens, c'est un moment de partage. Donc c'est hyper central, quoi. La scène, c'est un truc où je m'éclate complètement. C'est vraiment l'essence de mon métier.

Bilan grammatical

 p. 60, Exercice 5
N° 12

Bon père

• – Il raconte des histoires à ses enfants ?
– Il leur raconte des histoires.
• – Il parle au professeur de maths ?
– Il lui parle.

• – Il fait faire les devoirs à sa fille ?
– Il lui fait faire ses devoirs.
• – Il a réfléchi à l'avenir de ses enfants ?
– Il y a réfléchi.
• – Il a montré le problème à son fils ?
– Il lui a montré le problème.
• – Il a fait un cadeau à sa fille ?
– Il lui a fait un cadeau.

Mauvais père

• – Il prête son ordinateur à ses enfants ?
– Il ne leur prête pas son ordinateur.
• – Il demande à ses enfants de ranger leur chambre ?
– Il ne leur demande pas de ranger leur chambre.
• – Il parle beaucoup à ses enfants ?
– Il ne leur parle pas beaucoup.
• – Il a fait un cadeau à son fils ?
– Il ne lui a pas fait de cadeau.
• – Il a pensé à aller chercher sa fille à l'école ?
– Il n'y a pas pensé.
• – Il a participé à la réunion des parents d'élèves ?
– Il n'y a pas participé.

Unité 4

Leçon 1

🔊 p. 62, Exercice 4
N° 13

– On a fait une nouvelle découverte ? Qu'a-t-on trouvé ?
– Le prisonnier au masque de fer s'appelait Eustache Dangers. C'était un valet mais il connaissait un secret d'État.
– Est-ce que c'était un espion ? Que savait cet homme ?
– Il était au courant de négociations secrètes entre les rois de France et d'Angleterre.
– On a longtemps pensé que le masque de fer était un frère jumeau de Louis XIV. Cette hypothèse n'a-t-elle pas été abandonnée ?
– Si, elle a été abandonnée. Supposons que la reine ait eu des jumeaux, tout le monde l'aurait su à la Cour car de nombreux témoins assistaient aux accouchements royaux. Par ailleurs, si le prisonnier avait été un personnage important comme un parent du roi, il aurait été bien traité. Or, les dépenses pour l'homme au masque de fer étaient limitées.
– Comment l'hypothèse Eustache Dangers a-t-elle été vérifiée ?
– On dispose de plusieurs preuves. On sait qu'Eustache Dangers a été arrêté en août 1669 à Calais sur ordre du Roi. On connaît les prisons qu'il a fréquentées. Il y en a eu plusieurs. Ces prisons correspondent à celles où a été incarcéré le masque de fer. On a aussi des lettres d'un ministre de Louis XIV qui montrent que c'était un prisonnier politique constamment contrôlé par le pouvoir.
– Nous avons évoqué l'hypothèse selon laquelle le masque de fer aurait été le frère jumeau du Roi. Mais, il y en a eu d'autres. Par exemple, celle de Nicolas Fouquet.

– Effectivement, Nicolas Fouquet était le ministre des Finances du jeune roi Louis XIV et il avait détourné beaucoup d'argent, en particulier pour se construire un magnifique château où il donnait des fêtes somptueuses. Cela n'a pas plu au Roi. Il y a eu un procès et Fouquet a été emprisonné. Mais, justement, tout le monde savait cela. Pourquoi aurait-on cherché à cacher son identité alors que tout le monde la connaissait ? Par ailleurs, on peut faire la même remarque que celle qu'on a faite à propos du frère jumeau du Roi. Fouquet était un grand personnage. Il aurait été mieux traité qu'un simple valet.
– On a aussi dit que le masque de fer pouvait être François de Beaufort qui aurait été l'amant de la mère de Louis XIV.
– Alors oui... et cette hypothèse est assez romanesque ! Quand Louis XIV a découvert que sa mère avait peut-être eu un amant, il a eu peur d'être le fils de cet amant donc de ne pas être le fils légitime de Louis XIII. Voilà pourquoi il aurait caché ce supposé père. Mais l'hypothèse ne tient pas beaucoup. En effet, on sait que François de Beaufort a été tué dans la guerre contre les Turcs.
– On a même dit que le masque de fer pouvait être Molière.
– C'est encore une autre hypothèse mais j'en ai compté en tout 52 ! Et certaines sont très farfelues. Alors pourquoi avoir emprisonné Molière ? Parce que sa pièce *Tartuffe* s'attaquait aux religieux et ce sont ces religieux qui auraient demandé son arrestation... Alors, on sait que Molière a eu un grave malaise en scène lors d'une représentation du *Malade imaginaire* et qu'il est mort chez lui, le lendemain. En fait, il ne serait pas mort et on l'aurait mis en prison. Mais, cette hypothèse est peu probable. En effet, cela faisait dix ans que *Tartuffe* avait été joué. Pourquoi avoir autant attendu ? Et puis, on sait que Molière était très malade. S'il avait été emprisonné, il n'aurait pas pu vivre jusqu'en 1703, date de la mort du masque de fer.

Leçon 3

🔊 p. 67, La séquence radio
N° 14

Quelle eau pour demain ?

Le journaliste : Tous les grands organismes internationaux sont d'accord là-dessus : l'eau sera le problème majeur du XXIe siècle. Et l'eau sera ce qu'a été le pétrole au XXe siècle. Est-ce aussi grave que ce qu'on dit ?

La géographe : Le problème de l'approvisionnement en eau se pose de plus en plus un peu partout dans le monde. Il est dû à plusieurs facteurs. D'abord, la démographie. On a sur terre de plus en plus de gens qui consomment de l'eau. Il y a aussi le fait que le niveau de vie de cette population s'accroît et qu'elle vit de plus en plus en ville donc ses besoins en eau augmentent. Par ailleurs, l'industrie est de plus en plus gourmande en eau. Regardez, par exemple, les techniques d'exploitation du gaz de schiste. Ajoutez à cela, le réchauffement climatique qui fait que, dans certaines zones, les agriculteurs ont besoin d'arroser davantage et… vous aurez une situation qui est plutôt inquiétante.

Le journaliste : Certains experts pensent que ce manque d'eau va créer des tensions entre certains pays et qu'il y a même un risque de guerre.

La géographe : C'est exact. Beaucoup de pays partagent des ressources d'eau. Par exemple, l'eau du bassin du Nil concerne non seulement l'Égypte mais aussi l'Éthiopie, le Burundi et même d'autres pays. Si par exemple, l'Éthiopie construit un barrage pour retenir l'eau, l'approvisionnement de l'Égypte est compromis. Or l'Égypte, c'est presque cent millions d'habitants et tous dépendent de l'eau du Nil. Et des risques de conflit comme celui-là, il y en a un peu partout dans le monde. Au Moyen-Orient, pour l'eau de l'Euphrate et du Jourdain mais aussi en Asie du Sud-Est.

Le journaliste : Mais n'y a-t-il pas des moyens de trouver de nouvelles ressources en eau ?

La géographe : La première chose à faire serait de ne pas la gaspiller comme on le fait aujourd'hui. L'agriculture, en particulier, pourrait en consommer beaucoup moins. Il existe des solutions techniques pour produire plus avec moins d'eau, en retenant l'eau qui est dans le sol et en arrosant mieux.
Il faudrait aussi surveiller et contrôler les réseaux de distribution. On a calculé qu'on pourrait ainsi économiser 50 % de l'eau distribuée. Et puis, on peut aussi modifier nos modes de vie : prendre des douches au lieu de bains…
On a calculé qu'un régime à base de viande nécessitait 5 000 litres d'eau par jour et par individu. Un régime végétarien ne nécessite que 2 000 litres d'eau… Mais, évidemment, cela ne se fera que contraint et forcé !

Le journaliste : Il existe aussi des ressources en eau qui n'ont pas encore été exploitées ?

La géographe : Oui et c'est dans ce sens que la recherche est la plus avancée. Il y a deux pistes de recherche. La première, c'est celle du dessalement (on dit aussi la désalinisation ou dessalage). C'est une technique qui permet d'obtenir de l'eau douce à partir de l'eau de mer. Les pays du Golfe persique et Israël ont des usines de dessalement. Mais cette technique a des inconvénients. Elle nécessite de l'énergie et elle rejette le sel dans la mer et donc elle augmente la concentration de sel dans la mer ce qui n'est pas bon pour les poissons…

Le journaliste : Et la deuxième solution ?

La géographe : C'est la recherche de nouvelles nappes d'eau dans les profondeurs de la terre et il y en a d'énormes ! Un géologue français, Alain Gachet, est spécialisé dans cette recherche. En observant des cartes fournies par les satellites, il a mis au point un algorithme qui permet de découvrir l'existence de nappes phréatiques jusqu'à mille mètres de profondeur. Par exemple, en 2013, il a découvert au Kenya, sous des plaines arides, à 300 mètres de profondeur, une nappe d'eau pouvant satisfaire les besoins de la région pendant 70 ans.

Le journaliste : Donc il en serait de l'eau comme du pétrole. Dans les années 1980, on prédisait la fin du pétrole pour les années 2020. On sait aujourd'hui que les ressources sont énormes.

La géographe : Espérons que ce sera pareil !

Leçon 4

p. 68, vidéo
N° 4

La BnF

Ici, à la Bibliothèque nationale de France, l'ensemble des domaines scientifiques sont à disposition des chercheurs. Maintenant, par tradition historique, la place des sciences humaines, de la littérature, ou des langues est prédominante. Il est vrai que dans le domaine des sciences dures ou des sciences en général, les chercheurs ont d'autres lieux traditionnels, historiques, dans les universités, dans les centres de recherche, l'école polytechnique, et ils viennent en effet moins nombreux ici, à la Bibliothèque nationale.
Le chercheur n'est pas laissé, je dirais, seul à sa table, en quelque sorte. Les bibliothécaires mettent à disposition un grand nombre d'outils qui leur facilite l'accès aux ressources. Soit par des tris, par des dossiers thématiques, mais aussi l'accès à des sites Internet qui sont déjà étudiés, commentés pour certains, par des mini-dossiers, des mémos, ce qu'on appelle les signets aussi de la BNF et qui permettent effectivement d'accéder donc plus rapidement, plus facilement au plus grand nombre possible de ressources.
Alors la Bibliothèque nationale de France est une des plus importantes au monde, donc les ouvrages à disposition se comptent par millions. Nous avons à peu près 800 000 lecteurs-chercheurs par an. Mais il faut bien comprendre qu'il y a deux bibliothèques, en fait. Il y a une bibliothèque physique, avec des salles de lecture, qui accueillent des personnes physiques, et qui viennent. Mais il y aussi une bibliothèque virtuelle à laquelle on peut avoir accès de partout dans le monde. C'est-à-dire que, de chez lui ou d'une autre bibliothèque, le chercheur peut se connecter sur le site Bibliothèque nationale, avoir accès à des bibliothécaires qui, en ligne, pourront répondre à leurs questions de recherches ou à des ressources sans médiation humaine. Cette bibliothèque virtuelle, en nombre de visites, est devenue infiniment plus importante que la bibliothèque physique. Il y a donc vraiment deux systèmes, deux Bibliothèques nationales de France, qui coexistent en excellente intelligence, et qui se complètent pour les différents besoins.
C'est tout de même un lieu très particulier, la Bibliothèque nationale. Vu le temps que certains y passent c'est aussi un lieu de sociabilité très, très important. Et l'on se retrouve avec des personnes qui viennent ici pour avoir accès à des ressources documentaires, mais aussi pour pouvoir travailler dans un endroit calme, isolé. Mais en même temps au sein d'une communauté de personnes qui

partagent les mêmes envies, les mêmes besoins. Loin de rester tout le temps assis, je dirais, sur une chaise les chercheurs sont amenés, effectivement, à circuler, à rencontrer… Des espaces d'ailleurs de travail collectif sont mis à leur disposition. Donc c'est vraiment tout un espace de sociabilité.

Bilan grammatical

p. 74, Exercice 5
N° 15

Interrogatoires

a. • Son nom est Lucia Lopez ?
Son nom est-il Lucia Lopez ?
• Elle est espagnole ?
Est-elle espagnole ?
• Elle habite dans le 16ᵉ ?
Habite-t-elle dans le 16ᵉ ?
• Elle travaille à la banque de l'Est ?
Travaille-t-elle à la banque de l'Est ?
• Nicolas Legrand connaît Lucia ?
Nicolas Legrand connaît-il Lucia ?
• Louis Dubois est son compagnon ?
Louis Dubois est-il son compagnon ?

b. • Vous êtes Nicolas Legrand ?
N'êtes-vous pas Nicolas Legrand ?
• Connaissez-vous Louis Dubois ?
Ne connaissez-vous pas Louis Dubois ?
• Vous étiez à la brasserie *Sélect* hier soir ?
N'étiez-vous pas à la brasserie *Sélect* hier soir ?
• Vous avez dîné avec Louis Dubois ?
N'avez-vous pas dîné avec Louis Dubois ?
• Vous êtes repartis ensemble ?
N'êtes-vous pas repartis ensemble ?

Unité 5

Leçon 2

p. 78, Exercice 1
N° 16

Julien : Ah, c'est pas vrai ! Elle est nulle cette notice ! Isabelle !… Isabelle !…

Isabelle : Oui, qu'est-ce qu'il y a ?

Julien : Comment tu fais pour ouvrir la porte de la voiture ? Je fais ce qu'ils disent dans le guide et ça ne marche pas !

Isabelle : Et pourtant, regarde… Tu effleures les marques sur la poignée et tu ouvres. C'est magique ! Rien dans les mains, rien dans les poches !

Julien : Et pourquoi avec moi, ça ne marche pas ?

Isabelle : Évidemment… Tu dois avoir le bip dans ta poche ou dans ton sac.

Julien : Ah d'accord. Alors, c'est rien dans les mains, tout dans la poche. Ils auraient pu l'indiquer dans le guide.

Isabelle : C'est indiqué mais plus haut… Et pour verrouiller, tu fais pareil mais, avant, tu vérifies que toutes les portes sont bien fermées y compris celle du coffre.

Julien : Ça non plus, c'est pas noté !
[*Julien s'installe au volant. Isabelle s'installe à côté de lui.*]

Julien : Bon, alors, maintenant, démarrage... Le frein à main est serré. Le levier de vitesse est sur P. J'appuie sur « Contact »... Ben, ça ne marche pas !

Isabelle : Tu as appuyé sur la pédale du frein ?

Julien : Ah, zut, j'ai oublié ! Bon, j'appuie sur la pédale du frein, sur « Contact » et rien...

Isabelle : C'est que tu as appuyé trop longtemps sur « Contact ». Il faut faire juste une pression.

Julien : C'est n'importe quoi, leur notice ! Bon, alors, je recommence. Juste une pression... Je n'entends rien !

Isabelle : Et pourtant, il tourne comme dirait quelqu'un !

Julien : Le moteur tourne ?

Isabelle : Ben oui, c'est une voiture hybride. Quand tu démarres, c'est l'électrique qui se met en marche. Et l'électrique, c'est silencieux...

Julien : J'ai intérêt à faire attention quand je sors du garage.

Isabelle : Normalement, elle s'arrête quand elle rencontre un obstacle mais j'ai pas essayé !

Julien : On essaiera quand le voisin traversera la rue !

[*La voiture s'arrête à la station service.*]

Julien : Alors là, nouveau problème. Je suis devant la pompe à essence. Je dois faire le plein. Il y a des gens qui s'impatientent derrière. Comment j'ouvre le bouchon du réservoir ? Ils disent : « Tirez le levier situé sur le plancher. », mais ils ne disent pas où. Il faut partir en exploration ?

Isabelle : Il est juste à gauche de la pédale du frein.

Julien : C'est pas un guide d'utilisation, c'est un jeu de découverte. Ils ont mis des pièges partout, exprès !... OK, ça marche, je peux dévisser le bouchon. Et après, pour refermer, je fais l'inverse ?

Isabelle : Non, le levier se baisse automatiquement.

Julien : J'étais sûr qu'il y avait un piège !

[*La voiture démarre et roule.*]

Julien : Ah, on va passer sous un tunnel. Pour mettre les phares, c'est bien là ?

Isabelle : Oui, mais tu n'as rien à faire. Les phares vont s'allumer automatiquement. Je les ai mis sur la position « auto ».

Julien : Ah c'est ça que ça voulait dire « auto » ! Donc on passe automatiquement des feux de position aux feux de croisement et aux feux de route.

Isabelle : Oui, c'est un véhicule intelligent !

Julien : Un peu trop pour moi. Je ne suis pas du niveau... Qu'est-ce que c'est que ce bruit ?

Isabelle : Là, elle te signale que tu vas passer devant un radar. Tu entends ce signal avant et après le passage du radar.

Julien : J'ai pas vu ça dans le guide.

Isabelle : Effectivement, ça n'y est pas. C'est le vendeur qui me l'a expliqué quand j'ai fait la séance de prise en main du véhicule.

Julien : Maintenant, quand tu achètes une voiture, il faut un stage d'initiation. Ça ne m'étonne pas !

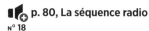

p. 79, Exercice 7
N° 17

1. À l'accueil d'un magasin

– Bonjour, je vous rapporte l'aspirateur que j'ai acheté hier. J'ai ouvert l'emballage. Il manque le tuyau de raccordement à l'appareil !

– Ah oui, effectivement, c'est bizarre. C'est la première fois que ça arrive. Je ne peux rien faire... Allez au service après-vente. C'est par là, tout au fond.

2. Au téléphone

– Allô, service après-vente ?

– Oui, qu'est-ce que je peux faire pour vous ?

– J'ai commandé une tablette par Internet il y a dix jours. La livraison était prévue cinq jours après et je n'ai toujours rien reçu.

– Vous avez regardé votre suivi de commande ?

– Le problème, c'est que j'ai effacé le courriel avec mon numéro de commande.

– Donnez-moi votre nom.

– Régnier Pascale.

– Je regarde... Vous habitez à Nantes ?

– Oui, boulevard Jules Vernes.

– Votre commande a bien été expédiée le 10 mars, c'est-à-dire avec quelques jours de retard. Vous ne devriez pas tarder à la recevoir. Si ce n'est pas le cas, recontactez-moi. Je vous donne votre numéro de commande...

3. Dans un magasin

– Bonjour ! J'ai acheté ce jean pour mon fils mais il ne lui va pas. Il faudrait la taille en-dessous. Je peux faire l'échange ?

– Oui, bien sûr. Donnez-moi votre ticket de caisse... Mais, je ne suis pas sûr qu'il me reste la taille en dessous. Je vais voir... Effectivement, je n'en ai plus et on ne va pas en recevoir d'autres.

– Qu'est-ce que vous faites ? Vous me remboursez ?

– C'est comme vous voulez. Je vous rembourse ou je vous fais un avoir.

4. Au téléphone

– Service après-vente, je vous écoute.

– Voilà, j'ai acheté un ordinateur il y a 6 mois et là j'ai l'écran noir. Impossible de le rallumer. J'ai un voisin informaticien qui a essayé et il m'a dit que l'ordinateur était fichu.

– Bon, vous l'avez acheté il y a six mois donc il est toujours sous garantie.

– Oui, oui, j'ai la facture sous les yeux.

– Alors, voilà ce que nous allons faire. D'abord, je vais ouvrir un dossier... Dans quelques jours, nous vous contacterons et quelqu'un viendra chercher votre ordinateur... Vous le lui remettrez avec l'emballage si vous l'avez gardé... et avec tout ce qui était dans l'emballage quand vous l'avez acheté... Notre service technique va le regarder et, soit on vous renverra l'ordinateur réparé, soit vous recevrez un bon correspondant au prix d'achat de votre ordinateur et vous pourrez en choisir un autre dans notre magasin.

5. Au téléphone

– Service après-vente, je vous écoute.

– Bonjour ! J'ai acheté par Internet le film *Entre amis* avec l'option « téléchargement » et je n'arrive pas à le télécharger.

– Vous avez bien reçu la confirmation de votre achat ?

– Oui et j'ai cliqué sur le lien.

– Vous avez dû oublier de télécharger le logiciel de téléchargement des films. Il faut que vous le fassiez sinon vous ne pourrez pas télécharger nos films. Donc, recommencez et surtout n'oubliez pas cette étape !

Leçon 3

p. 80, La séquence radio
N° 18

Nouveaux comportements et risques auditifs

Les jeunes adorent écouter de la musique. Que ce soit sur MP3, lors de concerts ou simplement dans les boîtes de nuit, les occasions ne manquent pas. Le problème, c'est que très souvent le niveau sonore est beaucoup trop élevé. Un peu partout dans le monde, les responsables de la santé s'inquiètent. La société moderne va-t-elle produire des générations de sourds ? Reportage de Bruno des Rubeaux.

Bruno des Rubeaux : Selon l'Organisation mondiale de la santé plus d'un milliard de jeunes dans le monde sont menacés de problèmes auditifs parce qu'ils écoutent de la musique trop forte. Aujourd'hui le niveau maximal autorisé pour un baladeur est de 95 à 100 décibels. C'est le bruit que fait un marteau-piqueur qui est situé à dix mètres de distance. Selon un sondage réalisé en début d'année, en France, les jeunes passent chaque jour une heure et quarante-trois minutes le casque sur les oreilles et ils n'hésitent pas à pousser le volume à fond... Des jeunes qui par ailleurs vont souvent dans les boîtes de nuit ou dans les concerts comme Clément qui est âgé de 20 ans.

Clément : Quand on ressort de boîte ou d'un festival, ou même d'un gros concert de métal, on ressort... on a les oreilles qui sifflent. Selon le style de musique, s'il y a eu beaucoup de graves, des basses ou beaucoup d'aigus... Le piège, c'est que on peut aller tout devant, vraiment tout devant sentir tout son corps trembler, avec les basses, et on apprécie plus le son. Je suis en transcendance quoi.

Bruno des Rubeaux : Cette écoute de la musique à un niveau très élevé a bien sûr de nombreuses conséquences pour les oreilles qui sont fragiles. Un des risques est de souffrir d'acouphènes. Ce sont des sifflements ou des bourdonnements que l'on croit entendre alors qu'il n'y a aucun bruit extérieur. Clément en fait la douloureuse expérience.

Clément : C'est parfois gênant : un sifflement plus ou moins intense dans les deux oreilles. Si je suis en groupe, c'est vrai que je vais un peu me mettre en retrait pour que ça passe. Parce que je sais que si je me concentre pour essayer de tout comprendre tout ce que les gens me disent, ça va me donner mal à la tête.

Bruno des Rubeaux : Comme Clément, la moitié des jeunes reconnaissent qu'ils ont un problème auditif. Et pourtant ils ne font rien.

C'est dommage car quand les premiers soucis apparaissent, il est encore possible d'agir pour protéger ses oreilles. Le professeur Hung Thai-Van, spécialiste de l'audition au Centre hospitalier universitaire de Lyon donne quelques conseils.

Hung Thai-Van : Il est important de ne pas écouter plus d'une heure la musique sur un baladeur. Ceci par jour. Pas d'exposition sonore continue dans une discothèque plus de deux heures hebdomadaires et pas plus de quatre heures par semaine dans un lieu bruyant comme un restaurant ou un bar où il faut élever le niveau de la voix pour se faire entendre à cause d'un fond sonore ambiant.

Bruno des Rubeaux : De jeunes Français interrogés sur ce qu'il faudrait mettre en place pour les sensibiliser sur cette question ont émis plusieurs propositions : distribuer systématiquement des bouchons d'oreilles dans les boîtes de nuit ou à l'entrée des concerts. Ils aimeraient aussi que leurs professeurs en parlent à l'école et qu'on leur propose de mesurer leur capacité auditive pour repérer un éventuel problème.

Leçon 4

p. 82, vidéo
N° 5

Un lieu de vie original

• Il y a quatre ans, je me suis dit : « Tiens, il y a quelque chose que tu as toujours eu envie de faire, c'est de vivre sur un bateau, eh bien il faut le faire. Et puis tu verras bien si tu appréciais surtout rêver de vivre sur un bateau ou si, au contraire, c'est vivre sur un bateau qui te fait le plus plaisir. Alors, fais-le et puis tu verras bien. ».
• Ça fait quatre ans que ça dure, et j'ai pour le moment aucune intention d'aller vivre ailleurs. J'ai vraiment l'impression d'être près de la ville, près d'une capitale extraordinaire qu'est Paris, tout en profitant d'un peu de campagne et surtout de l'eau, quoi.
• C'est une petite maison et c'est un jouet. J'ai l'impression parfois d'être un gamin. Je suis content, je pilote mon bateau. C'est l'aventure.
• Et puis c'est un moyen de se déplacer qui est assez contemplatif. Ça va tout doucement, et on passe comme ça, le long des berges. Et on a le temps. C'est un peu plus rapide que la marche, mais un peu moins que le vélo. Et c'est très agréable de vivre à ce rythme-là.
• Il y a une espèce d'isolement, c'est-à-dire qu'on peut être dans sa grotte, on peut être dans son bateau, c'est très hermétique. On n'entend pas les bruits extérieurs, si on ferme. Et on ne nous entend pas non plus. Je peux mettre la musique à fond, je peux hurler, crier, danser modérément, c'est pas très grand. Et je ne gêne personne.
• Il y a l'idée de pouvoir partir quand j'ai envie. Je ne le fais pas forcément. Mais dans ma tête et à l'intérieur, je pense que d'avoir ce choix-là, possible, me réjouit.
• Le bateau, ça se partage. À la fois c'est ma maison, voilà, c'est tranquille, mais quand j'invite des gens à venir pour faire une promenade, un

pique-nique ou et cetera, les beaux souvenirs c'est les moments qu'on partage ensemble, sur le bateau. Et moi, j'ai du plaisir à naviguer. Mais j'en ai encore plus quand je vois dans... dans le regard et les yeux des autres le plaisir qu'ils ont.
• Un bateau c'est un habitat, quand même, un peu particulier. Je dis pas que c'est un membre supplémentaire, mais on... on s'y attache. On s'y attache beaucoup. Alors changer de bateau, je l'envisage pas pour le moment, parce que je trouve qu'on fait une belle équipe, tous les deux. Et changer de lieu ? Non, pour le moment, je suis près d'une grande ville que j'aime, dans laquelle je travaille. Et en même temps, j'ai cet environnement autour, de campagne et de nature qui me donne beaucoup de plaisir dans ma vie de tous les jours.

Projet

p. 84, Exercice 3
N° 19

– Ah moi, je suis ravie de cette trottinette ! Je m'en sers tous les jours pour aller travailler. Elle se plie. Elle est très légère. Si j'étais vous, je l'achèterais.
– Je l'ai achetée et elle me convient tout à fait. Pour faire des trajets en ville, c'est très pratique. On passe partout. On peut rouler même sur les trottoirs. Si vous avez à vous déplacer en ville, je vous la recommande.
– Je regrette d'en avoir acheté une parce que c'est dangereux. D'abord, c'est dangereux pour les autres. Elle ne fait aucun bruit, donc personne ne l'entend. On peut bousculer des personnes qui marchent sur les trottoirs. Et si on roule sur la chaussée, là, c'est dangereux pour vous à cause des voitures ! Pour moi, c'est pas à conseiller.
– Le problème, c'est que ça peut aller assez vite, presque à la vitesse d'un vélo et le freinage n'est pas top. Bref, je suis un peu déçu. À votre place, je réfléchirais.
– J'en ai acheté une et je m'en mords les doigts. Je trouve que ça complique la vie. Il faut avoir un casque et des chaussures de sports. Pas question de faire de la trottinette avec des chaussures à talons hauts ! Donc quand vous allez travailler, il vous faut emporter vos chaussures. Si je peux donner un conseil, c'est d'éviter ce genre d'achat inutile.
– Moi, j'en suis très content. C'est moins encombrant qu'un vélo, ça passe partout, pas de problème de stationnement et je suis au bureau en cinq minutes. On pourrait tout de s'en passer !

Bilan grammatical

p. 88, Exercice 6
N° 20

a. Minimaliste

• – Il n'a pas de voiture ? Il n'a pas de moto ?
– Non, il n'a ni voiture ni moto.
• – Il ne consomme pas de gaz ? Il ne consomme pas de fioul ?
– Il ne consomme ni gaz ni fioul.

• – Il n'est pas allé en Espagne ? Il n'est pas allé en Allemagne ?
– Il n'est allé ni en Espagne ni en Allemagne.
• – Les meubles ne l'intéressent pas ? Les bibelots ne l'intéressent pas ?
– Ni les meubles ni les bibelots ne l'intéressent.
• – Les vêtements de marque ne lui plaisent pas ? Les produits de luxe ne lui plaisent pas ?
– Ni les vêtements de marque ni les produits de luxe ne lui plaisent.

b. Elle n'a pas envie de revoir son ex

• – Elle n'ira pas à la soirée de Marie ? Elle le regrette ?
– Elle regrette de ne pas aller à la soirée de Marie.
• – Elle ne veut pas rencontrer Lucas ? Elle reste chez elle ?
– Elle reste chez elle pour ne pas rencontrer Lucas.
• – Elle ne serait pas à l'aise ? Elle en a peur ?
– Elle a peur de ne pas être à l'aise.
• – Elle ne lui a pas écrit ? Elle en a honte ?
– Elle a honte de ne pas lui avoir écrit.
• – Elle ne le reverra jamais ? Elle l'espère ?
– Elle espère ne jamais le revoir.

Unité 6

Leçon 1

p. 91, Exercice 8
N° 21

Bonjour, je suis Arielle Verdier, de l'institut de sondage ISM. Nous faisons une enquête sur les besoins de confidentialité dans l'utilisation des téléphones portables et des ordinateurs. Est-ce que vous pourriez m'accorder un tout petit peu de votre temps ? Ça ne vous prendra pas plus de 5 minutes.
• Votre ordinateur est-il protégé par un code d'accès ? ...
• Des personnes de votre entourage possèdent-elles ce code d'accès ? ...
• Votre ordinateur est-il équipé d'un antivirus ? ...
• Consultez-vous vos comptes bancaires par Internet ?
• Utilisez-vous le paiement sécurisé de votre banque ?
• Faites-vous des opérations bancaires en ligne ? ...
• Changez-vous fréquemment votre code confidentiel ? ...
• Faites-vous des achats par Internet ? ...
• Passez-vous par la boîte de paiement de votre antivirus ?
• Effacez-vous régulièrement votre historique de navigation ? ...
• Utilisez-vous un logiciel de blocage de publicités ? ...
• Allez-vous sur les réseaux sociaux ? ...
• Utilisez-vous des pseudonymes ? ...
• Stockez-vous des photos, des films ou d'autres données sur des sites de stockage ou de partage de type « cloud » ? ...

• Postez-vous sur Internet des opinions que vous n'oseriez pas exprimer en public ? …
• Postez-vous des photos que vous n'oseriez pas montrer en public ? …
• Vous est-il arrivé de mettre sur les réseaux sociaux des photos qui peuvent nuire à l'image de certaines personnes ? …
C'est tout, très bien. Je vous remercie de votre patience et de votre collaboration.

Leçon 2

🎧➕ p. 93, Exercice 7
N° 22

Le journaliste : Pourquoi vous faites cette grève ?
La gréviste : C'est pour protester contre l'inégalité des salaires entre les hommes et les femmes. En moyenne, à niveau égal de compétence, les femmes gagnent 15 % de moins que les hommes. C'est totalement injuste et c'est même contre la loi !
Le journaliste : Vous parlez de la loi de 1983 ?
La gréviste : Oui, ça fait plus de trente ans et les choses n'évoluent pas. C'est pour ça qu'on veut alerter l'opinion publique.
Le journaliste : Il y a plusieurs organisations qui manifestent ?
La gréviste : Oui, aujourd'hui, il y a nous… nous, on s'appelle « Les Glorieuses ». C'est nous qui avons lancé cette grève et il y a une autre association pour les droits de la femme qui s'est jointe à nous et qui s'appelle « Les Effrontées ».
Le journaliste : Alors, pourquoi décider de faire la grève le 7 novembre et pourquoi cette heure précise, 16 h 34 mn 7 secondes ?
La gréviste : Alors, évidemment, c'est symbolique et c'est pour retenir l'attention et que les médias s'intéressent à nous. Je vous ai dit que les femmes gagnaient 15 % de moins que les hommes. Et bien, c'est comme si, à partir du 7 novembre, à 16 h 34 mn, le temps que nous allons passer à travailler jusqu'à la fin de l'année ne nous était pas payé. Ça représente 15 % du temps de travail de l'année. C'est la différence entre le salaire des hommes et celui des femmes.
Le journaliste : Vous êtes nombreuses à participer à ce mouvement ?
La gréviste : D'après les infos que nous avons, il y aurait 4 700 grévistes mais ce mouvement n'est pas limité à la France. Il y a eu des manifestations dans le monde entier.
Le journaliste : Depuis quand a été créé le mouvement « Les Glorieuses » ?
La gréviste : Alors, au départ, en 2015, c'est une étudiante en doctorat qui a lancé une « newsletter » intitulée « Les Glorieuses » pour alerter les femmes sur les atteintes à leur droit et montrer que le problème existait partout dans le monde. En Islande, par exemple, il y a une journée non travaillée des femmes depuis 1975. Elles s'arrêtent de travailler le 24 octobre. Ce sont elles qui nous ont donné l'idée de faire notre grève.
Le journaliste : Votre mouvement a trouvé un écho positif ?
La gréviste : D'une manière générale, oui. La ministre du Droit des Femmes nous a soutenues… Pareil pour les femmes politiques de tous bords, de gauche comme de droite. Des syndicats aussi ont manifesté leur solidarité… Beaucoup de patrons ont été compréhensifs mais pas tous. Par exemple, nous avons une militante dont le salaire a été amputé de son temps de grève soit trois heures…

Leçon 3

🎧➕ p. 94, La séquence radio
N° 23

La Grande Parade Métèque
L'immigration est un véritable atout pour la France, tel est le message défendu par l'association « Un sur quatre ». Pour ce faire, depuis trois ans au printemps, ce collectif d'habitants de Seine-Saint-Denis en banlieue parisienne organise « La Grande Parade Métèque », un carnaval, où les quelque 3000 participants fêtent leurs différences, leurs diversités comme nous l'explique Damien Villière, président de l'association « Un sur quatre ».
Damien Villière : L'objectif de « La Grande Parade Métèque », c'est de contrecarrer les idées fausses qui sont données sur l'immigration. C'est pour s'opposer à l'idée que l'immigration est un fléau pour notre pays alors que, objectivement, c'est au contraire un des facteurs de réussite. Et nous rappelons à cette occasion-là que 26 % des Français ont au moins un grand-parent d'origine étrangère, ce qui fait beaucoup de Français avec de la famille étrangère dès qu'on monte sur d'autres générations, trois, quatre et cinq.
Ingrid Pohu : Alors que découvre-t-on au cours de « La Grande Parade Métèque » ?
Damien Villière : Cette manifestation est faite par les habitants et les citoyens du 93. Donc chaque habitant vient avec sa propre proposition de slogan ou de façon de défiler : musique, costumes, etc. On ouvre des ateliers trois mois avant la grande parade… avec du matériel, du plastique, du bois, du métal, du tissu, etc. Et chacun peut venir fabriquer lui-même les éléments qu'il veut utiliser pendant la grande parade. Et donc, chacun vient avec une illustration ou un sujet qu'il veut traiter autour de l'immigration en France.
Ingrid Pohu : Par exemple ?
Damien Villière : Par exemple, des couples mixtes qui ont défilé en couples mixtes comme s'ils étaient la reine d'Angleterre ! Il y avait un char par exemple pour le droit de vote des immigrés. Il y avait aussi un char pour le droit de vote des habitants étrangers. Il y a eu un char sur les politiques de la peur. Il y a eu aussi des chars sur les boat-people en méditerranée.
Ingrid Pohu : Est-ce que c'est facile de mobiliser tous ces habitants qui viennent de différentes communautés, de toutes origines ?
Damien Villière : Oui, ça… ça fédère ! Pour faire l'édition de cette année il y a eu trois cents bénévoles. Tous les gens qui participent – en français, on dit ils ont la banane ! – c'est-à-dire ils ont le sourire accroché aux oreilles. Je crois vraiment que cet espace de parole positif autour de l'immigration manquait à beaucoup. On n'est pas en train de ruminer, en train de râler, on est en train de fêter, on est en train de faire la fête, et ça fait du bien je pense à tous ceux qui sont là de voir qu'ils ne sont pas seuls et qu'on est un certain nombre à penser dans un même sens.
Ingrid Pohu : Au fond, le mot clé, c'est l'action ?
Damien Villière : Le mot clé, c'est l'action et c'est la conscience. Et le mot de la fin, c'est : nous sommes tous des métèques.

Leçon 4

📹➕ p. 97, vidéo
N° 6

La Ferme Urbaine
Alors ici, on est dans le potager de la REcyclerie. La REcyclerie c'est une ancienne gare qui a été réhabilitée en café-restaurant et en association. Au sein de l'association, on a un atelier de bricolage participatif et une ferme urbaine. La ferme urbaine, c'est un toit qui est végétalisé avec quatre ruches. C'est un poulailler avec dix-neuf poules, un coq et deux canards coureurs indiens. C'est un jardin des aromates et d'arbres fruitiers, avec des framboises, des mûres, des cassis. C'est aussi un potager de 400 m², un potager collectif. C'est plein d'animations, plein d'ateliers, c'est un lieu de vie et de rencontres.
On a quatre cents adhérents au sein de l'association, et chaque vendredi après-midi, on a des chantiers à la ferme et les bénévoles, donc les adhérents de l'association, viennent nous aider à faire avancer le potager.
Dans le potager, on cultive à la fois des plantes perpétuelles, c'est-à-dire qui se ressèment d'année en année, on a des plantes aromatiques, et on a des légumes plus classiques, avec des salades, des blettes, des tomates, des courges, des courgettes, et plein d'autres plantes, en fonction de la saison.
On respecte vraiment les saisons pour les légumes. Tout est naturel. Il n'y a aucun traitement chimique. On prépare nos propres traitements à base de purin d'orties, purin de consoude. On a deux canards coureurs qui viennent dans le potager pour manger les limaces, c'est leur job.
On associe aussi beaucoup les légumes, par exemple on met des capucines à côté de la tomate, pour que les pucerons n'aillent pas sur la tomate mais aillent sur les capucines. Et, en plus, on peut manger les fleurs de capucines.
On a mis à disposition des gens du quartier des seaux, les gens nous ramènent leur compost. On essaye vraiment de montrer que ce compost c'est une richesse et c'est pas un déchet. Ce qui était très important, au départ, dans le projet pour que justement, on puisse sensibiliser les gens du quartier et qu'il y ait une vraie appropriation aussi des lieux par les gens du quartier.
Trouver un espace comme ça dans Paris c'est plutôt rare. Donc il y a beaucoup de gens qui vont venir juste se balader, découvrir le potager,

puis consommer. Et se reposer, bouquiner, travailler.

Je pense que le potager c'est un vrai espace de… à la fois pédagogique et aussi de sensibilisation. C'est hyper important qu'on ait de plus en plus d'espaces verts pour sensibiliser les enfants, parce que ce seront les enfants qui feront le monde de demain. Et il faut qu'ils soient connectés à la nature, il faut qu'ils aient une réalité de ce que c'est l'agriculture.

Bilan grammatical

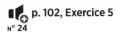

p. 102, Exercice 5
N° 24

Jeanne a deux colocataires sympa, Paul et Steve

a. • – Paul te paie régulièrement le loyer ?
– Oui, il me le paie régulièrement.
• – Il te prête sa voiture ?
– Oui, il me la prête.
• – Steve vous rapporte du thé d'Angleterre ?
– Oui, il nous en rapporte.
• – Steve te fait les courses de temps en temps ?
– Oui, il me les fait.
• – Steve t'invite à ses concerts ?
– Oui, il m'y invite.

b. • – Tu leur souhaites leur anniversaire ?
– Je le leur souhaite.
• – Tu leur présentes tes amis ?
– Oui, je les leur présente.
• – Tu loues la chambre 200 euros à Steve ?
– Oui, je la lui loue 200 euros.
• – Tu prêtes ton vélo à Steve ?
– Oui, je le lui prête.
• – Tu prêtes tes disques vinyles à Steve ?
– Oui, je les lui prête.

c. • – Tu présentes des copains à Steve ?
– Oui, je lui en présente.
• – Tu donnes des cours de français à Steve ?
– Oui, je lui en donne.
• – Tu parles de tes soucis à Paul ?
– Oui, je lui en parle.
• – Tu offres des cadeaux à tes amis pour leur anniversaire ?
– Oui, je leur en offre.
• – Tu fais de bons petits plats à tes amis ?
– Oui, je leur en fais.

Unité 7

Leçon 1

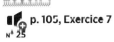

p. 105, Exercice 7
N° 25

Le conseiller : Bonjour madame. Asseyez-vous, je vous en prie… Alors, c'est notre premier entretien et, si vous le voulez bien, nous allons faire le point sur vos souhaits et bien sûr sur vos compétences.
Stéphanie : D'accord.
Le conseiller : Je vois sur votre fiche que vous avez fait des études universitaires.
Stéphanie : Oui, j'ai une maîtrise de lettres et j'ai commencé un doctorat que je n'ai jamais terminé.

Le conseiller : Et vous n'avez pas fini ce doctorat pourquoi ?
Stéphanie : Parce que j'ai rencontré mon mari qui était agent général d'assurances et qui avait besoin d'une collaboratrice. Et moi, j'en avais un petit peu assez des études, d'autant que les études de lettres ça ne mène pas toujours très loin. J'avais vraiment envie d'entrer dans la vie active.
Le conseiller : Et dans l'assurance, vous faisiez quoi ?
Stéphanie : Je recevais les clients. Je montais des dossiers et j'assurais le suivi de ces dossiers.
Le conseiller : Ça vous plaisait le contact avec les clients ?
Stéphanie : Oui, je crois que ça marchait bien. On m'aimait bien.
Le conseiller : Donc, vous avez le sens du contact… Et vous n'êtes plus dans l'assurance ? Pourquoi ?
Stéphanie : Et bien, j'ai divorcé. J'aurais pu rester dans l'agence tenue par mon ex-mari mais j'ai préféré partir. Bien sûr, j'ai cherché chez les concurrents que je connaissais mais il n'y a pas de poste disponible pour le moment.
Le conseiller : Alors, vous cherchez un poste dans l'assurance ou vous seriez ouverte à d'autres propositions ?
Stéphanie : Non, non, je ne suis pas bloquée sur l'assurance. Voilà, j'aime le contact avec le public, je crois que je sais faire… Je suis disponible, je n'ai pas d'enfant. Je crois aussi avoir le sens de l'organisation… donc ça peut être l'assurance ou tout autre chose… secrétariat dans une entreprise ou même quelque chose dans l'animation ou l'enseignement…
Le conseiller : Je reviens à vos études de lettres. Est-ce que vous vous êtes intéressée à l'histoire de l'art ?
Stéphanie : Oui, je l'avais pris en option et en plus, je faisais ma thèse sur la peinture dans les romans du XIXe siècle.
Le conseiller : Ah, c'est intéressant, ça ! Vous aimeriez enseigner, faire des conférences ?
Stéphanie : J'adorais ça quand j'étais à l'université. Je donnais des cours de civilisation aux étrangers. Je faisais partie d'un club de théâtre…
Le conseiller : Bon, écoutez. Je vous le dis tout de suite : dans mes offres, rien ne correspond à votre profil mais j'aurais peut-être quelque chose pour vous… J'ai une amie qui est présidente d'une université populaire et qui cherche un professeur d'histoire de l'art.
Stéphanie : Ah oui, ça m'intéresse !
Le conseiller : Mais attention, il ne s'agit pas de faire votre heure de cours et de repartir. Il faut être disponible : prendre le temps de discuter avec le public après le cours, organiser des sorties, des voyages. Et puis, c'est un public particulier, autour de 65 ans. Certains sont très cultivés, d'autres beaucoup moins. Il faut donc les faire participer, les amuser, s'intéresser à eux…
Stéphanie : Je veux bien essayer !
Le conseiller : Je vous donne le numéro de téléphone de mon amie. Appelez-la demain matin. Moi, je vais l'avertir de votre appel…

Leçon 2

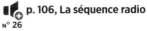

p. 106, La séquence radio
N° 26

Le programme d'échange Erasmus

Le programme universitaire européen Erasmus a été mis en place en 1987. C'est un programme d'échange universitaire entre les pays de l'Union européenne, plus quelques autres, trente-quatre au total. Les étudiants peuvent notamment effectuer une partie de leurs études de façon contractuelle pendant une durée de trois mois à un an dans un autre établissement européen et faire valider les crédits acquis dans leur propre université. Reportage de Gaël Letanneux.
Gaël Letanneux : L'aventure débute en 1987. Cette année-là, plusieurs pays européens décident d'ouvrir leurs universités et de verser des bourses pour inciter les jeunes à voyager dans ce nouvel espace commun. Aujourd'hui, déjà trois millions d'étudiants ont bénéficié de ce programme d'échanges organisé dans trente-quatre pays et baptisé Erasmus, du nom de ce philosophe néerlandais du XVe siècle, grand militant de la paix en Europe. Marine Moulin a 25 ans. Elle vit à Paris. L'expérience lui a tellement plu qu'aujourd'hui elle dirige le club Erasmus de la capitale et ses 1 160 adhérents. En 2012, elle a fait le grand saut : six mois en Espagne, à Barcelone.
Marine Moulin : L'arrivée, les premiers jours, c'est pas forcément les plus faciles parce qu'il faut trouver un logement, régler les papiers, aller à l'université, s'assurer que son dossier a bien été reçu… tout ce qui est administratif. Et puis, à Barcelone, ça s'est fait rapidement. Au bout de trois jours j'avais un logement, mes cours, et donc du coup là j'ai pu commencer à profiter.
Gaël Letanneux : Car au-delà des cours d'anthropologie à la fac pour son master il y a l'aventure humaine, encore plus vraie, encore plus forte que dans le film de Cédric Klapisch, *L'Auberge espagnole.*
Marine Moulin : Je vivais dans un appartement qui correspond aux critères de *L'Auberge espagnole*… comme dans le film avec un Grec, un Chypriote, un Espagnol du sud de l'Espagne, un Catalan. Du coup, on était au total huit dans un appartement. Et du coup, c'était très drôle à vivre au quotidien. On avait établi un système où une fois par semaine un cuisinait quelque chose de chez lui pour… voilà… faire découvrir aux autres. Puis sur six mois, on rentre pas forcément chez soi. Donc ça devient une nouvelle famille.
Gaël Letanneux : Dans familles Erasmus, on en trouve aussi des dizaines à la Cité universitaire au sud de Paris. Bienvenue chez Yana Todorova. Elle vient de Sofia en Bulgarie. Elle touche 500 euros de bourse par mois pour un doctorat sur l'histoire des musées à l'université Paris-Descartes. Avec les colocataires, c'est la convivialité, l'amitié en langue française.
Yana Todorova : Tous, on parle en français. On s'échange. On dit « bonjour » en notre langue « au revoir », « merci ». On se dit « bon appétit » « *dobeur apètit* ». C'est pas complètement différent.

Gaël Letanneux : Et tous les jours Yana part explorer les musées de la capitale.

Yana Todorova : C'est vrai qu'il y a cent cinquante musées à Paris. Difficile de visiter tous les musées mais je fais des petits résumés sur chaque musée que je visite et ça me permettra, pourquoi pas, un jour, d'être guide touristique pour les Bulgares qui viendront un jour à Paris.

Gaël Letanneux : Son dernier coup de cœur : les statues de Rodin dans le musée de la rue de Varenne.

Yana Todorova : J'étais impressionnée. Par exemple, les sculptures de Victor Hugo qui est très très aimé en Bulgarie, qui a soutenu la position bulgare à la veille de la révolution de l'indépendance de libération de la Bulgarie.

Gaël Letanneux : Pour Yana la Bulgare et pour Marine la Française, ce qui a changé avec Erasmus, c'est la conscience d'une autre identité, d'une autre citoyenneté.

Yana Todorova : Oui, je suis européenne. Pas forcément bulgare.

Marine Moulin : On sent vraiment qu'il y a une base de culture qui est la même, un esprit européen. Mais je l'ai remarqué après mon Erasmus, pas sur le moment même.

Gaël Letanneux : Et toutes les enquêtes le montrent : les étudiants Erasmus trouvent plus facilement un emploi. L'autre succès, c'est la natalité. D'après la Commission européenne, en vingt-cinq ans, un million de bébés sont nés de couples qui se sont rencontrés et aimés grâce à Erasmus.

Leçon 4

 p. 110, vidéo
N° 7

L'École nationale supérieure Louis-Lumière
Mehdi Aït-Kacimi (directeur développement et communication) : À l'école Louis Lumière, on a trois grandes spécialités. On a la photographie, le son et le cinéma. C'est une école qui a 90 ans, et sortir de l'école Louis Lumière, ça a toujours été une marque d'excellence. Louis Lumière est une école publique. C'est une école de l'enseignement supérieur, qui est gratuite, et dans laquelle, pour la formation initiale, on rentre sur concours.

Quentin Bourdin (étudiant) : Il faut savoir qu'il y a trois cent cinquante candidats pour seize places. Donc il y a, à peu près, 5 % de réussite, et ça a été énormément de travail, énormément de sacrifices pour préparer ces concours et réussir à rentrer dans cette école-là. Louis Lumière, c'est vraiment porté sur les métiers de l'image. Ça ouvre de plus en plus à différents métiers, de l'écriture du scénario jusqu'à la projection. Donc on voit tous les métiers de la chaîne cinématographique, dans la réalisation d'un film. Mon but c'est vraiment de devenir chef opérateur.

Mehdi Aït-Kacimi : La pédagogie est basée sur la présence de professionnels, qui s'appuient sur une plateforme technique qui est extrêmement performante.

Autre spécificité de l'école, on a des laboratoires sur les technologies qui sont en œuvre. Donc on a par exemple un laboratoire d'optique, un laboratoire de colorimétrie, dans le domaine du son, on a un laboratoire d'électronique, où des chercheurs travaillent et expérimentent avec les étudiants. On a des partenariats avec les entreprises et la profession. Par ailleurs, on a aussi des partenariats avec des institutions culturelles, qui vont nous accueillir, qui vont diffuser les travaux des étudiants. Et bien entendu, des procédures d'échange avec l'étranger.

Quentin Bourdin : Ce qui me plaît le plus à Louis Lumière, c'est vraiment ce côté pratique. J'entends par là pratique des instruments, que ce soit caméras, que ce soit projecteurs. Là on est en train de tourner quatre films, et c'est vraiment tous les étudiants qui participent aux quatre films, et à la fin qui engrangent énormément de pratique et de connaissances techniques.

Voix off : Huit sur un, première !

Mehdi Aït-Kacimi : Il faut quand même avoir surtout une tête bien faite. Et avoir un certain nombre de fondamentaux qui permettent ensuite aux élèves d'évoluer avec les mutations technologiques. Donc il faut qu'ils comprennent tout ce qui est en jeu, du point de vue artistique et technique avec les outils qu'ils utilisent pour pouvoir ensuite évoluer, s'insérer sur des projets. Ce qu'on essaye un peu, voilà, c'est de marier tout ça au sein de l'école.

Projet

 p. 113, Exercice 5
N° 27

– En primaire, moi, je trouve que la semaine de 4 jours c'était bien. Ma fille avait tout son mercredi pour faire du piano et du sport. On pouvait planifier des activités longues.
– Je suis très content des nouveaux rythmes scolaires. Les élèves finissent le travail à 15 h 45. Après, ils ont des activités et nous, on a de la chance : notre mairie a pu les organiser. Et puis, les enfants vont à l'école le mercredi matin. C'est très bien. Il n'y a pas de coupure dans la semaine.
– L'année du bac, c'est un peu fou. Tout le travail arrive à la fin de l'année, quand il commence à faire beau. Il faudrait faire comme dans certaines universités : deux semestres, avec un examen à la fin de chaque semestre.
– Au lycée, le problème, c'est qu'il y a des cours le samedi matin. Ça change la vie de famille. On ne part plus en week-end. Il faut attendre les vacances.
– Je trouve que l'organisation de l'année est très bien pour les petits. Avant, la coupure de Toussaint était trop courte. Maintenant, les enfants ont quinze jours. Ça fait une bonne coupure qui permet de partir en voyage ou d'aller voir les grands-parents. Et puis, ça fait des périodes équilibrées d'un mois et demi.
– Les rythmes au collège, ça va. Tout simplement

il faudrait veiller à ne pas mettre des maths en fin de journée. Mais c'est vrai qu'on ne peut pas dire au prof de maths de ne venir que le matin et au prof d'histoire-géo de ne faire cours que l'après-midi.
– La journée au lycée, c'est un peu la loterie. Je l'ai vu avec mes deux enfants. Ma fille avait un emploi du temps de rêve. Elle sortait tous les jours à 15 heures. Pour, mon fils ça a été la catastrophe : un emploi du temps plein de trous ! Résultat : ils allaient se promener ou au café, en attendant le cours suivant. Des fois, il rentrait à la maison à 19 heures.
– Mon fils est en 4e et il y a toujours le même problème. Plus on avance dans l'année scolaire, plus il y a de jours de congés. Le mois de mai, par exemple, c'est une catastrophe. Alors, les professeurs disent qu'ils ont des difficultés à finir le programme…
– Je suis prof dans un collège. Bon, je comprends que ce n'est pas facile de faire des emplois du temps mais ça ne compliquerait pas les choses de mettre des cours de deux heures. Il y a des collègues qui disent : « Au bout de 45 minutes, les élèves en ont assez. Il faut varier les disciplines. » Moi, je ne trouve pas. En deux heures, on peut entreprendre et réaliser quelque chose qui motive les élèves. C'est valable pour le français mais aussi pour les langues, la biologie, l'histoire. Je serais même pour des cours de trois heures de temps en temps.

 p. 113, Exercice 7
N° 28

Un parent d'élève : Je n'ai pas pu venir à la réunion mardi. Vous avez répondu à l'enquête du rectorat ?

La présidente de l'association : Oui, tout le monde n'était pas d'accord sur tout, mais on a trouvé des consensus. Sur les programmes par exemple, tout le monde était d'accord pour dire qu'ils étaient trop chargés. Cela ne veut pas dire qu'il faut supprimer des thèmes mais qu'il faut traiter chaque thème de manière moins détaillée. Par exemple en géographie, ils étudient l'Afrique du Sud. Très bien, mais dans le livre il y en a 20 pages. Alors que font les élèves ? Ils achètent un petit mémo où on trouve l'essentiel sur l'Afrique du Sud en deux pages.

Un parent d'élève : C'est vrai que quelquefois, quand je regarde leurs livres, on a l'impression qu'on est à l'université… Et vous avez dit qu'il faudrait harmoniser les programmes sur toute la scolarité ? En primaire, mon fils a étudié trois fois la Préhistoire mais jamais les XVIe et XVIIe siècles. Du coup, dans beaucoup de matière cela fait des trous dans les connaissances. Est-ce qu'il est normal d'avoir fait toute sa scolarité sans jamais avoir étudié un poème de Victor Hugo, sans avoir une petite idée du règne de Louis XIV, sans connaître les pays d'Amérique du Sud ?!

La présidente de l'association : Oui, on en a parlé. Aussi, on a mentionné l'accélération dans l'acquisition des connaissances à partir du lycée. En math par exemple, beaucoup d'adolescents sont perdus. Les rythmes d'apprentissage sont trop lents au collège et trop rapides au lycée. Le collège ne prépare pas assez au lycée.

En Seconde et surtout en Première, la charge est trop lourde alors qu'ils sont en pleine adolescence.

Un parent d'élève : Vous avez parlé de l'importance excessive donnée aux maths ?

La présidente de l'association : Oui, mais là tout le monde n'était pas d'accord. D'un côté, il y a ceux qui pensent qu'on fait trop de maths, que la plupart de ce qu'on apprend à partir de la Troisième ne servira dans la vie à presque personne. Les mêmes pensent que les maths sont trop abstraites, qu'il faudrait apprendre à résoudre des problèmes concrets... D'un autre côté, il y a ceux qui estiment que les maths forment l'esprit logique, la pensée abstraite, qu'on a besoin d'ingénieurs, tout ça...

Un parent d'élève : Justement, nos jeunes ne veulent plus faire ingénieurs. On manque de candidats. C'est bien que quelque chose ne va pas...

La présidente de l'association : Je suis d'accord avec vous mais bon... Et puis, bien sûr, on a longuement parlé de l'enseignement des langues. Là, tout le monde était d'accord. On ne progressera pas si on n'organise pas cet enseignement en petits groupes, si on ne lui donne pas plus d'importance – par rapport aux maths par exemple – si on ne se donne pas des objectifs plus pratiques.

Bilan grammatical

 **p. 116, Exercice 5**
N° 29

Coup de main entre étudiants

a. • – Tu as dit au professeur que Geoffrey était malade ?
– Oui, je le lui ai dit.
• – Tu as dit aux copains qu'il était malade ?
– Oui, je le leur ai dit.
• – Tu as donné à Geoffrey le sujet de dissertation ?
– Oui, je le lui ai donné.
• – Tu as passé tes cours à Geoffrey ?
– Oui, je les lui ai passés.
• – Geoffrey a envoyé sa dissertation à monsieur Dupuy ?
– Oui, il la lui a envoyée.

b. • – Geoffrey t'a prêté sa voiture pour déménager ?
– Il me l'a prêtée.
• – Est-ce qu'on t'a donné des cartons ?
– On m'en a donné.
• – Est-ce qu'il t'a prêté ses outils ?
– Il me les a prêtés.
• – Est-ce qu'en déménageant, il t'a raconté des blagues ?
– Il m'en a raconté.
• – Il t'avait apporté de la bière ?
– Il m'en avait apporté.

Unité 8

Leçon 1

p. 119, Exercices 3 à 5
N° 30

Une guide : Bonjour Mesdames et Messieurs ! Bienvenue au château de Villers-Cotterêts... Ce château a été construit au XVIᵉ siècle par François Iᵉʳ et depuis 1997, il est classé monument historique... Alors, un peu d'histoire avant de commencer la visite...
Cette grande demeure royale a été édifiée pour l'essentiel entre 1532 et 1539, donc à l'époque de la Renaissance, par le roi François Iᵉʳ... On peut noter qu'à la fin de son règne, François Iᵉʳ aura construit ou remanié plus de onze châteaux. On dit toujours que le roi a choisi Villers pour sa forêt, la plus vaste de France à l'époque, mais on peut, peut-être, ajouter une seconde raison, plus symbolique... Villers-Cotterêts est le cœur géographique du duché de Valois, et François est le neuvième roi de la dynastie des Valois. Le roi bâtisseur fait donc édifier un château au centre même des terres de sa dynastie, de sa famille.
À cet endroit, quand François Iᵉʳ commence la construction du château, il existait les ruines d'un château médiéval qui avait été détruit pendant la guerre de Cent Ans. Donc la construction du château commence mais elle ne sera pas achevée par François Iᵉʳ. C'est son fils, Henri II qui l'achèvera.
Depuis le XVIᵉ siècle le château a changé. D'abord, il a été remanié par les ducs d'Orléans qui étaient les propriétaires jusqu'à la Révolution. Puis, pendant la Révolution, il a subi des dommages par les révolutionnaires. En 1806, il est transformé en centre d'accueil pour les mendiants. Puis, il devient une maison de retraite qui a fermé en 2014. Aujourd'hui, il n'est pas en très bon état et on cherche des financements pour le restaurer...
Nous allons commencer la visite proprement dite. Veuillez me suivre...
Voilà, nous sommes dans la cour. Bien qu'assez remanié au fil des siècles, le château a conservé son plan d'origine. Comme vous le voyez, la cour est encadrée de deux longues ailes, les anciens communs, c'est à dire les cuisines, le logement du personnel, les écuries, etc. Au fond, on voit le logis royal avec une façade magnifique et typiquement Renaissance.
Suivez-moi... Nous passons par cette porte qui mène à un passage voûté... Admirez la voûte et ses caissons sculptés... Maintenant, nous entrons dans la cour du jeu de paume, jeu qu'affectionnait François Iᵉʳ. ... Voilà, et de là, vous pouvez voir les appartements royaux qui entourent la cour. Une petite remarque : le jeu de paume se trouve juste à côté des appartements royaux ! C'est vous dire la passion du roi pour ce jeu.
Et ici, à votre gauche, vous pouvez voir les fenêtres de la salle où François Iᵉʳ a signé la fameuse ordonnance de Villers-Cotterêts... et à votre droite, la salle de réception où Henri II organisait des fêtes splendides.

Nous allons poursuivre la visite en empruntant un grand escalier qui va nous mener à la chapelle royale...
Voici la chapelle. On peut noter l'absence de signes religieux. Par contre, on retrouve les emblèmes des deux rois bâtisseurs. Ici, l'emblème de François Iᵉʳ avec ses salamandres et son initiale « f » couronnée... et là, l'emblème du roi Henri II. C'est une curiosité. Il a fait sculpter la lettre H qui est l'initiale de son nom et la lettre K, l'initiale de sa femme, Catherine de Médicis. Les deux initiales sont entourées par les trois croissants du blason de Diane de Poitiers qui était la maîtresse du roi. C'était une façon de rendre hommage à la fois à sa femme et à sa maîtresse...
Voilà, c'est ici que se termine la visite. J'espère que cela vous a plu !

Leçon 2

p. 120, La séquence radio
N° 31

Au marché de Poitiers

Poitiers est une commune du Centre-Ouest de la France. Elle compte 87 000 habitants et fait partie de la région Aquitaine. Elle est surnommée « la ville aux cent clochers » ou « la ville aux cent églises ». Mais, Poitiers et sa région sont également célèbres pour leurs spécialités culinaires. Benjamin de Haut s'est rendu dans un des marchés de la ville pour nous faire découvrir ces plats dont les habitants sont très fiers.

Benjamin de Haut : Dans les rues pavées de la vieille ville, les touristes photographient les églises. Mais Poitiers, la ville aux cent clochers, regorge également de merveilles pour les gourmands : chabichou, farci poitevin, broyé du Poitou, macarons... Les spécialités ne manquent pas. Pour composer son menu, rien de tel que le marché couvert à deux pas de l'hôtel de ville. C'est là que Pascal Boulanger réalise son fameux broyé du Poitou : une galette au beurre bien spéciale.

Pascal Boulanger : C'est une galette sèche... c'est un mélange de farine, beurre et sucre. Enfin la tradition, c'est de le casser d'un coup de poing et on partage les morceaux. Donc c'est une galette conviviale qui se sert beaucoup enfin lors des cérémonies, pour les mariages et des trucs comme ça. Ça existe en petite et en grande galette. Là, je le fais en galette sèche et puis je le fais aussi avec de l'angélique confite, spécialité du marais poitevin, de Niort. Et j'ai même fait des essais avec de la framboise dedans.

Benjamin de Haut : Devant les pâtisseries, Sylvie a beaucoup hésité. Mais cette fois-ci, elle n'a pas choisi la galette conviviale. Son péché mignon à elle : le macaron de Montmorillon, une spécialité à base d'amandes, de blanc d'œuf et de sucre... et ce, depuis le XVIIᵉ siècle.

Sylvie : Faut pas passer à côté quand on vient à Poitiers. C'est vraiment un petit gâteau avec de la poudre d'amandes. C'est le petit plaisir qu'on a... sans être trop sucré, ni trop peu... euh voilà, le juste milieu de ce petit gâteau de fin de repas qu'on mange ici dans le Poitou.

Benjamin de Haut : Vous préférez quel parfum, vous ?

Sylvie : Alors le vrai macaron, c'est amande. Et il est vrai qu'il y a chocolat, pistache, de mémoire. Mais le vrai macaron, le top, c'est amande. Au café, à 4 heures, c'est très bien.

Benjamin de Haut : Jean-Baptiste, l'un des meilleurs bouchers de la ville excelle dans le farci poitevin.

Jean-Baptiste : C'est fait à base de porc. Vous avez sept ingrédients de… à base de salades vertes, oseille… Et c'est quelque chose qui se mange aussi bien froid comme un pâté. Ou vous pouvez le faire chauffer dans une poêle, à feu doux, pour un accompagnement de toutes sortes de viandes blanches, volaille, veau, porc. Mais ça se déguste en premier, froid. Les connaisseurs le mangent vraiment comme un pâté.

Benjamin de Haut : Le réaliser soi-même prend beaucoup de temps et demande une certaine expérience. D'après lui, il n'y a qu'à Poitiers qu'on mange un bon farci poitevin.

Jean-Baptiste : Ah par contre ça se fait que ici, oui, tout à fait, oui. Vous le trouvez qu'ici. Les gens connaissent pas ailleurs.

Benjamin de Haut : Et après le plat, un bon fromage. Vivian profite du marché pour déguster un morceau de chabichou sur un toast légèrement grillé : ce petit cône au lait entier et à la pâte blanche, aussi bon frais que sec.

Vivian : Ils ont un chabichou qui est absolument extra. C'est un petit fromage de chèvre qui doit faire six centimètres de haut. C'est un… comme un dôme… comme une pyramide mais coupé sur le haut. Affiné dans les caves, enfin c'est vraiment très, très bon.

Benjamin de Haut : Enfin pour tous les autres produits régionaux, il faut se rendre sur le stand de Marylène.

Marylène : Alors pour les gourmands vous avez des miels du Poitou : miel de fleurs, miel de printemps, miel de forêts. Il fait un peu de tout hein… Après, vous avez des huiles de Neuville : huile de noix, huile de noisettes, huile d'amandes. Enfin il y a un tas d'huiles qui sont fabriquées à Neuville, hein… Ainsi que des vinaigres parfumés.

Benjamin de Haut : Et pour apprécier tous ces plats il manque évidemment un bon vin. La région possède quelques vignobles célèbres. Le Saumur ou les vins blancs, rouges ou rosés du Haut-Poitou offrent des solutions pour chacun de vos plats. Bon appétit !

Leçon 4

p. 124, vidéo
N° 8

La Bretagne, une région française

Brieuc Legoff : Ici, nous sommes en Bretagne, à Erquy. Erquy c'est un port de pêche très connu, notamment pour la coquille Saint Jacques. En Bretagne, on trouve de tout à manger. Il y en a pour tous les goûts. Il y a bien sûr tous les produits qui viennent de la mer. La Bretagne est quand même une des régions où il y a le plus de pêche en France, avec de grands ports de pêche, comme Loctudy, comme Concarneau, comme Erquy, là où nous sommes.

Il y a les crêpes, évidemment. Et puis il y a aussi tous les produits de la terre, notamment les artichauts, les choux-fleurs. On produit aussi des fruits, beaucoup de pommes, et puis les fraises de Plougastel, qui sont très connues.

La Bretagne est une grande région, assez peuplée. Mais il n'y a pas vraiment de différence entre breton de la côte et breton des terres, on est d'abord breton.

L'identité bretonne est une identité assez forte et bien représentée en France. Il y a aussi une vraie culture bretonne vivante, avec des fêtes, qu'on appelle les fest-noz. Et chaque année, il y a des grands festivals, comme le festival Interceltique de Lorient ou les fêtes de Cornouailles, à Quimper. Au cours de ces festivals, il y a de nombreux groupes musicaux qui viennent jouer la musique traditionnelle bretonne. Et puis c'est l'occasion de porter la fameuse coiffe bretonne qui est connue dans le monde entier, notamment la bigoudène. Chaque grande ville bretonne a sa propre coiffe, et c'est une manière de savoir d'où viennent les gens en Bretagne.

La Bretagne est une région qui a réussi à garder une vraie place en France. Commercialement et industriellement, il y a des grands groupes bretons. Par exemple, Leclerc pour la distribution, ou Bolloré pour les grands groupes internationaux, ou même Yves Rocher pour la cosmétique.

Et puis surtout, une des grandes réussites en Bretagne, c'est le tourisme. Chaque année, la Bretagne accueille de nombreux étrangers, mais aussi beaucoup de Français qui viennent passer leurs vacances ici.

La Bretagne, c'est ma région d'origine, mais c'est surtout ma région de cœur. C'est ma région d'origine parce que toute ma famille vient d'ici, depuis plusieurs siècles. Et c'est ma région de cœur parce qu'on y trouve tout ce que j'aime. Les paysages, la mer, le soleil. Pour moi, c'est la plus belle des régions.

Bilan grammatical

p. 130, Exercice 6
N° 32

a. *Des touristes aux goûts différents*

• – Les vieux châteaux m'intéressent.
– Ce qui vous intéresse, ce sont les vieux châteaux.
• – Les paysages me plaisent.
– Ce qui vous plaît, ce sont les paysages.
• – J'aime les contacts avec les gens.
– Ce que vous aimez, ce sont les contacts avec les gens.
• – Je veux faire de la randonnée.
– Ce que vous voulez faire, c'est de la randonnée.
• – Je raffole des bons restaurants.
– Ce dont vous raffolez, c'est des bons restaurants.

b. *Une indécise*

• – Qu'est-ce qu'elle veut ?
– Elle ne sait pas ce qu'elle veut.
• – Qu'est-ce qui lui plaît ?
– Elle ne sait pas ce qui lui plaît.
• – De quoi elle a besoin ?
– Elle ne sait pas ce dont elle a besoin.
• – Qu'est-ce qui l'intéresse ?
– Elle ne sait pas ce qui l'intéresse.
• – Qu'est-ce que le guide a programmé ?
– Elle ne sait pas ce que le guide a programmé.

Unité 9

Leçon 1

p. 133, Exercice 7
N° 33

Adrien : Ça va Bérangère ?

Bérangère : Oui, pourquoi ?

Adrien : Tu me parais un peu soucieuse.

Bérangère : C'est que demain je rencontre pour la première fois un gros client.

Adrien : Qui ça ?

Bérangère : Labarrière, tu connais ?

Adrien : Et comment ! Tout le monde le connaît ! C'était le tiers du portefeuille de ton prédécesseur… Labarrière, il faut pas le rater.

Bérangère : C'est bien ça qui m'inquiète. Je ne le connais pas, ce type… Je ne sais pas comment m'y prendre.

Adrien : Et bien, pourquoi tu n'appelles pas ton prédécesseur, François Rafin. Il te donnerait des conseils.

Bérangère : Attends, Rafin, il a été nommé à la direction générale. Il n'en a rien à faire de mon problème !

Adrien : Détrompe-toi, c'est quelqu'un de très accessible, très coopératif.

Bérangère : Je n'ose pas… On m'a dit qu'il était du genre bourru.

Adrien : Quand il va entendre ta voix, il va craquer !

Bérangère : Oui… mais ça me gêne quand même. Au fond, si je l'appelle, j'avoue que je ne suis pas sûre de moi, que je ne suis pas à la hauteur.

Adrien : Qu'est-ce que tu vas imaginer ! Et d'abord, normalement, il aurait dû te rencontrer et te mettre au courant. Mais, bon, il est parti à Paris avant que tu n'arrives.

Bérangère : Oui, c'est vrai, mais on ne sait jamais. Peut-être qu'il tient à garder Labarrière comme client. Il y a de gros clients qui sont gérés directement par Paris.

Adrien : Non, non, on te l'aurait dit. C'est toi qui t'occupes de Labarrière et personne d'autre.

Bérangère : Bon, tu as raison. Je vais appeler Rafin. Je tente le coup !

Leçon 2

p. 135, La séquence radio
N° 34

Un service militaire pour trouver du travail

Certains jeunes sortent de l'école non seulement sans formation mais également sans avoir acquis des habitudes élémentaires de travail. Pour eux, le système scolaire a été inefficace mais un système militaire pourra peut-être réussir. Les jeunes en échec peuvent demander à faire un service militaire volontaire. Reportage de Pierre Olivier dans une caserne qui propose ce type de service.

Pierre Olivier : L'appel est à peine terminé et immédiatement les jeunes sont mis dans l'ambiance.

Un militaire : Je rappelle, pour ceux qui ont laissé des cigarettes dehors, comme ça, par terre... Ne vous inquiétez pas, demain, c'est vous qui allez les ramasser. Ça s'appelle le respect de la vie en collectivité.

Pierre Olivier : Le crâne rasé, recouvert par son képi, le sergent-chef Powel entame, tambour battant, la visite du site. Le ton est autoritaire.

Le militaire : Alors, ici, je vais pas vous faire de grandes explications : c'est le gymnase, d'accord ? Donc ici vous ferez...

Pierre Olivier : Puis, c'est la découverte des chambres à partager à deux. Cette jeune mère de 25 ans est satisfaite et attend beaucoup de ces six mois de formation.

Une jeune femme : Ben, il y a un lit, un bureau, une armoire, une table de chevet.

Une militaire : Alors, salle de bains, toilettes.

La jeune femme : Et on a notre coin d'intimité quoiqu'il arrive... C'est une grande chance, quand même pour des enfants qui n'ont pas été diplômés. Parce que je suis pas diplômée, je ne le cache pas. Et voilà, quoi, ce que je fais je le fais pour mes enfants, pour leur faire montrer que dans la vie il faut un diplôme.

Pierre Olivier : Au rez-de-chaussée, les garçons eux aussi déballent leurs affaires. Mickaël a dix-huit ans. Il vient d'une banlieue sensible du 95.

Un jeune homme : La raison de mon engagement, moi, personnellement, c'est que j'ai eu un enfant y a pas longtemps, il y a trois mois et il fallait que je trouve du travail. Donc j'ai... je suis direct parti en admission locale, j'ai demandé si je pouvais trouver quelque chose, trouver du travail rapidement. On m'a dit : « le service militaire volontaire ». J'ai regardé. J'ai vu qu'ils nous aidaient à passer le permis gratuitement, qu'ils nous font une remise à niveau scolaire, pour au moins avoir quelque chose dans les mains et chercher une stabilité disons.

Pierre Olivier : À ses côtés sa mère l'accompagne soulagée. Elle espère que cette séparation ne sera pas trop difficile.

La mère : Ben, c'est surtout pour lui, parce que, ben... pour sa femme et sa fille... ça va être plus dur pour lui de pas avoir son bébé et sa femme. Sa mère... j'aurai quand même des nouvelles par téléphone. On arrivera à se joindre quand même.

Pierre Olivier : Pendant six mois ou un an les permissions seront limitées au week-end. En semaine, réveil à 6 h. Beaucoup de sport, des cours et extinction des feux à 22 h. Et c'est justement cette discipline qui est primordiale, note le lieutenant-colonel Guéguin, chef du service militaire volontaire d'Île-de-France.

Un militaire : Essentiellement, la force du service militaire volontaire, c'est l'acquisition des savoir-être : la vie en collectivité, la rigueur, la discipline, la ponctualité. Les entreprises, elles recherchent des jeunes qui soient capables d'être là à l'heure le matin. Elles recherchent des jeunes qui soient rigoureux dans leur travail.

Pierre Olivier : L'objectif n'est donc pas d'intégrer l'armée, mais un partenariat avec plusieurs entreprises comme la SNCF a été conclu. Dès l'année prochaine, mille jeunes devraient être formés dans ces centres.

Leçon 3

p. 137, Exercice 6
N° 35

Scène a – Dans l'appartement que des ouvriers sont en train de rénover

Le décorateur : Alors ça vous plaît ?

La cliente : Oui, oui, c'est très bien mais vous m'aviez dit que tout serait terminé fin septembre. Là, on est le 28 et vous avez encore du travail !

Le décorateur : Je sais, mais on a eu pas mal d'imprévus. On a été retardé par une toiture à réparer chez un client. On pouvait pas le laisser tomber en cette période d'orage. Puis, j'ai eu un ouvrier en congé de maladie et un autre qui est parti.

La cliente : Vous pouvez pas essayer d'accélérer ?

Le décorateur : Si, rassurez-vous ! Je viens d'engager un jeune et mon ouvrier en congé de maladie reprend demain. On va mettre les bouchées doubles. Je vous le promets.

Scène b – Dans le bureau de l'éditeur

L'éditeur : Ah, bonjour Adèle. Je suis content de vous voir. Vous m'apportez le manuscrit ?

La romancière : Je crois qu'il vous faudra patienter un peu...

L'éditeur : Vous savez que les lecteurs sont comme moi, ils sont impatients. On a prévu une sortie le 15 juin, juste avant l'été. C'est le bon moment. On avait fixé pour vous l'échéance du 15 mai !

La romancière : Je suis désolée. Il me faudra un délai supplémentaire. La documentation pour les chapitres qui se passent en Afrique m'a pris beaucoup de temps.

L'éditeur : Essayez de rattraper votre retard. Vous pensez avoir fini quand ?

La romancière : Et vous, quelle est votre date buttoir ?

L'éditeur : Le 1er juin, mais vous m'envoyez dès que possible la première moitié.

La romancière : D'accord. Mais cela dit, il me semble bien que vous avez sorti un livre en deux jours, celui du Président !

L'éditeur : C'est vrai, mais c'était le Président !

Scène c – Dans les bureaux d'une entreprise

Joëlle : Tu viens déjeuner, Renaud ? J'y vais avec Léa et Sébastien.

Renaud : Vous pouvez patienter cinq minutes. J'attends un mail de Montréal. Ils doivent me donner les dates du salon. Je dois les communiquer à Evelyne, à l'évènementiel avant 13 h sans faute.

Joëlle : Écoute, on y va et tu nous rejoins à la pizzéria du coin. Mais ne t'éternise pas avec Evelyne...

Renaud : T'inquiète, je fais au plus vite. Je suis avec vous dans 10 minutes au plus. Commande-moi une quatre saisons !

Leçon 4

p. 138, vidéo
N° 9

L'entreprise FOREM

Nicolas Meyer : Nous nous appelons FOREM Île de France Forages. Nous recherchons l'eau souterraine pour nos clients, qu'ils soient particuliers, institutionnels, industriels. Les principaux usages, ben, c'est l'eau potable, la géothermie aussi, pour chauffer les bâtiments, de plus en plus, et puis, ben, l'arrosage des espaces verts. On va dire que c'est les domaines essentiels.

Avec mon frère, on a créé cette entreprise il y a plus de vingt ans. J'avais fait des études de gestion d'entreprise. Mon frère est ingénieur en électronique. On souhaitait reprendre l'activité de notre père qui nous avait toujours fait rêver. Nous sommes six actuellement. On a été entre quatre et neuf. C'est une activité qui connaît des dents de scie. On a eu des pics d'activité énormes où on n'arrivait pas à répondre à la demande. D'autres périodes où on s'est inquiété sur la survie... Oui, c'est déjà arrivé dans l'histoire de l'entreprise. Donc oui, on se sent... on s'inquiète, oui bien sûr. C'est même une attention de tous les jours, quasiment. En insistant sur la qualité des réalisations et sur l'innovation des procédés, on arrive à tirer notre épingle du jeu. C'est une activité qui demande beaucoup de recherche et développement. On y consacre une part importante de nos moyens, que ce soit humains ou financiers. C'est grâce à ces développements qu'on a réussi à s'adapter. Les difficultés, elles, sont plutôt d'ordre administratif. On a eu beaucoup de difficultés avec nos banques, par exemple. À chaque fois qu'on avait un projet d'investissement il fallait changer de banque. Rien que ça, c'est très déstabilisant. Et puis l'aspect social au niveau du personnel qui... très, très délicat aujourd'hui. On a un taux de rotation assez important de jeunes qui restent quelques semaines à quelques mois dans l'entreprise, et qui s'en vont ailleurs parce que ça leur paraît trop difficile. C'est un problème, oui, effectivement. La responsabilité des collaborateurs vis-à-vis des clients n'est pas toujours au niveau souhaité. Effectivement, ça peut créer des frictions. L'essentiel c'est d'arriver à les surmonter.

En tant que chef d'entreprise, je me sens aussi bien responsable des aspects commerciaux, de mes clients, de mon activité, que du personnel que l'on emploie.

Dans une petite structure comme celle-là, on est très proches les uns des autres. Il y a un lien de subordination bien sûr, mais il est assez ténu. On forme une équipe avant tout.

Si je n'avais qu'un seul conseil à donner, je dirais : il faut être persévérant. Persévérer dans ses choix, faire ce que l'on aime et... et le faire bien !

Bilan grammatical

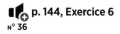 **p. 144, Exercice 6**

N° 36

a. *Retour de congés*

• – Je n'ai pas ouvert ma boîte mail.
– Ouvre-la !
• – Je ne suis pas allé saluer le directeur !
– Va le saluer !

• – Je ne vous ai pas raconté mes vacances.
– Raconte-les-nous !
• – Je n'ai pas donné mon cadeau à Brigitte.
– Donne-le-lui !
• – Je n'ai pas téléphoné aux clients.
– Téléphone-leur !

b. *Méfiance à l'égard du stagiaire*

• – Est-ce que je confie le dossier Alma au stagiaire ?
– Ne le lui confie pas !
• – Est-ce que je dis au directeur qu'il arrive en retard ?
– Ne le lui dis pas !
• – Est-ce que je présente le stagiaire aux clients japonais ?
– Ne le leur présente pas !
• – Est-ce que je lui montre la comptabilité ?
– Ne la lui montre pas !
• – Est-ce que je lui parle de la soirée chez Luc ?
– Ne lui en parle pas !

La France physique et touristique

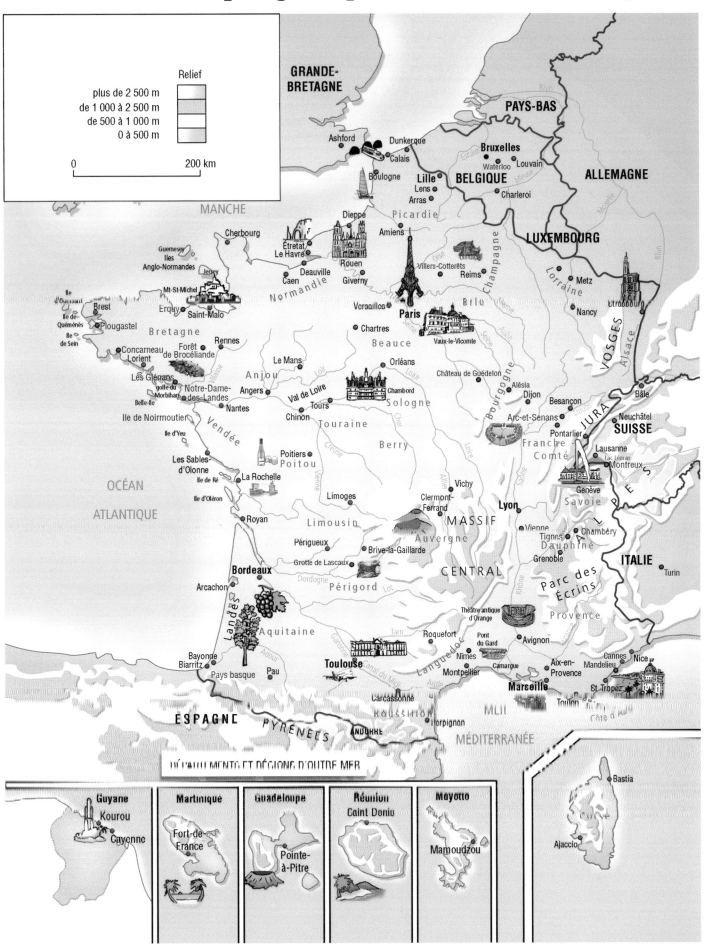

Relief
plus de 2 500 m
de 1 000 à 2 500 m
de 500 à 1 000 m
0 à 500 m

0   200 km

GRANDE-BRETAGNE

PAYS-BAS

Bruxelles
Louvain
Waterloo

BELGIQUE

ALLEMAGNE

Charleroi

LUXEMBOURG

MANCHE

Ashford
Dunkerque
Calais
Boulogne
Lille
Lens
Arras

Dieppe
Picardie
Amiens

Cherbourg
Étretat
Le Havre
Rouen
Giverny

Guernesey
Iles
Anglo-Normandes
Jersey

Villers-Cotterêts
Reims

Champagne

Metz
Lorraine
Nancy

Vosges
Alsace
Strasbourg

Mt-St-Michel
Erquy
Saint-Malo

Caen
Deauville

Normandie

Versailles
Paris
Vaux-le-Vicomte

Brie

Ile
d'Ouessant
Brest
Ile de
Quéménès
Ile
de Sein
Plougastel

Bretagne

Rennes

Chartres

Beauce

Bâle

Concarneau
Lorient
Les Glénans
Belle-Ile
golfe du
Morbihan

Forêt
de Brocéliande

Le Mans

Anjou

Orléans

Château de Guédelon

Alésia
Dijon
Besançon

Neuchâtel

SUISSE

Notre-Dame-
des-Landes
Angers
Nantes

Val de Loire
Tours
Chinon

Loir

Chambord

Sologne

Loire

Bourgogne

Arc-et-Senans
Pontarlier

JURA

Franche-
Comté

Ile de Noirmoutier

Vendée

Ile d'Yeu

Touraine

Berry

Cher

Creuse

Lausanne
Lac Léman
Montreux

Les Sables-
d'Olonne
Ile de Ré
La Rochelle

Poitiers
Poitou

Vienne

Loire

Allier

Vichy

Genève
Savoie

OCÉAN

ATLANTIQUE

Ile d'Oléron
Royan

Limoges

Clermont-
Ferrand

MASSIF

Lyon

Vienne
Tignes
Chambéry

Limousin

Auvergne

Dauphiné

Grenoble

ITALIE
Turin

Périgueux
Brive-la-Gaillarde
Grotte de Lascaux

CENTRAL

Parc des
Écrins

Bordeaux
Arcachon

Périgord

Dordogne

Lot

Rhône

Provence

Landes

Aquitaine

Garonne

Tarn

Roquefort

Théâtre antique
d'Orange

Pont
du Gard

Avignon

Bayonne
Biarritz
Pau
Pays basque

Adour

Toulouse

Canal du Midi

Nîmes
Languedoc

Camargue

Montpellier

Aix-en-
Provence

Cannes
Nice
Mandelieu

Marseille

St-Tropez

Carcassonne

Aude

Toulon

Côte d'Azur

ESPAGNE
PYRÉNÉES
ANDORRE

Roussillon
Perpignan

MIDI

MÉDITERRANÉE

DÉPARTEMENTS ET RÉGIONS D'OUTRE-MER

Guyane
Kourou
Cayenne

Martinique
Fort-de-
France

Guadeloupe
Pointe-
à-Pitre

Réunion
Saint-Denis

Mayotte
Mamoudzou

Bastia

Ajaccio

La France administrative

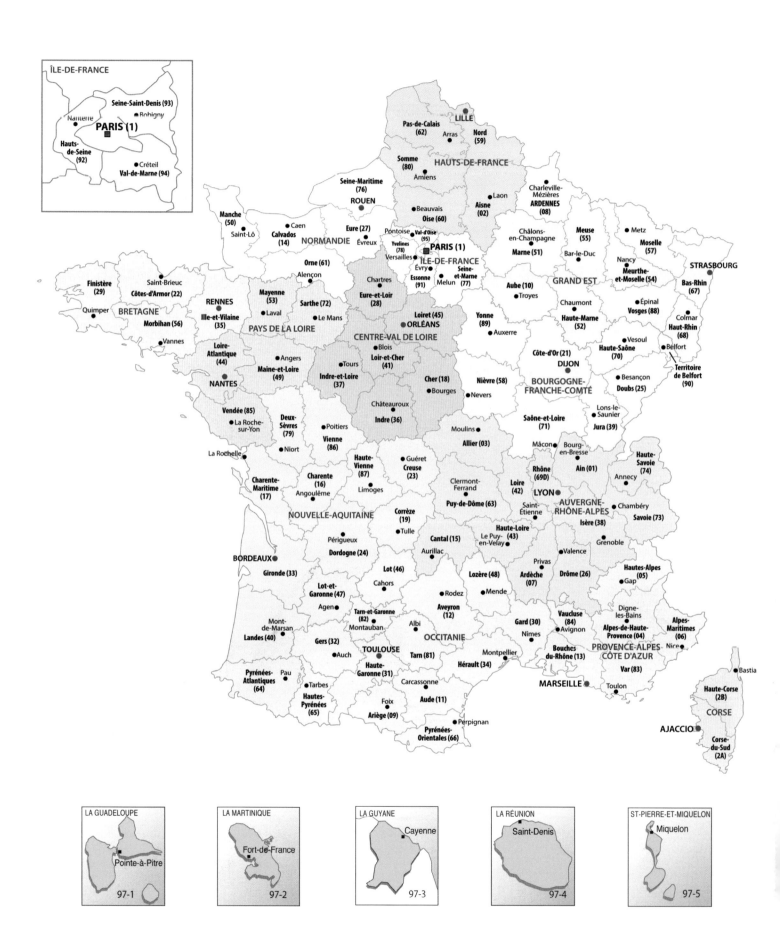

ÎLE-DE-FRANCE

Nanterre
Seine-Saint-Denis (93)
Bobigny
PARIS (1)
Hauts-de-Seine (92)
Créteil
Val-de-Marne (94)

LILLE
Pas-de-Calais (62)
Arras
Nord (59)
Somme (80)
Amiens
HAUTS-DE-FRANCE
Charleville-Mézières
ARDENNES (08)
Laon
Aisne (02)
Metz
Seine-Maritime (76)
ROUEN
Beauvais
Oise (60)
Châlons-en-Champagne
Meuse (55)
Moselle (57)
Manche (50)
Saint-Lô
Caen
Calvados (14)
Eure (27)
Évreux
NORMANDIE
Pontoise
Val-d'Oise (95)
Yvelines (78)
Versailles
PARIS (1)
ÎLE-DE-FRANCE
Marne (51)
Bar-le-Duc
Nancy
Meurthe-et-Moselle (54)
STRASBOURG
Bas-Rhin (67)
Finistère (29)
Saint-Brieuc
Côtes-d'Armor (22)
Quimper
RENNES
BRETAGNE
Ille-et-Vilaine (35)
Morbihan (56)
Vannes
Orne (61)
Alençon
Mayenne (53)
Laval
Sarthe (72)
Le Mans
Chartres
Eure-et-Loir (28)
Évry
Essonne (91)
Melun
Seine-et-Marne (77)
Aube (10)
Troyes
GRAND EST
Chaumont
Haute-Marne (52)
Épinal
Vosges (88)
Colmar
Haut-Rhin (68)
Vesoul
Belfort
Territoire de Belfort (90)
PAYS DE LA LOIRE
Loire-Atlantique (44)
Angers
Maine-et-Loire (49)
NANTES
Loiret (45)
ORLÉANS
CENTRE-VAL DE LOIRE
Blois
Loir-et-Cher (41)
Indre-et-Loire (37)
Tours
Cher (18)
Bourges
Yonne (89)
Auxerre
Nièvre (58)
Nevers
Côte-d'Or (21)
DIJON
BOURGOGNE-FRANCHE-COMTÉ
Besançon
Doubs (25)
Vendée (85)
La Roche-sur-Yon
Deux-Sèvres (79)
Niort
Poitiers
Vienne (86)
Châteauroux
Indre (36)
Moulins
Saône-et-Loire (71)
Lons-le-Saunier
Jura (39)
La Rochelle
Charente-Maritime (17)
Charente (16)
Angoulême
Haute-Vienne (87)
Limoges
Guéret
Creuse (23)
Allier (03)
Mâcon
Bourg-en-Bresse
Rhône (69D)
Ain (01)
Annecy
Haute-Savoie (74)
LYON
AUVERGNE-RHÔNE-ALPES
Chambéry
Savoie (73)
Clermont-Ferrand
Loire (42)
Saint-Étienne
Puy-de-Dôme (63)
Corrèze (19)
Tulle
NOUVELLE-AQUITAINE
Périgueux
Dordogne (24)
Cantal (15)
Aurillac
Haute-Loire (43)
Le Puy-en-Velay
Isère (38)
Grenoble
Valence
BORDEAUX
Gironde (33)
Lot (46)
Cahors
Lozère (48)
Mende
Privas
Ardèche (07)
Drôme (26)
Hautes-Alpes (05)
Gap
Lot-et-Garonne (47)
Agen
Rodez
Aveyron (12)
Albi
Tarn-et-Garonne (82)
Montauban
Mont-de-Marsan
Landes (40)
Gers (32)
Auch
TOULOUSE
OCCITANIE
Gard (30)
Nîmes
Vaucluse (84)
Avignon
Digne-les-Bains
Alpes-de-Haute-Provence (04)
Alpes-Maritimes (06)
Nice
PROVENCE-ALPES-CÔTE D'AZUR
Pyrénées-Atlantiques (64)
Pau
Tarbes
Hautes-Pyrénées (65)
Foix
Ariège (09)
Haute-Garonne (31)
Carcassonne
Tarn (81)
Hérault (34)
Montpellier
Aude (11)
Perpignan
Pyrénées-Orientales (66)
Var (83)
MARSEILLE
Toulon
Bastia
Haute-Corse (2B)
CORSE
AJACCIO
Corse-du-Sud (2A)

LA GUADELOUPE
Pointe-à-Pitre
97-1

LA MARTINIQUE
Fort-de-France
97-2

LA GUYANE
Cayenne
97-3

LA RÉUNION
Saint-Denis
97-4

ST-PIERRE-ET-MIQUELON
Miquelon
97-5

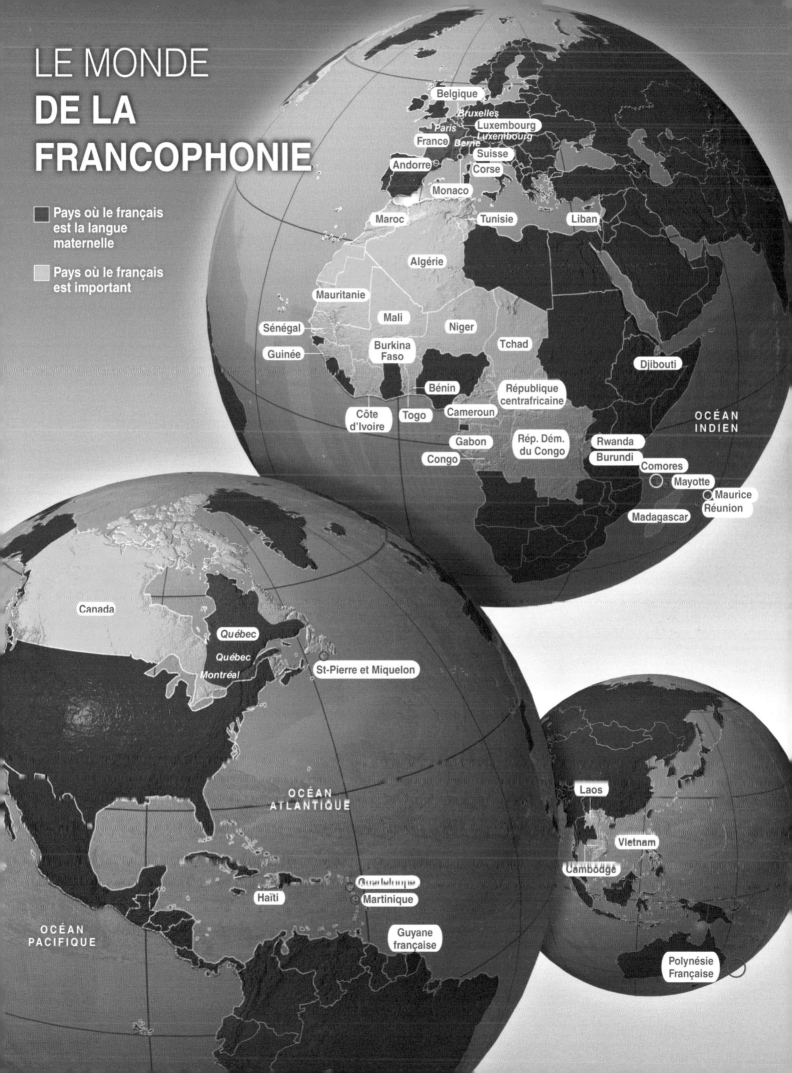

LE MONDE
DE LA
FRANCOPHONIE

■ Pays où le français est la langue maternelle

□ Pays où le français est important

Belgique
Bruxelles
Luxembourg
Luxembourg
Paris
Berne
France
Suisse
Andorre
Corse
Monaco
Maroc
Tunisie
Liban
Algérie
Mauritanie
Mali
Niger
Sénégal
Tchad
Guinée
Burkina Faso
Djibouti
Bénin
République centrafricaine
Côte d'Ivoire
Togo
Cameroun
Gabon
Rép. Dém. du Congo
Rwanda
OCÉAN INDIEN
Congo
Burundi
Comores
Mayotte
Maurice
Réunion
Madagascar

Canada
Québec
Québec
Montréal
St-Pierre et Miquelon

OCÉAN ATLANTIQUE

Laos

Vietnam

Cambodge

Guadeloupe
Haïti
Martinique

OCÉAN PACIFIQUE

Guyane française

Polynésie Française

LE DVD-ROM

Le DVD-Rom contient les ressources complémentaires (audio et vidéos) de votre méthode.

Vous pouvez l'utiliser :

• Sur votre ordinateur (PC ou Mac)
Pour visionner la vidéo, écouter l'audio, extraire l'audio et le charger sur votre lecteur mp3 ou convertir les fichiers mp3 en fichier audio Windows Media Player (PC) ou AAC (Mac) et les graver sur un CD audio à usage strictement personnel.

• Sur votre lecteur DVD compatible DVD-Rom
Pour visionner la vidéo et écouter l'audio.

Mode d'emploi et contenu du DVD-Rom

Pour afficher le contenu du DVD-Rom, il est nécessaire d'explorer le DVD à partir de l'icône du DVD. Après insertion du DVD-Rom dans votre ordinateur, celle-ci s'affiche dans le poste de travail (PC) ou sur le bureau (Mac).
– **Sur PC :** effectuez un clic droit sur l'icône du DVD et sélectionnez « Explorer » dans le menu contextuel.
– **Sur Mac :** cliquez sur l'icône du DVD.
Dans le cas où la lecture des fichiers vidéo ou audio démarre automatiquement sur votre machine, fermez la fenêtre de lecture puis procédez à l'opération décrite ci-dessus.

Le contenu du DVD-Rom est organisé de la manière suivante :

• un dossier LIVRE_ELEVE et un dossier CAHIER_ACTIVITES
Double-cliquez sur le dossier de votre choix pour accéder aux audio du livre de l'élève ou du cahier d'activités.
Afin de vous permettre d'identifier rapidement l'élément audio qui vous intéresse, les fichiers audio ont été nommés en faisant d'abord référence au numéro de piste indiqué sur le livre ou le cahier, ensuite à la page du manuel et à l'activité auxquelles le contenu audio se rapporte.
Exemple : 03_P23_EX07 → Ce fichier audio correspond à la piste 3 se rapportant à l'activité 7, page 23 du manuel.

• un dossier VIDEOS
Double-cliquez sur le dossier VIDEOS. Vous accédez à deux sous-dossiers : VO et VOST.
Double-cliquez sur le dossier correspondant aux contenus vidéo que vous souhaitez consulter (VO pour la version originale sans les sous-titres, VOST pour la version originale avec les sous-titres en français).

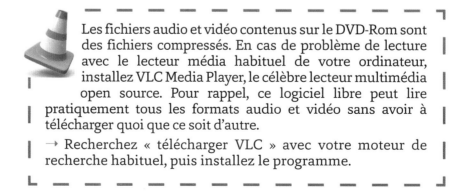

Les fichiers audio et vidéo contenus sur le DVD-Rom sont des fichiers compressés. En cas de problème de lecture avec le lecteur média habituel de votre ordinateur, installez VLC Media Player, le célèbre lecteur multimédia open source. Pour rappel, ce logiciel libre peut lire pratiquement tous les formats audio et vidéo sans avoir à télécharger quoi que ce soit d'autre.

→ Recherchez « télécharger VLC » avec votre moteur de recherche habituel, puis installez le programme.

Imprimé en Italie en octobre 2019 par «La Tipografica Varese Srl» Varese - N° de projet : 10259749